Die BILD Bestseller-Bibliothek

1 Mario Puzo Der Pate
2 Marianne Fredriksson Hannas Töchter
3 Stephen King Shining
4 Stefanie Zweig Nirgendwo in Afrika
5 Ken Follett Die Nadel
6 Petra Hammesfahr Das Geheimnis der Puppe
7 M. M. Kaye Palast der Winde
8 Thomas Harris Das Schweigen der Lämmer
9 Ephraim Kishon Drehn Sie sich um, Frau Lot!
10 James Clavell Tai-Pan
11 Walter Kempowski Tadellöser & Wolff
12 Johannes Mario Simmel Niemand ist eine Insel
13 Eva Heller
Beim nächsten Mann wird alles anders
14 Barbara Wood Rote Sonne, schwarzes Land
15 Agatha Christie Mord im Orientexpress
16 Siegfried Lenz So zärtlich war Suleyken
17 Michael Crichton Jurassic Park
18 Truman Capote Kaltblütig
19 Marion Zimmer Bradley Die Nebel von Avalon
20 Robert Harris Enigma
21 Doris Lessing Das fünfte Kind
22 P. D. James Wer sein Haus auf Sünden baut
23 Alexander Solschenizyn
Ein Tag im Leben des Iwan Denissowitsch
24 Mary Higgins Clark Mondlicht steht dir gut
25 Benoîte Groult Salz auf unserer Haut

Große Romane – Großes Gefühl

Mord im
ORIENT-
EXPRESS

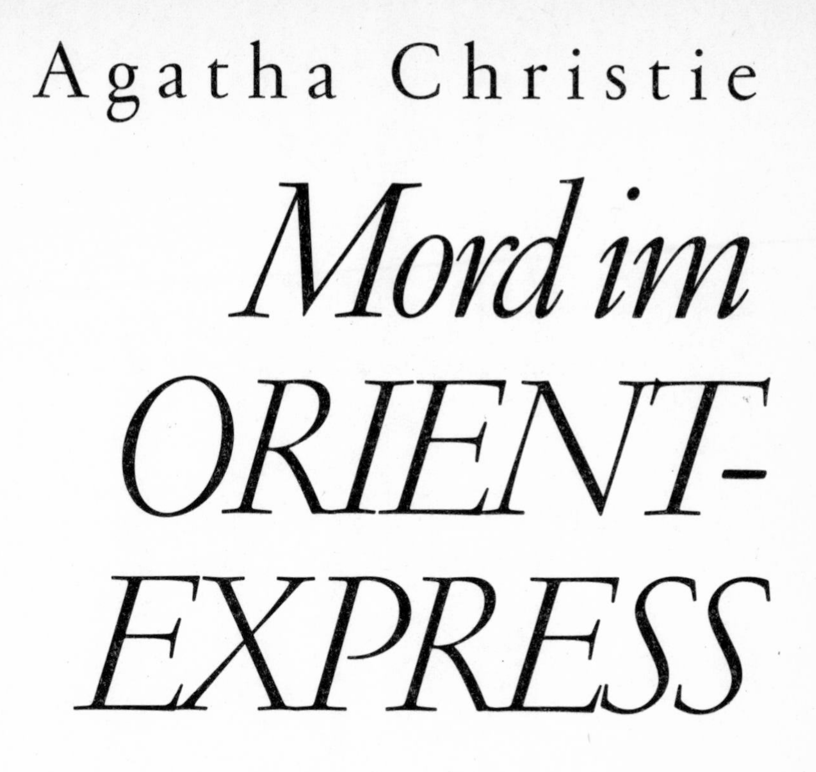

Deutsch von Otto Bayer

Weltbild

Originaltitel: Murder on the Orient Express
Originalverlag: HarperCollins, London

Genehmigte Lizenzausgabe für
Verlagsgruppe Weltbild GmbH
Steinerne Furt 67, 86167 Augsburg 2005

Gesetzt aus der FB Garamond
Druck und Bindung: GGP Media GmbH, Karl-Marx-Str. 24, 07381 Pößneck

Gedruckt auf chlorfrei gebleichtem Papier

Printed in Germany

ISBN 3-89897-114-7

Für M.E.L.M. Arpachiya, 1933

Teil 1

Die Tatsachen

Erstes Kapitel

Ein bedeutender Fahrgast im Taurus-Express

Es war ein kalter Wintermorgen in Syrien. Früh um fünf Uhr wartete auf dem Bahnhof von Aleppo der Zug, der in den Kursbüchern großspurig als »Taurus-Express« bezeichnet wird. Er bestand aus einem Küchen- und Speisewagen, einem Schlafwagen und zwei gewöhnlichen Reisewagen.
Vor dem Trittbrett zum Schlafwagen unterhielt sich ein junger französischer Leutnant in prächtiger Uniform mit einem dünnen kleinen Mann, der sich bis über die Ohren eingemummt hatte, so dass man von ihm nur noch die rote Nasenspitze und die beiden Enden eines aufwärts gezwirbelten Schnurrbarts sah.
Es war bitterkalt, und niemand war um die Aufgabe zu beneiden, einen berühmten Fremdling am Bahnhof zu verabschieden, aber Lieutenant Dubosc stellte sich ihr wie ein Mann. Von seinen Lippen flossen elegante Sätze in geschliffenem Französisch. Aber man glaube nicht, dass er gewusst habe, worum es hier eigentlich ging. Natürlich waren Gerüchte in Umlauf gewesen, wie es sie in solchen Fällen immer gibt. Der General – *sein* General – war zusehends misslauniger geworden. Und dann war dieser Belgier gekommen – offenbar aus dem fernen England angereist. Eine ganze Woche lang hatte eine merkwürdig gespannte Atmosphäre geherrscht. Und dann hatten sich gewisse Dinge ereignet. Ein hoch dekorierter Offizier hatte Selbstmord begangen, ein anderer seinen Abschied genommen – aus bekümmerten Mienen war der Kummer gewichen, bestimmte militärische Vorsichtsmaßnahmen waren gelockert worden. Und Lieutenant Duboscs höchsteigener General hatte plötzlich zehn Jahre jünger ausgesehen.
Dubosc hatte Teile eines Gesprächs zwischen ihm und dem Fremden mitgehört. »Sie haben uns gerettet, *mon cher*«, hatte der General mit bewegter Stimme gesagt, und sein prächtiger weißer Schnurrbart hatte beim Reden gezittert. »Sie haben die Ehre der französischen Streitkräfte gerettet – und ein großes Blutvergießen abgewendet. Wie kann ich Ihnen dafür danken,

dass Sie meiner Bitte nachgekommen sind? Dass Sie diesen weiten Weg gemacht –«

Worauf der Fremde (ein gewisser Monsieur Hercule Poirot) eine geziemende Antwort gab, in der unter anderem der Satz fiel: »Aber sollte ich denn vergessen haben, dass Sie mir einmal das Leben gerettet haben?« Worauf der General wiederum etwas Geziemendes erwiderte und jedes Verdienst an dieser lange zurückliegenden Gefälligkeit in Abrede stellte. Und so hatten sie unter Austausch weiterer Artigkeiten, in denen Wörter wie Frankreich, Belgien, Ruhm und Ehre vorkamen, einander herzlich umarmt, und das Gespräch war zu Ende gewesen.

Lieutenant Dubosc hatte noch immer keine Ahnung, worum es bei dem allen gegangen war, doch ihm war nun die Aufgabe übertragen worden, Monsieur Poirot an den Taurus-Express zu bringen, und diese Aufgabe erledigte er mit all dem Eifer und Pflichtbewusstsein, das man von einem jungen Offizier am Beginn einer verheißungsvollen Karriere wohl erwarten durfte.

»Heute ist Sonntag«, sagte Lieutenant Dubosc. »Morgen Abend sind Sie in Istanbul.«

Er sagte diesen Satz nicht zum ersten Mal. Bahnsteiggespräche vor Abfahrt eines Zuges sind für Wiederholungen anfällig.

»So ist es«, bestätigte Monsieur Poirot.

»Und Sie gedenken dort ein paar Tage zu verbringen, nehme ich an?«

»*Mais oui.* Istanbul, in dieser Stadt war ich noch nie. Es wäre doch schade, da nur durchzureisen – *comme ça* –« Er schnippte beredt mit den Fingern. »Mich drängt nichts – ich werde mich ein paar Tage als Tourist dort umsehen.«

»Die Hagia Sophia – sehr schön«, sagte Lieutenant Dubosc, der sie noch nie gesehen hatte.

Ein eisiger Wind pfiff über den Bahnsteig. Beide Männer erschauerten. Lieutenant Dubosc gelang dabei ein verstohlener Blick auf seine Uhr. Fünf vor fünf – nur noch fünf Minuten!

Da er argwöhnte, der andere habe seinen verstohlenen Blick auf die Uhr bemerkt, stürzte er sich sogleich wieder ins Gespräch.

»Um diese Jahreszeit verreisen nicht viele Leute«, sagte er und sah zu den Schlafwagenfenstern über ihnen auf.

»So ist es«, bestätigte Monsieur Poirot.

»Hoffentlich werden Sie im Taurus-Gebirge nicht eingeschneit!«

»Kommt das vor?«
»Ja, es ist schon vorgekommen. Dieses Jahr allerdings noch nicht.«
»Dann wollen wir auf das Beste hoffen«, meinte Monsieur Poirot. »Die Wettermeldungen aus Europa sind schlecht.«
»Sehr schlecht. Viel Schnee auf dem Balkan.«
»Auch in Deutschland, habe ich gehört.«
»Eh bien«, sagte Lieutenant Dubosc rasch, als das Gespräch erneut zu stocken drohte. »Morgen Abend um neunzehn Uhr vierzig sind Sie jedenfalls in Konstantinopel.«
»Ja«, sagte Monsieur Poirot.
»Die Hagia Sophia –«, fuhr er verzweifelt fort, »ich habe gehört, sie soll sehr schön sein.«
»Prachtvoll, soviel ich weiß.«
Über ihren Köpfen wurde der Vorhang an einem der Schlafwagenfenster zur Seite geschoben, und eine junge Frau schaute heraus.
Mary Debenham war kaum zum Schlafen gekommen, seit sie letzten Donnerstag von Bagdad abgefahren war. Weder auf der Fahrt nach Kirkuk noch im *Rasthaus Mosul* noch in der letzten Nacht im Zug hatte sie richtigen Schlaf gefunden. Jetzt war sie es leid, wach in ihrem überheizten Abteil zu liegen, weshalb sie aufgestanden war, um aus dem Fenster zu schauen.
Das musste Aleppo sein. Natürlich gab es hier nichts zu sehen. Nur einen langen, schlecht beleuchteten Bahnsteig, auf dem irgendwo laut auf Arabisch gestritten wurde. Unter ihrem Fenster standen zwei Männer und unterhielten sich auf Französisch. Der eine war ein französischer Leutnant, der andere ein kleiner Mann mit gewaltigem Schnurrbart. Mary Debenham lächelte matt. Noch nie hatte sie eine derart vermummte Gestalt gesehen. Es musste sehr kalt sein da draußen. Deswegen heizten sie ja den Zug so grässlich. Sie versuchte das Fenster hinunterzuschieben, aber es ging nicht.
Gerade war der Schlafwagenschaffner zu den beiden Männern getreten. Der Zug werde gleich abfahren, sagte er. Monsieur solle lieber einsteigen. Der kleine Mann nahm seinen Hut ab. Was da für ein Eierkopf zum Vorschein kam! Obwohl Mary Debenham ganz andere Sorgen hatte, musste sie lächeln. Wie albern der kleine Kerl doch aussah! Einer dieser kleinen Männer, die man nie richtig ernst nehmen konnte.
Lieutenant Dubosc hielt seine Abschiedsrede, die er sich schon vorher zurechtgelegt und bis zur letzten Minute aufgespart hatte. Es war eine schöne, geschliffene Rede.

Da konnte Monsieur Poirot natürlich nichts schuldig bleiben.
»*En voiture*, Monsieur«, rief der Schlafwagenschaffner.
Mit allen Anzeichen größten Widerstrebens stieg Monsieur Poirot in den Zug, der Schlafwagenschaffner hinterdrein. Monsieur Poirot winkte. Lieutenant Dubosc salutierte. Und mit einem schauerlichen Ruck setzte der Zug sich langsam in Bewegung.
»*Enfin*«, murmelte Monsieur Hercule Poirot.
»Brrr«, machte Lieutenant Dubosc, der jetzt erst merkte, wie kalt ihm war.

»*Voilà*, Monsieur.« Der Schaffner wies Poirot mit theatralischer Gebärde auf die ganze Schönheit seines Schlafabteils und das ordentlich verstaute Gepäck hin. »Monsieurs kleiner Koffer, er ist hier.«
Seine ausgestreckte Hand sprach Bände, und Hercule Poirot drückte einen zusammengefalteten Geldschein hinein.
»*Merci*, Monsieur.« Jetzt wurde der Schaffner ganz dienstlich. »Monsieurs Fahrkarten habe ich schon. Wenn es recht ist, nehme ich nun auch noch Monsieurs Pass an mich. Monsieur werden die Reise in Istanbul unterbrechen, soviel ich weiß?«
Monsieur Poirot bejahte.
»Es sind wohl nicht viele Leute im Zug?«, fragte er.
»Nein, Monsieur. Ich habe nur noch zwei weitere Fahrgäste. Einen englischen Oberst aus Indien und eine junge Engländerin aus Bagdad. Haben Monsieur noch einen Wunsch?«
Monsieur bat um ein Fläschchen Perrier.
Fünf Uhr früh ist eine unangenehme Zeit zum Verreisen. Es waren noch zwei Stunden bis zur Morgendämmerung. Im Bewusstsein seines zu kurz gekommenen Nachtschlafs sowie einer erfolgreich abgeschlossenen, sehr heiklen Mission kuschelte Poirot sich in eine Ecke und schlief ein.
Als er aufwachte, war es schon halb zehn, und da ihm nach einer heißen Tasse Kaffee war, begab er sich in den Speisewagen.
Dort saß zurzeit nur noch eine weitere Person, offenbar die Engländerin, die der Schaffner erwähnt hatte. Sie war groß, schlank und dunkelhaarig – vielleicht achtundzwanzig Jahre alt. Die kühle Selbstsicherheit, mit der sie ihr Frühstück verzehrte und beim Kellner einen Kaffee nachbestellte, verriet Weltgewandtheit und Reiseerfahrung. Sie trug ein dunkles Reisekostüm aus einem dünnen Stoff, der für die überheizte Atmosphäre in diesem Zug gerade richtig war.

Da Monsieur Hercule Poirot nichts Besseres zu tun hatte, vertrieb er sich die Zeit damit, sie zu beobachten, ohne es sich anmerken zu lassen.
Nach seinem Eindruck gehörte sie zu jener Sorte junger Frauen, die sich überall, wohin sie kamen, mit der größten Selbstverständlichkeit bewegten. Sie wirkte ausgeglichen und tüchtig. Ihm gefiel die strenge Regelmäßigkeit ihrer Züge, die zarte Blässe ihrer Haut. Ihm gefielen auch die dunkelbraune, sanft gewellte Frisur und der kühle, unpersönliche Blick ihrer grauen Augen. Für seinen Geschmack war sie für eine *jolie femme*, wie er das nannte, nur ein ganz klein wenig zu selbstsicher.
Kurz darauf kam noch jemand in den Speisewagen, diesmal ein hoch gewachsener Mann zwischen vierzig und fünfzig Jahren, hager, braungebrannt und an den Schläfen leicht angegraut.
»Der Oberst aus Indien«, sagte sich Poirot.
Der Neuankömmling verneigte sich kurz vor der Dame.
»Guten Morgen, Miss Debenham.«
»Guten Morgen, Colonel Arbuthnot.«
Der Oberst fasste nach dem Stuhl auf der anderen Tischseite.
»Sie gestatten?«
»Selbstverständlich. Bitte, nehmen Sie Platz.«
»Aber Sie wissen, beim Frühstück sind die Leute nicht immer sehr gesprächig.«
»Das hoffe ich. Aber ich beiße nicht.«
Der Oberst setzte sich.
»Boy!«, rief er in gebieterischem Ton.
Er bestellte Eier und Kaffee.
Sein Blick streifte ganz kurz Hercule Poirot, wanderte aber uninteressiert weiter. Poirot, der die englische Seele verstand, wusste genau, dass er bei sich gesagt hatte: »Bloß wieder so ein komischer Ausländer.«
Getreu ihrer Nationalität waren die beiden Engländer beim Frühstück alles andere als gesprächig. Sie wechselten nur die eine oder andere kurze Bemerkung, und schon wenig später erhob sich die Dame und kehrte zu ihrem Abteil zurück.
Beim Mittagessen saßen die beiden wieder am selben Tisch, und wieder schenkten sie dem Fremden nicht die mindeste Beachtung. Ihre Unterhaltung war angeregter als beim Frühstück. Colonel Arbuthnot erzählte vom Pandschab und stellte der jungen Dame ein paar Fragen nach Bagdad, wo sie, wie sich herausstellte, als Gouvernante gearbeitet hatte. Im weiteren

Verlauf des Gesprächs entdeckten sie ein paar gemeinsame Bekannte, worauf sie gleich freundlicher und lockerer wurden. Sie sprachen über den guten alten Tommy Dingsda oder den lieben Jerry Soundso. Der Oberst erkundigte sich, ob Miss Debenham bis England durchzufahren oder in Istanbul einen Zwischenaufenthalt einzulegen gedenke.
»Nein, ich fahre gleich weiter.«
»Ist das nicht ein bisschen schade?«
»Ich bin vor zwei Jahren auf dem Hinweg dieselbe Strecke gefahren, und da habe ich mich drei Tage in Istanbul aufgehalten.«
»Aha. Aber dann darf ich sagen, dass ich sehr erfreut bin. Ich fahre nämlich auch durch.«
Er machte bei diesen Worten eine linkische kleine Verbeugung und wurde sogar ein bisschen rot.
»Er ist empfänglich, unser Oberst«, dachte Hercule Poirot amüsiert. »Eine Eisenbahnfahrt scheint doch ebenso gefährlich zu sein wie eine Schiffsreise.«
Miss Debenham sagte gelassen, das sei ja nett. Sie gab sich nicht sehr entgegenkommend.
Hercule Poirot beobachtete, dass der Oberst sie zu ihrem Abteil begleitete. Später fuhren sie durch die herrliche Landschaft des Taurus-Gebirges. Während sie, nebeneinander auf dem Gang stehend, zum Kilikischen Tor hinunterblickten, entrang sich der Dame plötzlich ein Seufzer. Poirot, der nicht weit von ihnen entfernt stand, hörte sie leise sagen:
»Das ist so schön! Ich wünschte mir – ich wünschte –«
»Was?«
»Ich wünschte, ich könnte es genießen.«
Arbuthnot antwortete nicht. Sein kantiges Kinn wirkte noch etwas strenger und grimmiger.
»Und ich wünschte mir beim Himmel, wir wären aus der Sache raus.«
»Still, bitte. Still.«
»Ach was!« Er warf einen unwirschen Blick in Poirots Richtung. Dann fuhr er fort. »Aber mir gefällt der Gedanke überhaupt nicht, dass Sie die Gouvernante spielen müssen – immer nach der Pfeife tyrannischer Mütter und ihrer ungezogenen Bälger zu tanzen.«
Sie lachte, und es lag nur der allerkleinste Anflug von Unsicherheit darin.
»Oh, so dürfen Sie das nicht sehen. Die mit Füßen getretene Gouvernante gehört längst ins Reich der Legende. Ich kann Ihnen im Gegenteil versichern, dass die *Eltern* Angst haben, von *mir* tyrannisiert zu werden.«

Mehr sagten sie nicht. Vielleicht schämte Arbuthnot sich ja ein wenig für seinen Ausbruch.
»Was für eine drollige kleine Komödie bekomme ich hier zu sehen«, dachte Poirot bei sich.
Ein Gedanke, an den er sich später wieder erinnern sollte.
Nachts gegen halb zwölf erreichten sie Konya. Die beiden Engländer stiegen aus, um sich auf dem verschneiten Bahnsteig ein wenig die Füße zu vertreten.
Monsieur Poirot begnügte sich damit, dem Treiben auf dem Bahnsteig durchs Fenster zuzusehen. Nach etwa zehn Minuten fand er aber, dass ein bisschen frische Luft auch ihm vielleicht nicht schaden könnte. Er traf dazu gewissenhafte Vorbereitungen, zog mehrere Mäntel und Schals übereinander an und hüllte seine schmucken Stiefel in Überschuhe. So gerüstet, stieg er vorsichtig auf den Bahnsteig hinunter und begann ihn abzuschreiten. Er ging ganz nach vorn, noch an der Lokomotive vorbei.
Erst die Stimmen machten ihn auf die beiden undeutlichen Gestalten aufmerksam, die im Schatten eines Gepäckwagens standen. Arbuthnot sprach soeben.
»Mary –«
Die Frau unterbrach ihn.
»Nicht jetzt. Nicht jetzt. Erst wenn alles vorbei ist. Wenn wir es hinter uns haben – *dann* –«
Monsieur Poirot wandte sich diskret ab. Er machte sich seine Gedanken.
Er hatte Mary Debenhams sonst so kühle, selbstsichere Stimme kaum wiedererkannt ...
»Sonderbar«, sagte er bei sich.
Am nächsten Tag fragte er sich, ob die beiden sich vielleicht gestritten hatten. Sie sprachen kaum miteinander. Die Frau wirkte nervös. Sie hatte dunkle Ringe unter den Augen.
Am Nachmittag gegen halb drei hielt der Zug plötzlich an. Leute steckten die Köpfe aus den Fenstern. Neben dem Gleis stand ein Grüppchen von Männern, die auf irgendetwas unter dem Speisewagen zeigten.
Poirot lehnte sich hinaus und sprach den Schlafwagenschaffner an, der gerade vorbeirannte. Der Mann antwortete, und als Poirot den Kopf wieder zurückzog und sich umdrehte, stieß er fast mit Mary Debenham zusammen, die unmittelbar hinter ihm stand.

»Was ist los?«, fragte sie ein wenig atemlos auf Französisch. »Warum stehen wir hier?«
»Nichts weiter, Mademoiselle. Unter dem Speisewagen hat irgendetwas Feuer gefangen. Nichts Schlimmes. Der Brand ist schon gelöscht. Jetzt wird noch der Schaden repariert. Es besteht keine Gefahr, das versichere ich Ihnen.«
Sie winkte ungehalten ab, als wäre der Gedanke an Gefahr für sie etwas völlig Nebensächliches.
»Ja, schon, das ist mir klar. Aber die *Zeit!*«
»Zeit?«
»Ja. Wir bekommen Verspätung.«
»Möglich – ja«, pflichtete Poirot ihr bei.
»Aber wir können uns keine Verspätung leisten! Der Zug kommt um sechs Uhr fünfundfünfzig an, und dann müssen wir über den Bosporus und auf der anderen Seite um neun Uhr den Simplon-Orient-Express erreichen. Eine Verspätung von ein, zwei Stunden, und wir verpassen den Anschluss.«
»Ja, das könnte passieren«, räumte er ein.
Er sah sie neugierig an. Die Hand, die den Fenstergriff hielt, war nicht ganz ruhig, und auch ihre Lippen zitterten.
»Ist es Ihnen sehr wichtig, Mademoiselle?«, fragte er.
»Ja. O ja. Ich – *muss* diesen Zug erreichen.«
Sie wandte sich von ihm ab und ging zu Colonel Arbuthnot, der weiter hinten auf dem Gang stand.
Ihre Sorge erwies sich jedoch als unbegründet. Nach zehn Minuten fuhr der Zug wieder an. Er traf mit nur fünf Minuten Verspätung in Haydapassar ein, nachdem er unterwegs etwas Zeit aufgeholt hatte.
Der Bosporus war rau, und Monsieur Poirot genoss die Überfahrt nicht. Auf dem Schiff wurde er von seinen Reisegefährten getrennt und sah sie nicht wieder.
Sowie sie an der Galata-Brücke angelegt hatten, fuhr er geradewegs zum *Hotel Tokatlia*.

Zweites Kapitel

Hotel Tokatlia

Im *Hotel Tokatlia* ließ Hercule Poirot sich ein Zimmer mit Bad geben, dann ging er zum Portier und fragte, ob Post für ihn da sei.
Drei Briefe und ein Telegramm warteten auf ihn. Beim Anblick des Telegramms zog er die Augenbrauen ein wenig hoch. Damit hatte er nicht gerechnet.
Er öffnete es auf seine gewohnt ordentliche, uneilige Art. In deutlichen Großbuchstaben stand darauf:
»Ihre Voraussage im Fall Kassner unerwartet eingetroffen. Bitte sofort zurückkommen.«
»Voilà ce qui est embêtant«, brummelte Poirot verärgert. Er sah zur Uhr hinauf.
»Ich muss noch heute Abend weiter«, sagte er zum Portier. »Wann fährt der Orientexpress ab?«
»Um neun Uhr, Monsieur.«
»Können Sie mir einen Schlafwagenplatz besorgen?«
»Gewiss, Monsieur. Um diese Jahreszeit gibt es da keine Schwierigkeiten. Die Züge sind fast leer. Erste oder zweite Klasse?«
»Erste.«
»Très bien, Monsieur. Wie weit fahren Sie?«
»Bis nach London.«
»Bien, Monsieur. Ich besorge Ihnen eine Fahrkarte nach London und lasse Ihnen ein Schlafabteil im Kurswagen Istanbul-Calais reservieren.«
Poirot sah wieder auf die Uhr.
Es war zehn vor acht.
»Habe ich noch Zeit zum Essen?«
»Gewiss, Monsieur.«
Der kleine Belgier nickte. Er ging wieder zum Empfang, um seine Zimmerbestellung zu annullieren, und begab sich dann ins Restaurant.

Gerade bestellte er beim Kellner sein Essen, als eine Hand sich auf seine Schulter legte.
»Ah, *mon vieux!* Ist das eine unverhoffte Freude«, sagte eine Stimme hinter ihm.
Der Sprecher war ein kleiner, untersetzter älterer Herr mit Bürstenhaarschnitt. In seinem Gesicht stand ein erfreutes Lächeln.
Poirot sprang auf.
»Monsieur Bouc!«
»Monsieur Poirot!«
Monsieur Bouc war Belgier und gehörte zum Direktorium der Compagnie internationale des wagons-lits. Seine Bekanntschaft mit dem ehemaligen Star der belgischen Polizei reichte viele Jahre zurück.
»Sie sind aber fern der Heimat, *mon cher*«, sagte Monsieur Bouc.
»Eine kleine Geschichte in Syrien.«
»Ah, und nach Hause geht es wieder – wann?«
»Heute Abend.«
»Ausgezeichnet! Ich nämlich auch. Das heißt, ich fahre bis Lausanne mit, wo ich zu tun habe. Sie nehmen den Simplon-Orient, nehme ich an?«
»Ja. Ich habe schon darum gebeten, mir einen Schlafwagenplatz zu besorgen. Eigentlich hatte ich ja ein paar Tage hier bleiben wollen, aber nun habe ich gerade ein Telegramm erhalten, das mich in einer wichtigen Angelegenheit nach England zurückruft.«
»Ach ja«, seufzte Monsieur Bouc. »*Les affaires – les affaires!* Aber – Sie sind ja inzwischen ein ganz großer Mann, *mon vieux*.«
»Ich hatte vielleicht den einen oder anderen kleinen Erfolg zu verzeichnen.« Hercule Poirot versuchte bescheiden dreinzublicken, was ihm gründlich misslang.
Monsieur Bouc lachte.
»Wir sehen uns später«, sagte er.
Hercule Poirot widmete sich der schwierigen Aufgabe, seinen Schnurrbart aus der Suppe zu halten.
Nachdem das geschafft war, blickte er sich, während er auf den nächsten Gang wartete, im Restaurant um. Es war nur ein rundes halbes Dutzend Leute da, und von diesem halben Dutzend interessierte sich Hercule Poirot nur für zwei.
Diese zwei saßen an einem nicht weit entfernten Tisch. Der Jüngere war ein durchaus liebenswert aussehender Mann um die dreißig, eindeutig Ame-

rikaner. Aber nicht ihm galt die Aufmerksamkeit des kleinen Detektivs, sondern seinem Gefährten.

Dieser Mann mochte zwischen sechzig und siebzig sein. Von weitem hatte er das freundliche Gesicht eines Philanthropen. Sein schütteres Haar, die gewölbte Stirn, der lächelnde Mund, der ein sehr weißes falsches Gebiss entblößte, das alles deutete auf Gutmütigkeit hin. Nur die Augen straften diesen Eindruck Lügen. Sie waren klein, saßen tief in den Höhlen und wirkten verschlagen. Nicht genug damit: Als der Mann einmal etwas zu seinem Begleiter sagte und sich dabei im Raum umsah, blieb sein Blick ganz kurz an Poirot hängen, und nur für die Dauer dieser einen Sekunde blitzte eine sonderbare Bösartigkeit darin auf, etwas unnatürlich Gespanntes.

Dann erhob er sich.

»Bezahlen Sie die Rechnung, Hector«, sagte er.

Seine Stimme klang ein wenig heiser. Und sie hatte einen ungewöhnlich sanften, gefährlichen Unterton.

Als Poirot sich mit seinem Freund wieder in der Hotelhalle traf, waren die beiden Männer drauf und dran, das Hotel zu verlassen. Ihr Gepäck wurde heruntergebracht. Der Jüngere überwachte diesen Vorgang. Gleich darauf öffnete er die Glastür und sagte: »Wir wären so weit, Mr. Ratchett.«

Der Ältere grunzte etwas und ging hinaus.

»Eh bien«, sagte Poirot. »Was halten Sie von diesen beiden?«

»Amerikaner«, sagte Monsieur Bouc.

»Auf jeden Fall sind es Amerikaner. Aber ich meinte, was haben Sie für einen Eindruck von ihnen?«

»Der junge Mann erschien mir recht angenehm.«

»Und der andere?«

»Um ehrlich zu sein, mein Freund, er gefiel mir nicht. Er wirkte auf mich irgendwie unangenehm. Und auf Sie?«

Hercule Poirot ließ sich mit der Antwort etwas Zeit.

»Als er im Restaurant an mir vorbeiging«, sagte er endlich, »hatte ich ein eigenartiges Gefühl. Als wäre ein wildes Tier – ein grausames wildes Tier, wenn Sie verstehen – an mir vorbeigegangen.«

»Dabei macht er doch einen durch und durch gediegenen Eindruck.«

»Précisément! Der Körper – der Käfig – alles gediegen – doch durch die Gitterstäbe blickt das wilde Tier heraus.«

»Sie haben eine lebhafte Phantasie, *mon vieux«*, meinte Monsieur Bouc.

»Mag sein. Aber ich wurde das Gefühl nicht los, dass mir das Böse begegnet war.«
»Dieser gediegene amerikanische Gentleman?«
»Dieser gediegene amerikanische Gentleman.«
»Hm«, meinte Monsieur Bouc vergnügt. »Das ist ja gut möglich. Es gibt so viel Böses auf der Welt.«
In diesem Moment ging die Tür auf, und der Portier kam zu ihnen. Er trug eine kummervolle Miene zur Schau.
»Es ist unglaublich, Monsieur«, sagte er zu Poirot. »Aber in diesem Zug ist kein einziges Schlafwagenabteil erster Klasse mehr zu haben.«
»*Comment?*«, rief Monsieur Bouc. »Um diese Jahreszeit? Ah, da ist bestimmt so eine Journalistengruppe unterwegs – oder Politiker –?«
»Ich weiß es nicht, Monsieur«, wandte der Portier sich nun respektvoll an ihn. »Aber so stehen die Dinge.«
»Hm, hm.« Monsieur Bouc wandte sich an Poirot. »Aber seien Sie unbesorgt, mein Freund. Wir werden schon etwas organisieren. Es ist immer ein Abteil frei – die Nummer sechzehn – sie ist nie belegt. Dafür sorgt der Schaffner!« Er lächelte, dann sah er zur Uhr hinauf. »Kommen Sie«, sagte er. »Zeit zum Aufbruch.«
Am Bahnhof wurde Monsieur Bouc von einem übereifrigen Schlafwagenschaffner in brauner Uniform respektvoll begrüßt.
»Guten Abend, Monsieur. Sie haben Abteil Nummer eins.«
Er rief die Gepäckträger herbei, und sie rollten ihre Fracht zur Mitte des Wagens, auf dem ein Blechschild die Reiseroute angab:

ISTANBUL – TRIEST – CALAIS

»Ich höre, wir sind voll besetzt?«
»Es ist nicht zu glauben, Monsieur. Alle Welt will heute Nacht verreisen.«
»Trotzdem müssen Sie noch einen Platz für diesen Herrn finden. Er ist ein Freund von mir. Er kann die Nummer sechzehn haben.«
»Nummer sechzehn ist leider belegt, Monsieur.«
»Wie bitte? Nummer sechzehn?«
Die beiden wechselten einen verständnisinnigen Blick, dann lächelte der Schaffner. Er war ein Mann in mittleren Jahren, hoch gewachsen und von bleichem Teint.
»Aber ja, Monsieur. Wie gesagt, wir sind voll belegt – voll – überall.«

»Aber wie kommt denn das?«, fragte Monsieur Bouc gereizt. »Findet irgendwo eine Konferenz statt? Oder ist das eine Reisegesellschaft?«
»Nein, Monsieur. Reiner Zufall. Es trifft sich einfach so, dass heute vielen Leuten der Sinn nach Verreisen steht.«
Monsieur Bouc schnalzte verdrossen mit der Zunge.
»In Belgrad«, sagte er dann, »wird der Kurswagen aus Athen angehängt. Auch der Wagen Bukarest-Paris – aber wir sind erst morgen Abend in Belgrad. Das Problem ist die heutige Nacht. Es ist auch kein Schlafplatz zweiter Klasse mehr frei?«
»Ein Bett zweiter Klasse *ist* noch frei, Monsieur.«
»Also, dann –«
»Aber das ist ein Damenabteil. Und es befindet sich schon eine Dame darin – eine deutsche Zofe.«
»*Là, là,* wie unangenehm«, sagte Monsieur Bouc.
»Grämen Sie sich nicht, mein Freund«, sagte Poirot. «Dann muss ich eben in einem normalen Abteil reisen.«
»Kommt überhaupt nicht in Frage.« Monsieur Bouc wandte sich wieder an den Schaffner. »Sind denn alle Fahrgäste da?«
»Richtig«, sagte der Mann, »einer ist noch nicht da.«
Er sagte es langsam und zögernd.
»Was ist denn?«
»Bett Nummer sieben – in der zweiten Klasse. Der Herr ist noch nicht da, und es ist vier Minuten vor neun.«
»Wer ist dieser Herr?«
»Ein Engländer.« Der Schaffner sah auf seiner Liste nach. »Mr. Harris.«
»Ein gutes Omen, dieser Name«, sagte Poirot. »O ja, ich habe meinen Dickens gelesen. Mr. Harris wird nicht kommen.«
»Bringen Sie Monsieur in Nummer sieben unter«, befahl Monsieur Bouc. »Sollte dieser Mr. Harris noch kommen, dann sagen wir ihm, er ist zu spät – wir können die Liegeplätze nicht so lange freihalten – wir werden die Sache auf die eine oder andere Weise regeln. Was kümmert mich ein Mr. Harris?«
»Wie Monsieur befehlen«, sagte der Schaffner.
Er erklärte dem Gepäckträger, wohin er Poirots Sachen zu bringen habe. Dann gab er das Trittbrett frei, damit Poirot einsteigen konnte. »*Tout à fait au bout,* Monsieur«, rief er. »Ganz hinten, das vorletzte Abteil.«
Poirot begab sich durch den Gang, wobei er ziemlich langsam vorankam,

da die meisten Reisenden vor ihren Abteilen standen. Sein *»Pardon, pardon«* erklang mit der Regelmäßigkeit eines Uhrwerks. Schließlich kam er zu dem genannten Abteil. Drinnen griff der junge Amerikaner aus dem *Hotel Tokatlia* gerade nach einem Koffer über sich.

Bei Poirots Eintreten runzelte er die Stirn.

»Entschuldigen Sie«, sagte er, »aber ich glaube, Sie haben sich im Abteil geirrt.« Dann wiederholte er mühsam auf Französisch: *»Je crois que vous avez un erreur.«*

»Sind Sie Mr. Harris?«, fragte Poirot auf Englisch zurück.

»Nein, mein Name ist MacQueen. Ich –«

Im selben Moment sprach jedoch der Schlafwagenschaffner über Poirots Schulter hinweg – bedauernd und ein wenig atemlos:

»Es gibt keine anderen Schlafplätze mehr im Zug, Monsieur. Dieser Herr muss zu Ihnen hinein.«

Mit diesen Worten öffnete er das Korridorfenster und begann Poirots Gepäck hereinzuwuchten.

Poirot nahm das Bedauernde in seinem Ton mit einer gewissen Belustigung zur Kenntnis. Zweifellos war dem Mann ein gutes Trinkgeld in Aussicht gestellt worden, wenn er es schaffte, dieses Abteil für den anderen zur alleinigen Verfügung zu halten. Aber auch das fürstlichste Trinkgeld verliert seine Wirkung, wenn ein Direktor der Internationalen Schlafwagengesellschaft im Zug sitzt und Befehle erteilt.

Der Schlafwagenschaffner kam aus dem Abteil, nachdem er die Koffer ins Gepäcknetz befördert hatte.

»Voilà, Monsieur«, sagte er. »Alles fertig. Sie haben das obere Bett, Nummer sieben. In einer Minute fahren wir ab.«

Er eilte über den Gang davon. Poirot betrat wieder das Schlafwagenabteil.

»Ein selten zu beobachtendes Phänomen«, meinte er vergnügt. »Dass ein Schlafwagenschaffner eigenhändig das Gepäck verstaut. Das hat es ja noch nie gegeben!«

Sein Mitreisender lächelte. Offenbar hatte er seinen Ärger überwunden – wahrscheinlich eingesehen, dass es keinen Sinn hatte, die Sache anders als mit philosophischer Gelassenheit hinzunehmen.

»Der Zug ist ungewöhnlich voll«, bemerkte er.

Ein Pfiff ertönte, dann gab die Lokomotive einen lang gezogenen, wehklagenden Schrei von sich. Beide Männer traten auf den Gang hinaus.

»En voiture!«, rief draußen eine Stimme.

»Jetzt fahren wir«, sagte MacQueen.
Aber sie fuhren noch nicht. Wieder ertönte ein Pfiff.
»Hören Sie«, sagte der junge Mann plötzlich, »wenn Sie lieber das untere Bett hätten – bequemer und so – also, mir soll es recht sein.«
»Nicht doch«, protestierte Poirot. »Ich würde es Ihnen nie zumuten –«
»Es macht mir wirklich nichts –«
»Zu liebenswürdig –«
Höfliche Beteuerungen auf beiden Seiten.
»Es ist ja nur für eine Nacht«, erklärte Poirot. »In Belgrad –«
»Ah, Sie steigen in Belgrad wieder aus –«
»Das nicht. Aber sehen Sie –«
Plötzlich gab es einen Ruck. Beide Männer drehten sich rasch zum Fenster um und sahen den langen, erhellten Bahnsteig langsam vorbeiziehen.
Der Orientexpress hatte seine Dreitagereise quer durch Europa angetreten.

Drittes Kapitel

Poirot lehnt einen Auftrag ab

Monsieur Hercule Poirot kam am nächsten Mittag etwas verspätet in den Speisewagen. Er war früh aufgestanden, hatte fast allein gefrühstückt und dann den Vormittag damit verbracht, die Notizen zu dem Fall durchzulesen, der ihn nach London zurückrief. Von seinem Abteilgefährten hatte er noch wenig zu sehen bekommen.
Monsieur Bouc, der bereits Platz genommen hatte, winkte seinem Freund zur Begrüßung zu und bot ihm den freien Platz ihm gegenüber an. Poirot setzte sich und sah sich bald in der privilegierten Situation, an einem Tisch zu sitzen, der nicht nur immer zuerst bedient wurde, sondern von allem auch die besten Stücke bekam. Zudem war das Essen ungemein gut.
Erst bei einem delikaten Frischkäse gestattete Monsieur Bouc es seinen

Gedanken, sich von der Nahrungsaufnahme ab- und etwas anderem zuzuwenden. Er hatte jenes Stadium der Mahlzeit erreicht, in dem der Mensch philosophisch wird.
»Ach«, seufzte er. »Hätte ich nur Balzacs Feder, wie gern würde ich diese Szene beschreiben.«
Er zeigte in die Runde.
»Keine schlechte Idee«, sagte Poirot.
»Ah, Sie finden das auch? Das hat noch niemand gemacht, glaube ich. Und doch, mein Freund – es bietet sich als Romanstoff geradezu an. Um uns herum sitzen Menschen aller Schichten, aller Nationalitäten, jeden Alters. Für drei Tage bilden diese Menschen, lauter Fremde füreinander, eine Gemeinschaft. Sie schlafen und essen unter einem Dach, sie können sich nicht aus dem Weg gehen. Und nach den drei Tagen trennen sie sich wieder, jeder geht seine eigenen Wege, und sie werden sich vielleicht nie wieder sehen.«
»Dennoch«, meinte Poirot, »nehmen wir einmal an, ein Unglück –«
»Nicht doch, mein Lieber –«
»Aus Ihrer Sicht wäre das gewiss bedauerlich, zugegeben. Nehmen wir es trotzdem einmal an. Dann wären alle diese Menschen für immer miteinander verbunden – durch den Tod.«
»Trinken wir noch ein Glas Wein«, sagte Monsieur Bouc und schenkte schnell nach. »Sie haben eine schlimme Phantasie, *mon cher.* Vielleicht kommt das von der Verdauung.«
»Es ist wahr«, räumte Poirot ein, »das Essen in Syrien war meinem Magen nicht so recht zuträglich.«
Er trank einen Schluck Wein. Dann lehnte er sich zurück und blickte sich nachdenklich im Speisewagen um. Dreizehn Leute saßen da, und wie Monsieur Bouc gesagt hatte, waren es Menschen aller Klassen und Nationalitäten. Er sah sie sich genauer an.
Am Tisch gegenüber saßen drei Männer. Sie waren seiner Einschätzung nach Alleinreisende, vom unfehlbaren Blick des Speisewagenpersonals als solche erkannt und an denselben Tisch verwiesen. Ein korpulenter, dunkelhäutiger Italiener stocherte genüsslich in seinen Zähnen. Ihm gegenüber saß ein hagerer, adretter Engländer mit dem ausdruckslos missbilligenden Gesicht des geschulten Dieners. Neben dem Engländer saß ein vierschrötiger Amerikaner in einem schreienden Anzug – möglicherweise ein Handlungsreisender.
»Man muss da *groß* einsteigen«, verkündete er soeben laut und näselnd.

Der Italiener nahm seinen Zahnstocher aus dem Mund und gestikulierte ungeniert damit herum.
»Klar«, meinte er. »Sag ich doch die ganze Zeit.«
Der Engländer blickte aus dem Fenster und hüstelte.
Poirots Blick wanderte weiter.
An einem kleinen Tisch saß kerzengerade eine alte Dame, wie er sie hässlicher kaum je gesehen hatte. Es war allerdings eine Hässlichkeit von eigener Würde, die eher faszinierte als abstieß. Die Dame saß sehr aufrecht. An ihrem Hals hing ein Collier aus sehr großen Perlen, die aller Unwahrscheinlichkeit zum Trotz echt waren. Ihre Hände waren mit Ringen bedeckt. Sie hatte ihre Zobeljacke über den Schultern zurückgeschlagen. Ein sehr kleines, teures schwarzes Hütchen passte ausgesprochen schlecht zu dem gelblichen Krötengesicht darunter.
Soeben sprach sie mit klarer Stimme, die höflich, aber befehlsgewohnt klang, zum Speisewagenkellner: »Haben Sie die Liebenswürdigkeit, mir eine Flasche Mineralwasser und ein großes Glas Orangensaft ins Abteil zu bringen. Und sorgen Sie dafür, dass ich heute zum Abendessen gedünstetes Hühnchen ohne Beilagen bekomme – und ein Stückchen gekochten Fisch.«
Der Kellner versicherte ihr respektvoll, dass es so geschehen werde.
Sie nickte gnädig, dann erhob sie sich. Dabei streifte ihr Blick ganz kurz Poirot, huschte aber mit aristokratischer Nonchalance sogleich über ihn hinweg.
»Das ist die Fürstin Dragomiroff«, sagte Monsieur Bouc leise. »Russin. Ihr Gatte hat vor der Revolution sein ganzes Geld flüssig gemacht und im Ausland angelegt. Sie ist steinreich. Eine Kosmopolitin.«
Poirot nickte. Er hatte von der Fürstin Dragomiroff schon gehört.
»Eine Persönlichkeit«, sagte Monsieur Bouc. »Hässlich wie die Sünde, aber sie versteht Eindruck zu machen. Finden Sie nicht auch?«
Poirot fand das auch.
An einem der anderen großen Tische saß Mary Debenham mit noch zwei Frauen zusammen. Die eine, hoch gewachsen und mittleren Alters, trug eine karierte Bluse mit Tweedrock. Ihr volles, abgestumpftes blondes Haar war unvorteilhaft zu einem großen Knoten geschlungen; dazu hatte sie eine Brille auf, und ihr langes Gesicht hatte die Sanftmut und Liebenswürdigkeit eines Schafs. Sie hörte der Dritten zu, einer robusten älteren Frau mit freundlichem Gesicht, die einen langen Monolog herunterleierte und scheinbar weder Luft zu holen brauchte noch je ein Ende zu finden gedachte.

»... und da sagte meine Tochter: ›Hör mal‹, sagte sie, ›du kannst in diesem Land keine amerikanischen Sitten einführen. Faul zu sein liegt einfach in der Natur dieser Menschen‹, sagte sie. ›Sie haben es nun einmal nie eilig.‹ Und trotzdem, Sie würden staunen, wenn Sie sehen könnten, was unsere Schule dort zu Wege bringt. Die haben sehr gute Lehrer. Ich denke, es geht nichts über Bildung. Wir müssen unsere westlichen Ideale zur Geltung bringen und den Osten lehren, sie anzuerkennen. Meine Tochter sagt –«

Der Zug fuhr in einen Tunnel ein. Die monotone Stimme wurde kurzerhand ertränkt.

Am Tisch daneben, einem kleinen, saß Colonel Arbuthnot – allein. Sein Blick klebte an Mary Debenhams Hinterkopf. Sie saßen nicht zusammen. Dabei hätte sich das leicht so einrichten lassen. Warum?

Vielleicht ziert sich Mary Debenham, dachte Poirot. Als Gouvernante weiß sie sich vorzusehen. Der Schein ist alles. Eine junge Frau, die sich ihren Lebensunterhalt verdienen will, muss auf Diskretion achten.

Sein Blick wanderte weiter zur anderen Seite. Am fernen Ende, gleich bei der Wand, saß eine schwarz gekleidete Frau mittleren Alters mit breitem, ausdruckslosem Gesicht. Deutsche oder Skandinavierin, dachte er. Wahrscheinlich die deutsche Zofe.

Ihr zunächst saßen ein Mann und eine Frau, beide weit über den Tisch gelehnt und in angeregter Unterhaltung. Der Mann trug einen saloppen englischen Tweedanzug, aber er war kein Engländer. Obwohl Poirot nur seinen Hinterkopf sehen konnte, war dessen Form ebenso verräterisch wie die Schulterhaltung. Er war kräftig und gut gebaut. Als er plötzlich den Kopf wandte, sah Poirot sein Profil. Ein sehr gut aussehender Mann in den Dreißigern mit großem, blondem Schnurrbart.

Die Frau ihm gegenüber war fast noch ein junges Mädchen – vielleicht um die zwanzig. Sie trug ein eng anliegendes schwarzes Kostüm, eine weiße Bluse und ein schickes schwarzes Hütchen, das sie nach der herrschenden Mode lächerlich schief auf dem Kopf sitzen hatte. Ihr schönes, fremdländisches Gesicht war schneeweiß, die großen Augen braun, die Haare pechschwarz. Sie rauchte eine Zigarette an einer langen Spitze. Ihre manikürten Fingernägel waren tiefrot. Sie trug einen großen, in Platin gefassten Smaragd. Ihr Blick war schelmisch, ihre Stimme kokett.

»*Elle est jolie – et chic*«, sagte Poirot leise. »Mann und Frau, ja?«

Monsieur Bouc nickte.

»Ungarische Botschaft, soviel ich weiß«, sagte er. »Ein schönes Paar.«

Sonst saßen nur noch zwei Leute beim Mittagessen – Poirots Abteilgenosse MacQueen und sein Arbeitgeber, Mr. Ratchett. Letzterer saß Poirot zugewandt, und zum zweiten Mal betrachtete der Detektiv diese wenig einnehmenden Züge, die falsche Gutmütigkeit der Stirn und die kleinen, grausamen Augen.

Zweifellos erkannte Monsieur Bouc den veränderten Gesichtsausdruck seines Freundes.

»Sehen Sie wieder Ihr wildes Tier?«, fragte er.

Poirot nickte.

Als der Kaffee kam, erhob sich Monsieur Bouc. Er hatte vor Poirot mit dem Essen angefangen und war schon seit einiger Zeit damit fertig.

»Ich gehe wieder in mein Abteil«, sagte er. »Kommen Sie doch nachher auf ein Schwätzchen zu mir.«

»Mit Vergnügen.«

Poirot trank seinen Kaffee und bestellte noch einen Likör. Der Kellner ging mit seiner Geldkassette von Tisch zu Tisch, um zu kassieren. Die Stimme der älteren Amerikanerin erhob sich schrill und klagend.

»Meine Tochter hat gesagt: ›Kauf dir ein Heftchen Essensbons, und du hast keinerlei Schwierigkeiten.‹ Aber das ist ja nicht wahr. Immer kommen noch diese zehn Prozent Trinkgeld dazu, genauso diese Flasche Mineralwasser – und was für komisches Wasser! Evian oder Vichy hatten die nicht, und das finde ich schon komisch.«

»Es ist wohl – die müssen – wie sagt man – Wasser von Land servieren«, erklärte die Dame mit dem Schafsgesicht.

»Also, ich finde es komisch.« Sie starrte angewidert auf das Häufchen Wechselgeld, das vor ihr auf dem Tisch lag. »Sehen Sie sich dieses Zeug an, das er mir herausgegeben hat. Dinare oder so. Wertloser Kram, wenn Sie mich fragen. Meine Tochter hat gesagt –«

Mary Debenham schob ihren Stuhl zurück, nickte den beiden anderen kurz zu und ging. Colonel Arbuthnot stand ebenfalls auf und folgte ihr. Die Amerikanerin raffte ihr geschmähtes Wechselgeld zusammen und schloss sich an, nach ihr ging auch die Dame mit dem Schafsgesicht. Die beiden Ungarn waren schon fort. Im Speisewagen saßen jetzt nur noch Poirot, Ratchett und MacQueen.

Ratchett sagte etwas zu seinem Begleiter, worauf dieser aufstand und den Speisewagen verließ. Dann erhob auch er sich, aber er folgte MacQueen nicht nach draußen, sondern setzte sich völlig unerwartet Poirot gegenüber.

»Könnten Sie mir wohl Feuer geben?«, fragte er. Seine Stimme klang leise, ein wenig näselnd. »Mein Name ist Ratchett.«
Poirot deutete eine Verbeugung an. Er griff in die Tasche, nahm eine Schachtel Zündhölzer heraus und reichte sie seinem Gegenüber, der sie nahm, aber kein Zündholz anriss.
»Ich glaube, ich habe das Vergnügen, mit Monsieur Hercule Poirot zu sprechen«, sagte er. »Richtig?«
Poirot neigte wieder den Kopf. »Man hat Sie richtig informiert, Monsieur.«
Der Detektiv merkte sehr wohl, wie diese sonderbar verschlagenen Augen ihn von oben bis unten musterten, bevor der andere wieder sprach.
»In meiner Heimat«, sagte er, »kommen wir immer gleich zur Sache, Mr. Poirot. Ich möchte Sie gern für einen Auftrag engagieren.«
Hercule Poirot zog kaum merklich die Augenbrauen hoch.
»Meine *clientèle,* Monsieur, ist inzwischen sehr begrenzt. Ich übernehme nur noch ganz wenige Fälle.«
»Gut, das verstehe ich natürlich. Aber dieser Fall bedeutet Geld, Mr. Poirot.« Und mit seiner leisen, beschwörenden Stimme fügte er an: »Viel Geld.«
Hercule Poirot war eine Weile still, dann fragte er: »Um was für ein Anliegen handelt es sich denn, Monsieur – äh – Ratchett?«
»Mr. Poirot, ich bin ein reicher Mann – sehr reich. In dieser Position hat man Feinde. Ich habe einen Feind.«
»Nur einen?«
»Was wollen Sie damit sagen?«, fragte Ratchett scharf zurück.
»Monsieur, wenn ein Mann in einer Position ist, in der man, wie Sie sagen, Feinde hat, dann handelt es sich nach meiner Erfahrung meist nicht nur um einen Feind.«
Ratchett schien ob dieser Antwort erleichtert. Er sagte rasch: »Gut, da muss ich Ihnen Recht geben. Feind oder Feinde – darauf kommt es nicht an. Worauf es ankommt, ist meine Sicherheit.«
»Sicherheit?«
»Mein Leben wurde bedroht, Mr. Poirot. Nun gehöre ich ja eigentlich zu denen, die ganz gut auf sich selbst aufpassen können.« Er nahm eine kleine Pistole aus der Jackentasche und ließ sie Poirot eine Sekunde lang sehen. Dann fuhr er mit grimmiger Miene fort: »Ich glaube, einen wie mich überrumpelt man nicht so leicht. Aber bei näherem Hinsehen würde ich mich doch gern doppelt versichern. Ich denke, Sie wären der richtige Mann für mein Geld, Mr. Poirot. Und nicht vergessen – *viel* Geld.«

Poirot betrachtete ihn eine Weile nachdenklich. Seine Miene war völlig ausdruckslos. Der andere hätte im Leben nicht erraten können, was in seinem Kopf vorging.
»Bedaure, Monsieur«, sagte er schließlich. »Ich kann Ihnen nicht dienen.«
Der andere sah ihn listig an.
»Dann nennen Sie mir Ihre Summe«, sagte er.
Poirot schüttelte den Kopf.
»Sie verstehen mich falsch, Monsieur. Ich war in meinem Beruf sehr erfolgreich. Ich habe genug Geld verdient, um sowohl meine Bedürfnisse als auch meine Launen zu befriedigen. Ich übernehme nur noch Fälle, die – mich interessieren.«
»Sie sind ein harter Brocken«, sagte Ratchett. »Könnten zwanzigtausend Dollar Sie interessieren?«
»Nein.«
»Wenn Sie den Preis hochtreiben wollen – mehr bekommen Sie nicht. Ich weiß, was mir eine Sache wert ist.«
»Ich auch – Monsieur Ratchett.«
»Was gefällt Ihnen an meinem Angebot nicht?«
Poirot erhob sich.
»Wenn Sie mir die Freimütigkeit verzeihen, Monsieur Ratchett – mir gefällt Ihr Gesicht nicht«, antwortete er.
Und damit verließ er den Speisewagen.

Viertes Kapitel

Ein Schrei in der Nacht

Der Orientexpress lief abends um Viertel vor neun in Belgrad ein. Da er erst um Viertel nach neun weiterfahren sollte, stieg Poirot kurz aus. Er blieb allerdings nicht lange auf dem Bahnsteig. Es war bitterkalt, und wenn der

Bahnsteig selbst auch überdacht war, draußen schneite es doch sehr stark. Er wollte zu seinem Abteil zurückgehen, als der Schaffner, der sich auf dem Bahnsteig die Füße vertrat und kräftig mit den Armen schlug, um sich warm zu halten, ihn ansprach.

»Ihr Gepäck wurde in Abteil Nummer eins gebracht, Monsieur, das von Monsieur Bouc.«

»Aber wo bleibt dann Monsieur Bouc?«

»Er ist in den Kurswagen aus Athen umgezogen, der gerade angehängt wurde.«

Poirot ging seinen Freund aufsuchen. Monsieur Bouc wollte von seinen Einwänden nichts wissen.

»Nicht der Rede wert, nicht der Rede wert. Es ist viel praktischer so. Sie fahren durch bis nach England, da ist es doch besser, Sie bleiben im Kurswagen nach Calais. Ich bin hier gut aufgehoben. Schön ruhig und friedlich. Abgesehen von mir und einem kleinen griechischen Arzt ist dieser Wagen nämlich leer. Ah, was für eine Nacht, mein Freund! Es soll seit Jahren nicht mehr so geschneit haben. Hoffentlich werden wir nirgendwo aufgehalten. Allzu glücklich bin ich über die Situation nicht, das kann ich Ihnen sagen.«

Punkt Viertel nach neun verließ der Zug den Bahnhof, und wenig später stand Poirot auf, wünschte seinem Freund eine gute Nacht und begab sich über den Gang zurück zu seinem eigenen Wagen, der ganz vorn war, gleich hinter dem Speisewagen.

An diesem zweiten Tag der Reise schienen die ersten Schranken zu fallen: Colonel Arbuthnot stand vor seiner Abteiltür und unterhielt sich mit MacQueen.

MacQueen unterbrach sich mitten im Satz, als er Poirot sah. Er machte ein sehr erstauntes Gesicht.

»Nanu«, rief er, »ich dachte, Sie hätten uns verlassen. Sagten Sie nicht, Sie wollten in Belgrad aussteigen?«

»Da haben Sie mich missverstanden«, antwortete Poirot lächelnd. »Ich erinnere mich. Der Zug fuhr gerade in Istanbul ab, als wir darauf zu sprechen kamen.«

»Aber Mann, Ihr Gepäck – es ist fort.«

»Es wurde nur in ein anderes Abteil gebracht – nichts weiter.«

»Ach so.«

MacQueen nahm seine Unterhaltung mit Arbuthnot wieder auf, und Poirot ging weiter.

Zwei Türen vor seinem eigenen Abteil stand die ältere Amerikanerin, Mrs. Hubbard, und unterhielt sich mit dem Schafsgesicht, einer Schwedin. Mrs. Hubbard drängte ihr gerade eine Zeitschrift auf.
»Doch, doch, nehmen Sie«, sagte sie. »Ich habe noch so viel anderen Lesestoff. Mein Gott, ist diese Kälte nicht fürchterlich?« Sie lächelte Poirot freundlich zu.
»Sie zu liebenswürdig«, sagte die Schwedin.
»Ach was. Hoffentlich schlafen Sie gut, damit es mit Ihrem Kopf morgen früh wieder besser ist.«
»Ist nur Kälte. Ich mache jetzt Tasse Tee.«
»Haben Sie Aspirin bei sich? Ganz bestimmt? Ich hätte nämlich reichlich. Also, dann gute Nacht, meine Liebe.«
Kaum war die andere fort, redete sie gleich weiter zu Poirot.
»Die Ärmste. Sie ist Schwedin. Wenn ich sie richtig verstanden habe, ist sie so eine Art Missionarin – in einer Schule. Nette Frau, spricht nur nicht besonders gut Englisch. Sie hat sich ja *so* für alles interessiert, was ich ihr über meine Tochter erzählt habe.«
Poirot wusste inzwischen alles über Mrs. Hubbard und ihre Tochter. Und allen im Zug, die Englisch verstanden, ging es ebenso. Dass die Tochter und ihr Mann Lehrer an einer großen amerikanischen Schule in Smyrna waren; dass Mrs. Hubbard zum ersten Mal in den Orient gereist war; und was sie von den Türken und ihrem liederlichen Lebenswandel und dem Zustand ihrer Straßen hielt.
Die Tür neben Poirots Abteil ging auf, und der schmächtige, bleiche Diener kam heraus. Drinnen konnte Poirot einen kurzen Blick auf Mr. Ratchett erhaschen, der aufrecht im Bett saß. Als er Poirot sah, lief sein Gesicht dunkel an vor Zorn. Dann ging die Tür wieder zu.
Mrs. Hubbard zog Poirot ein Stückchen beiseite.
»Wissen Sie, ich habe eine Heidenangst vor diesem Mann. Nein, ich meine nicht den Diener – den anderen – seinen Herrn. *Herr!* Mit diesem Mann *stimmt* etwas nicht. Meine Tochter sagt ja immer, ich habe einen sechsten Sinn. ›Wenn Mama ein Gefühl hat, stimmt es meist‹, sagt sie. Und ich habe bei diesem Mann ein ganz komisches Gefühl. Er hat das Abteil gleich neben mir, und das gefällt mir überhaupt nicht. Letzte Nacht habe ich meine Koffer vor die Verbindungstür gestellt. Ich bilde mir ein, ich hätte ihn an der Klinke hantieren hören. Jedenfalls würde es mich gar nicht überraschen, wenn sich herausstellen sollte, dass dieser Mann ein Mörder ist – einer von diesen

Eisenbahnräubern, von denen man so liest. Ich mag ja verrückt sein, aber bitte sehr – ich habe einfach Angst vor diesem Mann. Meine Tochter hat gesagt, ich würde eine angenehme Reise haben, aber irgendwie fühle ich mich hier nicht wohl. Vielleicht ist es verrückt, aber ich habe das Gefühl, dass man hier mit allem rechnen muss. Mit *allem*. Und wie dieser nette junge Mann es aushält, bei ihm als Sekretär zu arbeiten, das begreife ich auch nicht.«

Colonel Arbuthnot und Mr. MacQueen kamen in diesem Moment über den Gang auf sie zu.

»Kommen Sie mit zu mir«, sagte MacQueen gerade. »Mein Abteil ist noch nicht für die Nacht hergerichtet. Also, eines möchte ich zu Ihrer Politik in Indien noch klarstellen, nämlich –«

Sie gingen an ihnen vorbei und weiter zu MacQueens Abteil.

Mrs. Hubbard verabschiedete sich von Poirot.

»Ich werde wohl gleich zu Bett gehen und noch etwas lesen«, sagte sie. »Gute Nacht.«

»Gute Nacht, Madame.«

Poirot ging weiter zu seinem eigenen Abteil, das gleich hinter dem von Mr. Ratchett lag. Er zog sich aus und legte sich zu Bett, las noch ein halbes Stündchen und knipste dann das Licht aus.

Ein paar Stunden später schreckte ihn etwas aus dem Schlaf. Er wusste sofort, was ihn geweckt hatte – ein lautes Ächzen, fast ein Schrei, und zwar ganz in der Nähe. Im selben Moment ertönte das laute *Ping* einer Klingel.

Poirot richtete sich auf und knipste das Licht an. Er merkte, dass der Zug stand – vermutlich auf einem Bahnhof.

Es war ein Schrei gewesen, was ihn geweckt hatte. Jetzt fiel ihm wieder ein, dass Ratchetts Abteil an das seine grenzte. Er stieg aus dem Bett und öffnete die Abteiltür, als gerade der Schlafwagenschaffner über den Gang geeilt kam und an Ratchetts Tür klopfte. Poirot hielt seine Tür einen Spaltbreit offen und spähte hinaus. Der Schaffner klopfte ein zweites Mal. Wieder ertönte die Klingel, und weiter hinten ging über einer anderen Tür ein Lämpchen an. Der Schaffner warf einen Blick über die Schulter zurück.

Im nächsten Moment rief eine Stimme aus dem Abteil nebenan: *»Ce n'est rien. Je me suis trompé.«*

»Bien, Monsieur.« Der Schaffner eilte zurück, um an die andere Tür zu klopfen, über der das Lämpchen brannte.

Poirot legte sich erleichtert wieder zu Bett und knipste das Licht aus. Er sah kurz auf die Uhr. Es war genau sieben Minuten nach halb eins.

Fünftes Kapitel

Die Tat

Er konnte nicht sofort wieder einschlafen. Zum einen fehlte ihm die Bewegung des Zuges. *Wenn* das da draußen ein Bahnhof war, dann war er sonderbar still. Im Gegensatz dazu erschienen die Geräusche im Zug ungewöhnlich laut. Nebenan hörte er Ratchett sich zu schaffen machen – ein Klicken, als er das Waschbecken herausklappte, das Rauschen von laufendem Wasser, Geplatsche, dann ein erneutes Klicken, als das Becken wieder eingeklappt wurde. Draußen auf dem Gang schlurften Schritte vorbei, leise, als hätte da jemand Pantoffeln an den Füßen.

Hercule Poirot lag wach im Bett und starrte an die Decke. Warum war es auf diesem Bahnhof so still? Seine Kehle war ganz trocken. Er hatte vergessen, um seine gewohnte Flasche Mineralwasser zu bitten. Wieder sah er auf die Uhr. Gerade Viertel nach eins vorbei. Er beschloss, nach dem Schaffner zu klingeln und sich ein Mineralwasser bringen zu lassen. Schon ging sein Finger zum Klingelknopf, doch dann zögerte er, als er ein *Ping* hörte. Der gute Mann konnte nicht allen Fahrgästen gleichzeitig aufwarten.

Ping ... ping ... ping ...

Es bimmelte wieder und wieder. Wo steckte nur der Schaffner? Da wurde jemand ungeduldig.

Ping ...

Der Jemand musste den Finger unablässig auf dem Knopf haben.

Plötzlich kam der Schaffner herbeigeeilt. Seine Schritte hallten auf dem Gang. Er klopfte an eine Tür nicht weit von Poirots Abteil.

Dann Stimmen – der Schaffner ehrerbietig und abbittend, danach eine Frauenstimme – durchdringend und laut.

Mrs. Hubbard.

Poirot lächelte vor sich hin.

Der Wortwechsel – wenn man von Wechsel reden konnte – dauerte eine Weile an. Es waren neunzig Prozent Mrs. Hubbard gegen besänftigende

zehn Prozent des Schaffners. Endlich schien die Sache beigelegt. Poirot hörte ein deutliches »*Bonne nuit,* Madame« und eine zugehende Tür.
Nun drückte er auf den Knopf.
Der Schaffner war sofort da. Er war ganz rot im Gesicht und wirkte verstört.
»*De l'eau minérale, s'il vous plaît.*«
»*Bien,* Monsieur.« Vielleicht war es ein Blitzen in Poirots Augen, das den Mann dazu einlud, sein Herz auszuschütten.
»*La dame américaine* –«
»Ja?«
Er wischte sich die Stirn ab.
»Sie glauben nicht, was ich mit ihr durchmache! Sie behauptet – *steif und fest* –, dass ein Mann in ihrem Abteil war! Versuchen Sie sich das vorzustellen, Monsieur. In sooo einem kleinen Abteil.« Er zeigte die Größe mit den Händen an. »Wo sollte er sich denn da verstecken? Ich rede ihr zu. Ich sage ihr, wie unmöglich das ist. Aber sie bleibt dabei. Sie ist aufgewacht, und da war ein Mann in ihrem Abteil. Und wie, bitte, frage ich, ist er hinausgekommen und hat hinter sich die Tür von innen abgeschlossen? Aber sie hört nicht auf Argumente. Als ob wir nicht schon genug Sorgen hätten. Dieser Schnee –«
»Schnee?«
»Aber ja, Monsieur. Haben Monsieur es noch nicht gemerkt? Der Zug ist stehen geblieben. Wir stecken in einer Schneeverwehung fest. Weiß der Himmel, wie lange uns das hier aufhält. Ich erinnere mich, dass wir einmal sieben Tage eingeschneit waren.«
»Wo sind wir jetzt?«
»Zwischen Vincovci und Brod.«
»*Là, là*«, machte Poirot verärgert.
Der Schaffner ging und kam mit dem Wasser zurück.
»*Bonsoir,* Monsieur.«
Poirot trank ein Glas Wasser und legte sich wieder hin.
Er wollte gerade einschlafen, als ihn schon wieder etwas weckte. Diesmal hatte es sich angehört, als ob etwas Schweres gegen seine Tür gefallen wäre. Er sprang auf, öffnete und sah hinaus. Nichts. Aber rechts, ein Stück weiter den Gang hinunter, entfernte sich eine Frau in einem blutroten Kimono. Am anderen Ende des Gangs saß der Schaffner auf seinem kleinen Klappsitz und schrieb Zahlen auf große Blätter. Alles war totenstill.

»Mir machen anscheinend die Nerven zu schaffen«, sagte Poirot und legte sich wieder zu Bett. Diesmal schlief er durch bis zum Morgen.

Als er aufwachte, stand der Zug immer noch. Er schob ein Rollo hoch und schaute hinaus. Mächtige Schneewehen umgaben den Zug.

Er sah auf die Uhr. Es war schon nach neun.

Um Viertel vor zehn begab er sich, geschniegelt und gestriegelt wie immer, in den Speisewagen, wo ein Chor der Wehklagen im Gange war.

Alle Schranken, die zwischen den Passagieren noch bestanden haben mochten, waren jetzt endgültig gefallen. Sie waren geeint im gemeinsamen Unglück. Mrs. Hubbard lamentierte am lautesten.

»Meine Tochter hat gesagt, es wäre das Einfachste auf der Welt. Ich soll einfach im Zug sitzen bleiben, bis ich in Paris bin. Und jetzt stecken wir hier womöglich tagelang fest«, jammerte sie. »Dabei geht mein Schiff übermorgen. Wie soll ich das jetzt noch erreichen? Ich kann ja nicht einmal telegrafieren und meine Überfahrt streichen. Ich bin so wütend, dass ich es gar nicht sagen kann.«

Der Italiener behauptete, auf ihn warteten in Mailand dringende Geschäfte. Der vierschrötige Amerikaner erklärte, es sei »aber auch zu schlimm, Madam«, und äußerte beschwichtigend die Hoffnung, dass der Zug die Zeit vielleicht wieder hereinholen könne.

»Meine Schwester – ihre Kinder warten mich«, schluchzte die Schwedin. »Ich kann sie nicht Bescheid sagen. Was werden denken? Werden sagen, mir ist Schlimmes passiert.«

»Wie lange werden wir denn hier wohl noch festsitzen?«, fragte Mary Debenham. »*Weiß* das jemand?«

Ihr Ton klang ungeduldig, aber Poirot bemerkte, dass von der fast fiebrigen Besorgtheit, die sie bei dem kurzen Aufenthalt des Taurus-Express noch an den Tag gelegt hatte, hier nichts mehr herauszuhören war.

Mrs. Hubbard legte von neuem los.

»In diesem Zug weiß überhaupt niemand etwas. Und keiner unternimmt etwas. Eine Bande von nichtsnutzigen Ausländern ist das! Also, wenn das bei uns zu Hause wäre, da würde jemand wenigstens *versuchen*, etwas zu tun.«

Arbuthnot wandte sich an Poirot und sagte stockend in britischem Französisch: »*Vous êtes – un directeur de la ligne – je crois – Monsieur. Vous pouvez – nous dire –*«

Poirot korrigierte ihn lächelnd. »Nein«, antwortete er auf Englisch. »Das bin nicht ich. Sie verwechseln mich mit meinem Freund, Monsieur Bouc.«

»Oh, Verzeihung.«
»Keine Ursache. Ein verständlicher Irrtum. Ich reise jetzt in dem Abteil, das er bisher hatte.«
Monsieur Bouc war nicht im Speisewagen. Poirot blickte in die Runde, um festzustellen, wer sonst noch fehlte.
Es fehlten die Fürstin Dragomiroff und das ungarische Ehepaar. Ebenso Ratchett, sein Diener und die deutsche Zofe.
Die Schwedin wischte sich die Tränen aus den Augen.
»Ich so dumm«, sagte sie. »Ich weine wie Baby. Was auch passiert, sicher ist gut.«
Diese wahrhaft christliche Einstellung wurde jedoch keineswegs geteilt.
»Alles schön und gut«, meinte MacQueen besorgt. »Aber wir können Tage hier festsitzen.«
»In welchem Land sind wir überhaupt?«, begehrte Mrs. Hubbard unter Tränen zu erfahren.
Als sie darüber aufgeklärt wurde, dass man in Jugoslawien sei, rief sie: »O Gott, auf dem Balkan! Was kann man da schon erwarten!«
»Sie sind hier die Einzige, die sich in Geduld fasst, Mademoiselle«, sagte Poirot zu Miss Debenham.
Sie zuckte mit den Schultern. »Was kann man denn schon machen?«
»Sie sind eine wahre Philosophin, Mademoiselle.«
»Das würde Abgeklärtheit voraussetzen. Ich glaube aber, bei mir ist es eher Eigennutz. Ich habe gelernt, mir unnütze Gefühle zu ersparen.«
Sie sah ihn dabei nicht einmal an. Ihr Blick ging an ihm vorbei zum Fenster, vor dem der Schnee sich türmte.
»Sie sind eine sehr starke Persönlichkeit, Mademoiselle«, sagte Poirot freundlich. »Ich glaube sogar, Sie sind die Stärkste von uns allen.«
»O nein. Das nun wirklich nicht. Ich kenne jemanden, der viel stärker ist als ich.«
»Und das ist –?«
Sie schien ganz plötzlich zur Besinnung zu kommen, sich bewusst zu werden, dass sie mit einem Wildfremden sprach, einem Ausländer, mit dem sie bis zu diesem Morgen höchstens ein halbes Dutzend Sätze gewechselt hatte.
Ihr Lachen war höflich, aber distanziert.
»Nun – diese alte Dame zum Beispiel. Sie ist Ihnen wahrscheinlich schon aufgefallen. Eine sehr hässliche alte Dame, aber eigentlich faszinierend. Sie

braucht nur den kleinen Finger zu heben und ganz höflich um etwas zu bitten – schon ist der ganze Zug auf den Beinen.«
»Das ist bei meinem Freund Monsieur Bouc auch so«, sagte Poirot. »Aber es kommt daher, dass er ein Direktor der Gesellschaft ist, und hat nichts mit seiner starken Persönlichkeit zu tun.«
Mary Debenham lächelte.
So ging der Vormittag dahin. Etliche Reisende, auch Poirot, blieben im Speisewagen. Man hatte wohl das Gefühl, gemeinsam die Zeit angenehmer zu verbringen. So bekam er noch einiges mehr über Mrs. Hubbards Tochter zu hören und lernte die Lebensgewohnheiten des verstorbenen Mr. Hubbard kennen, angefangen beim morgendlichen Aufstehen und seinen Frühstücksflocken, endend beim abendlichen Schlafengehen in Bettsocken, die Mrs. Hubbard – eine Lebensgewohnheit ihrerseits – für ihn zu stricken pflegte.
Während er gerade dem etwas wirren Vortrag der Schwedin über die Ziele ihrer Mission lauschte, kam einer der Schlafwagenschaffner und blieb neben ihm stehen.
»*Pardon*, Monsieur.«
»Ja?«
»Eine Empfehlung von Monsieur Bouc, und er wäre froh, wenn Sie die Güte hätten, auf ein paar Minuten zu ihm zu kommen.«
Poirot stand auf, entschuldigte sich bei der Schwedin und folgte dem Mann aus dem Speisewagen.
Es war nicht der Schaffner seines Schlafwagens, sondern ein sehr großer, blonder Mann.
Er folgte ihm durch den eigenen Wagen und den nächsten. Dann klopfte der Schaffner an eine Tür und trat beiseite, um Poirot eintreten zu lassen.
Es war nicht Monsieur Boucs Abteil, sondern eines in der zweiten Klasse, das man wahrscheinlich wegen seiner etwas größeren Maße gewählt hatte. Es wirkte jedenfalls schon jetzt ein wenig überfüllt.
Monsieur Bouc saß auf dem kleinen Sitz in der Fensterecke, ihm gegenüber ein sonnenverbrannter kleiner Mann, der in den Schnee hinausblickte. In der Mitte standen, so dass Poirot nicht weiter hineingehen konnte, ein großer Mann in blauer Uniform (der *chef de train*) und Poirots eigener Schlafwagenschaffner.
»Ah, mein lieber Freund«, rief Monsieur Bouc. »Kommen Sie herein. Wir brauchen Sie.«

Der kleine Mann in der anderen Fensterecke rutschte ein Stückchen zur Seite, und Poirot drängte sich an den beiden Stehenden vorbei und setzte sich seinem Freund gegenüber.
Der Ausdruck in Monsieur Boucs Gesicht gab ihm, wie dieser selbst es ausdrücken würde, schwer zu denken. Es war deutlich zu sehen, dass sich etwas außer der Reihe ereignet haben musste.
»Was ist passiert?«, fragte er.
»Das fragen Sie mit Recht. Zuerst dieser Schnee – der Aufenthalt. Und nun –«
Er hielt inne, und dem Schlafwagenschaffner entrang sich ein halb erstickter Seufzer.
»Und nun – was?«
»Nun liegt ein Fahrgast tot in seinem Abteil – erstochen.«
Monsieur Bouc sprach in einem Ton stiller Verzweiflung.
»Ein Fahrgast? Welcher?«
»Ein Amerikaner. Ein Mann namens – namens –« Er sah in seinen Notizen nach. »Ratchett – ist das richtig? – Ratchett?«
»Ja, Monsieur«, stieß der Schlafwagenschaffner hervor.
Poirot sah ihn an. Der Mann war kreidebleich.
»Er sollte sich lieber hinsetzen«, sagte Poirot. »Sonst bricht er uns noch zusammen.«
Der Zugführer machte Platz, und der Schaffner sank in eine Ecke und grub das Gesicht in die Hände.
»Brrr«, machte Poirot. »Das ist ernst.«
»Und wie ernst das ist! Zum einen ein Mord – schon das ist eine Katastrophe erster Güte. Aber nicht nur das, hinzu kommen noch die außergewöhnlichen Umstände. Wir stecken hier fest. Das kann Stunden dauern – nicht nur Stunden – Tage! Ein weiterer Umstand: In den meisten Ländern, durch die wir kommen, haben wir die jeweilige Polizei im Zug. Aber in Jugoslawien – nein. Verstehen Sie?«
»Eine schwierige Situation«, sagte Poirot.
»Es kommt noch schlimmer. Dr. Constantine – Verzeihung, ich habe Sie noch nicht vorgestellt – Dr. Constantine, Monsieur Poirot.«
Der sonnenverbrannte kleine Mann verneigte sich, Poirot ebenfalls.
»Dr. Constantine ist der Meinung, dass der Tod heute Nacht gegen ein Uhr eingetreten sein muss.«
»Das ist in solchen Fällen immer schwer zu beurteilen«, erklärte der Arzt,

»aber ich glaube mit Sicherheit sagen zu können, dass der Tod zwischen Mitternacht und zwei Uhr morgens eingetreten ist.«

»Wann wurde dieser Mr. Ratchett zuletzt lebend gesehen?«, fragte Poirot.

»Wir wissen, dass er um zwanzig vor eins noch lebte, denn da hat er mit dem Schaffner gesprochen«, sagte Monsieur Bouc.

»Vollkommen richtig«, bestätigte Poirot. »Ich habe es selbst gehört. Und das ist das Letzte, was man weiß?«

»Ja.«

Poirot wandte sich dem Arzt zu, der fortfuhr:

»Das Fenster von Mr. Ratchetts Abteil wurde weit offen vorgefunden, was den Schluss zulassen könnte, dass der Täter auf diesem Wege entkommen ist. Aber meines Erachtens ist das offene Fenster eine Irreführung. Wenn jemand auf diesem Wege den Zug verlassen hätte, wären deutliche Spuren im Schnee zu sehen gewesen. Es waren aber keine da.«

»Das Verbrechen wurde – wann entdeckt?«, fragte Poirot.

»Michel!«

Der Schlafwagenschaffner richtete sich auf. Er war noch immer ganz blass und wirkte verängstigt.

»Berichten Sie diesem Herrn genau, was sich zugetragen hat«, befahl Monsieur Bouc.

Der Schaffner redete stoßweise.

»Der Diener dieses Monsieur Ratchett – er hat heute Vormittag – ein paar Mal an seine Tür geklopft. Da kam keine Antwort. Dann kam vor einer halben Stunde der Speisewagenkellner – um zu fragen, ob Monsieur noch frühstücken möchte. Es war schon elf Uhr – verstehen Sie?

Ich habe mit meinem Hauptschlüssel seine Abteiltür aufgeschlossen. Aber da war auch die Kette vorgelegt. Keine Antwort, alles still da drinnen – und kalt, so kalt. Das offene Fenster, und der Schnee weht herein. Ich denke, Monsieur hat vielleicht einen Anfall. Ich hole den *chef de train*. Wir zerschneiden die Kette und gehen hinein. Er – *ah, c'était terrible!*«

Wieder grub er das Gesicht in die Hände.

»Die Tür war also abgeschlossen und die Kette von innen vorgelegt«, sagte Poirot bedächtig. »Es war kein Selbstmord – nein?«

Der griechische Arzt lachte höhnisch.

»Würde einer, der Selbstmord begeht, sich mit zehn, zwölf – fünfzehn Messerstichen an verschiedenen Stellen umbringen?«

Poirot riss die Augen auf.

»Wie barbarisch!«, sagte er.
»Es war eine Frau«, ließ sich jetzt der Zugführer zum ersten Mal vernehmen. »Verlassen Sie sich darauf, es war eine Frau. So sticht nur eine Frau zu.«
Dr. Constantine zog das Gesicht in nachdenkliche Falten.
»Das müsste aber eine sehr kräftige Frau gewesen sein«, sagte er. »Ich möchte hier nicht ins Einzelne gehen – das würde nur verwirren –, aber ich versichere Ihnen, einige Stiche wurden mit solcher Kraft geführt, dass sie durch einen harten Panzer aus Knochen und Muskelgewebe gedrungen sind.«
»Es war demnach kein fachmännisch ausgeführter Mord«, meinte Poirot.
»Höchst unfachmännisch«, sagte Dr. Constantine. »Wie es aussieht, hat man völlig wahl- und planlos auf ihn eingestochen. Einige Stiche sind abgeglitten und haben kaum Schaden angerichtet. Es scheint, als hätte jemand die Augen geschlossen und in blinder Wut immer wieder zugestochen.«
»*C'est une femme*«, wiederholte der Zugführer. »Frauen tun so etwas. Wenn sie wütend sind, haben sie Riesenkräfte.« Er nickte so wissend, dass alle eine persönliche Erfahrung hinter seinen Worten vermuteten.
»Ich habe vielleicht etwas zu Ihrem bisherigen Wissen beizusteuern«, sagte Poirot. »Monsieur Ratchett hat mich gestern angesprochen. Soweit ich ihn verstanden habe, wollte er mir sagen, dass sein Leben in Gefahr sei.«
»Also ›kaltgemacht‹, wie die Amerikaner sagen«, meinte Monsieur Bouc. »Demnach war es doch keine Frau, sondern ein Gangster, ein ›Killer‹.«
Der Zugführer machte ein richtig unglückliches Gesicht, als er seine schöne Theorie in sich zusammenfallen sah.
»In diesem Fall«, sagte Poirot, »hätte er aber offenbar sehr dilettantisch gearbeitet.«
Aus seinem Ton sprach professionelle Missbilligung.
»Wir haben so einen vierschrötigen Amerikaner im Zug«, verfolgte Monsieur Bouc seine Theorie weiter. »Der Mann sieht sehr gewöhnlich aus und ist schrecklich angezogen. Und er kaut immer so ein Gummizeug, was man meines Wissens in gehobenen Kreisen nicht tut. Sie wissen, wen ich meine?«
Die Frage war an den Schlafwagenschaffner gerichtet, der nickte.
»*Oui*, Monsieur, in Nummer sechzehn. Aber er kann es nicht gewesen sein. Ich hätte ihn ins Abteil gehen oder wieder herauskommen sehen.«
»Nicht unbedingt, nicht unbedingt. Aber darauf kommen wir später. Die Frage ist jetzt, was sollen wir tun?« Er sah Poirot an.

Poirot sah Monsieur Bouc an.

»Ich bitte Sie, mein Freund«, sagte Monsieur Bouc, »Sie wissen schon, was ich von Ihnen will. Ich kenne Ihre Gaben. Nehmen Sie die Ermittlungen in die Hand. Nein, nein, lehnen Sie nicht ab. Sehen Sie, das ist für uns eine ernste Angelegenheit – ich spreche für die Compagnie internationale des wagons-lits. Bis die jugoslawische Polizei kommt – wie einfach wäre es, wenn wir ihr schon die Lösung präsentieren könnten! Wenn nicht, gibt es nur allerlei Verzögerungen, Unannehmlichkeiten, tausend Ärgernisse. Wer weiß, womöglich geraten sogar völlig unschuldige Leute in Schwierigkeiten. Nein, *mon ami*, lösen Sie den Fall. Dann sagen wir: Es ist ein Mord geschehen – und hier ist der Mörder!«

»Und wenn ich den Fall nicht lösen kann?«

»Mon cher, mon cher«, schmeichelte Monsieur Bouc. »Ich kenne Ihren Ruf. Ich kenne Ihre Methoden. Das ist der ideale Fall für Sie. Das Vorleben aller dieser Leute zu durchleuchten, ihren Leumund zu prüfen – das kostet alles Zeit und bereitet endlose Umstände. Aber habe ich Sie nicht oft sagen hören, dass man sich nur zurücklehnen und nachdenken muss, um einen Fall zu lösen? Tun Sie das. Verhören Sie die Fahrgäste, nehmen Sie die Leiche in Augenschein, suchen Sie Spuren und Hinweise, und dann – kurz gesagt, ich habe Vertrauen zu Ihnen. Ich weiß genau, dass Sie nicht nur prahlen. Lehnen Sie sich zurück und denken Sie nach, machen Sie (wie ich Sie oft habe sagen hören) Gebrauch von den kleinen grauen Zellen Ihres Gehirns – und schon werden Sie es *wissen*.«

Er beugte sich zu seinem Freund vor und sah ihn liebevoll an.

»Ihr Vertrauen rührt mich, *mon ami*«, antwortete Poirot bewegt. »Es kann, wie Sie sagen, kein schwieriger Fall sein. Ich habe selbst schon gestern Abend – aber davon wollen wir jetzt nicht reden. Es ist wahr, dieses Problem fesselt mich. Es ist noch keine halbe Stunde her, dass ich gedacht habe, wie viele Stunden Langeweile vor mir liegen, solange wir hier festsitzen. Und nun – stellt sich mir bereits ein Problem.«

»Sie sagen also ja?«, rief Monsieur Bouc begeistert.

»C'est entendu. Legen Sie die Sache in meine Hände.«

»Gut – wir stehen Ihnen alle zu Diensten.«

»Dann hätte ich für den Anfang gern einen Grundrissplan des Wagens Istanbul-Calais, zusammen mit einer Aufstellung, wer welches Abteil bewohnt. Außerdem möchte ich die Pässe und Fahrkarten sehen.«

»Die wird Michel Ihnen besorgen.«

Der Schlafwagenschaffner verließ das Abteil.
»Was sind sonst noch für Leute im Zug?«, fragte Poirot.
»In diesem Wagen sind Dr. Constantine und ich die einzigen Fahrgäste. Im Schlafwagen aus Bukarest sitzt nur ein alter Mann mit einem lahmen Bein. Der Schaffner kennt ihn. Dahinter kommen die normalen Reisewagen, die uns aber nicht interessieren, weil sie gestern Abend, nachdem das Essen serviert worden war, abgeschlossen wurden. Vor dem Wagen Istanbul-Calais befindet sich nur noch der Speisewagen.«
»Dann«, sagte Poirot bedächtig, »sieht es so aus, als ob wir unseren Mörder im Wagen Istanbul-Calais zu suchen hätten.« Er wandte sich an den Arzt. »Das wollten Sie doch vorhin andeuten, nicht wahr?«
Der Grieche nickte.
»Wir sind eine halbe Stunde nach Mitternacht in diese Schneeverwehung geraten. Danach kann niemand mehr den Zug verlassen haben.«
»Der Mörder«, sagte Monsieur Bouc mit feierlichem Ernst, *»ist unter uns – er sitzt jetzt in diesem Zug.«*

Sechstes Kapitel

Eine Frau?

»Als Erstes«, sagte Poirot, »möchte ich gern ein Wörtchen mit dem jungen Mr. MacQueen reden. Könnte sein, dass er uns wertvolle Informationen zu geben hat.«
»Gewiss«, sagte Monsieur Bouc.
Er wandte sich an den Zugführer.
»Holen Sie Monsieur MacQueen.«
Der Schaffner kam mit einem Packen Fahrkarten und Pässe zurück. Monsieur Bouc nahm sie ihm ab.

»Danke, Michel. Ich glaube, Sie gehen jetzt am besten wieder auf Ihren Posten. Wir werden Ihre Aussage später formell aufnehmen.«
»Sehr wohl, Monsieur.«
Nun verließ auch Michel das Abteil.
»Wenn wir den jungen MacQueen angehört haben«, sagte Poirot, »möchte *Monsieur le Docteur* mich vielleicht ins Abteil des Toten begleiten?«
»Gewiss.«
»Und wenn wir dort fertig sind –«
Aber in diesem Moment kam der Zugführer mit Hector MacQueen zurück. Monsieur Bouc stand auf. »Es ist ein wenig beengt hier«, sagte er liebenswürdig. »Nehmen Sie meinen Platz, Mr. MacQueen. Monsieur Poirot wird Ihnen gegenüber sitzen – so.«
Er wandte sich an den Zugführer.
»Schicken Sie alle Leute aus dem Speisewagen«, sagte er, »und halten Sie ihn für Monsieur Poirot frei. Sie werden Ihre Befragungen doch lieber dort vornehmen, *mon cher?*«
»Ja, das wäre am praktischsten«, pflichtete Poirot ihm bei.
MacQueen hatte die ganze Zeit vom einen zum anderen gesehen; offenbar konnte er dem schnellen französischen Wortwechsel nicht folgen.
»Qu'est-ce qu'il y a?«, begann er holprig. *»Pourquoi –?«*
Poirot wies ihn mit einer raschen Gebärde auf den Eckplatz. MacQueen setzte sich und begann von neuem: *»Pourquoi –?«*
Doch dann besann er sich und fuhr in seiner Muttersprache fort: »Was ist denn in diesem Zug los? Ist etwas passiert?«
Er blickte vom einen zum anderen.
Poirot nickte.
»Ganz recht. Es ist etwas passiert. Machen Sie sich auf einen Schrecken gefasst. *Ihr Arbeitgeber, Mr. Ratchett, ist tot.*«
MacQueen spitzte die Lippen wie zu einem Pfiff. Außer dass seine Augen eine Spur heller glänzten, verriet er keinerlei Erschrecken oder Bestürzung.
»Haben sie ihn also doch erwischt«, meinte er.
»Was wollen Sie denn damit sagen, Mr. MacQueen?«
MacQueen zögerte.
»Sie nehmen also an«, hakte Poirot nach, »dass Mr. Ratchett ermordet wurde?«
»Etwa nicht?« Diesmal zeigte MacQueen sich doch erstaunt. »Ja, ja«, sagte er dann bedächtig, »genau das hatte ich angenommen. Wollen Sie sagen,

dass er einfach im Schlaf gestorben ist? Aber der Alte war doch so robust wie – robust wie –«

Er hielt inne, weil ihm kein Vergleich einfiel.

»Nein, nein«, sagte Poirot, »Ihre Annahme war völlig richtig. Mr. Ratchett wurde ermordet. Erstochen. Aber ich möchte gern wissen, warum Sie so sicher angenommen haben, dass es Mord war, dass er nicht einfach – gestorben ist?«

MacQueen zögerte.

»Über eines sollte ich Klarheit haben«, sagte er endlich. »Wer sind Sie, und was haben Sie damit zu tun?«

»Ich arbeite für die Compagnie internationale des wagons-lits.« Er legte eine kurze Pause ein, bevor er weitersprach: »Ich bin Detektiv. Mein Name ist Hercule Poirot.«

Falls er geglaubt hatte, Eindruck zu machen, so sah er sich getäuscht. MacQueen sagte nur: »Ach ja?«, und wartete, ob noch mehr kam.

»Der Name ist Ihnen vielleicht bekannt?«

»Hm, ja, irgendwo habe ich ihn schon gehört – ich dachte nur immer, das wäre ein Damenschneider.«

Hercule Poirot musterte ihn angewidert.

»Nicht zu fassen!«, sagte er.

»Was ist nicht zu fassen?«

»Nichts. Fahren wir in unserer Angelegenheit fort. Ich möchte von Ihnen, Mr. MacQueen, alles erfahren, was Sie über den Toten wissen. Sie waren nicht mit ihm verwandt?«

»Nein, ich bin – ich war – sein Sekretär.«

»Wie lange?«

»Seit über einem Jahr.«

»Bitte sagen Sie mir alles, was Sie wissen.«

»Nun gut. Ich habe Mr. Ratchett vor etwas über einem Jahr kennen gelernt, da war ich in Persien –«

Poirot unterbrach ihn: »Was hatten Sie da zu tun?«

»Ich war da von New York aus hingefahren und wollte mich um eine Ölkonzession bemühen. Ich glaube aber nicht, dass Sie das alles hören wollen. Meine Freunde und ich wurden ziemlich übel aufs Kreuz gelegt. Mr. Ratchett wohnte im selben Hotel. Er hatte sich gerade mit seinem Sekretär überworfen. Da hat er mir die Stelle angeboten, und ich habe sie genommen. Ich

hing in der Luft und war froh, eine gut bezahlte Stelle sozusagen auf dem Tablett serviert zu bekommen.«
»Und seitdem?«
»Seitdem sind wir umhergereist. Mr. Ratchett wollte die Welt sehen. Dabei war ihm hinderlich, dass er keine Fremdsprachen beherrschte. Ich war für ihn mehr Reisemarschall als Sekretär. Ein angenehmes Leben.«
»Erzählen Sie mir jetzt über Ihren Arbeitgeber, soviel Sie wissen.«
»Das ist nicht so einfach.«
»Wie hieß er mit vollem Namen?«
»Samuel Edward Ratchett.«
»Er war amerikanischer Staatsbürger?«
»Ja.«
»Aus welchem Teil Amerikas kam er?«
»Weiß ich nicht.«
»Gut, dann sagen Sie mir, was Sie wissen.«
»Um ehrlich zu sein, Monsieur Poirot, ich weiß gar nichts. Mr. Ratchett hat nie von seinem Leben in Amerika gesprochen.«
»Hatte das wohl einen Grund, was glauben Sie?«
»Ich weiß es nicht. Ich dachte mir, er schämt sich vielleicht seiner Herkunft. So etwas gibt es ja.«
»Halten Sie das für eine befriedigende Erklärung?«
»Ehrlich gesagt, nein.«
»Hatte er Verwandte?«
»Erwähnt hat er nie etwas davon.«
Poirot ließ nicht locker. »Sie müssen sich doch *irgendeine* Meinung gebildet haben, Mr. MacQueen.«
»Ja, schon, das habe ich. Zum einen glaube ich nicht, dass Ratchett sein richtiger Name war. Ich bin ziemlich fest davon überzeugt, dass er Amerika verlassen hat, um sich vor irgendetwas oder jemandem in Sicherheit zu bringen. Das ist ihm wohl auch gelungen – bis vor ein paar Wochen.«
»Und da?«
»Da bekam er die ersten Briefe. Drohbriefe.«
»Haben Sie die Briefe gesehen?«
»Ja. Es gehörte ja zu meinen Aufgaben, mich um seine Korrespondenz zu kümmern. Der erste Brief kam vor vierzehn Tagen.«
»Wurden diese Briefe vernichtet?«

»Nein, ich glaube, ich habe noch zwei in meinen Akten – von einem weiß ich nur, dass Mr. Ratchett ihn in der Wut zerrissen hat. Soll ich sie holen?«
»Wenn Sie so freundlich wären.«
MacQueen verließ das Abteil. Wenige Minuten später kam er wieder und legte zwei ziemlich verschmutzte Blätter Schreibpapier vor Poirot hin.
Der erste Brief lautete:

Du hast gedacht, du könntest uns reinlegen und dich davonmachen. Da bist du schief gewickelt! Wir wollen dich KRIEGEN, *Ratchett, und wir* WERDEN *dich kriegen!*

Eine Unterschrift fehlte.
Poirot nahm ohne Kommentar, nur mit leicht hochgezogenen Augenbrauen, den zweiten Brief zur Hand.

Wir nehmen dich mit auf eine Reise, Ratchett. Schon bald. Wir KRIEGEN *dich, verstanden?*

Poirot ließ den Brief sinken. »Der Stil ist etwas eintönig«, meinte er. »Eintöniger als die Handschrift.«
MacQueen sah ihn mit großen Augen an.
»Sie würden so etwas nicht merken«, erklärte Poirot liebenswürdig. »Dafür ist das Auge eines Menschen gefordert, der sich in derlei Dingen auskennt. Dieser Brief wurde nicht von einer Person abgefasst, Mr. MacQueen. Zwei oder mehr Leute haben ihn geschrieben – jeder abwechselnd einen Buchstaben. Außerdem in Druckschrift. Das erschwert die Identifizierung der Handschrift sehr.«
Nach einer kurzen Pause fuhr er fort:
»Wussten Sie, dass Mr. Ratchett sich um Hilfe an mich gewandt hat?«
»An Sie?«
MacQueens verwunderter Ton sagte Poirot mit großer Gewissheit, dass der junge Mann davon wirklich nichts gewusst hatte. Er nickte.
»Ja. Er hatte Angst. Sagen Sie mir: Wie hat er reagiert, als er den ersten Brief bekam?«
MacQueen zögerte.
»Das ist schwer zu sagen. Er hat ihn – mit einem stillen Lachen abgetan, wie es so seine Art war. Aber irgendwie –«, er schüttelte sich ein wenig –

»irgendwie hatte ich das Gefühl, dass unter dieser scheinbaren Gelassenheit etwas in ihm vorging.«
Poirot nickte. Dann stellte er eine unerwartete Frage.
»Mr. MacQueen, sagen Sie mir doch einmal ganz ehrlich, wie Sie zu Ihrem Arbeitgeber standen? Mochten Sie ihn?«
Hector MacQueen ließ sich mit der Antwort einen Moment Zeit.
»Nein«, sagte er schließlich. »Ich mochte ihn nicht.«
»Warum nicht?«
»Das kann ich nicht genau sagen. Er war in seiner Art eigentlich immer ganz umgänglich.« Er überlegte, ehe er fortfuhr: »Um ehrlich zu sein, Monsieur Poirot, ich konnte ihn nicht leiden und habe ihm nie über den Weg getraut. Ich glaube mit Bestimmtheit, dass er ein brutaler und gefährlicher Mensch war. Aber ich muss gestehen, dass ich Ihnen für diese Meinung keinen Grund nennen kann.«
»Danke, Mr. MacQueen. Noch eine Frage – wann haben Sie Mr. Ratchett zuletzt lebend gesehen?«
»Gestern Abend, gegen –« Er musste lange nachdenken. »Gegen zehn Uhr, würde ich sagen. Da bin ich in sein Abteil gegangen, um mir ein paar Notizen von ihm zu holen.«
»Notizen zu was?«
»Zu irgendwelchen antiken Kacheln und Töpfereien, die er in Persien gekauft hatte. Was geliefert wurde, war nicht, was er gekauft hatte. Es gab in dieser Angelegenheit eine lange, unerquickliche Korrespondenz.«
»Und da wurde Mr. Ratchett zum letzten Mal lebend gesehen?«
»Vermutlich ja.«
»Wissen Sie, wann Mr. Ratchett den letzten Drohbrief erhalten hat?«
»Am Morgen des Tages, an dem wir von Konstantinopel aufgebrochen sind.«
»Eine Frage muss ich Ihnen noch stellen, Mr. MacQueen: Standen Sie mit Ihrem Arbeitgeber auf gutem Fuß?«
Plötzlich begann es in den Augen des jungen Mannes zu blitzen.
»An dieser Stelle soll ich wohl das große Zähneklappern bekommen, nicht? Um es in der Sprache der Kriminalromane zu sagen: ›Sie haben nichts gegen mich in der Hand.‹ Mr. Ratchett und ich standen miteinander auf allerbestem Fuß.«
»Dann nennen Sie mir jetzt vielleicht noch Ihren vollen Namen, Mr. MacQueen, und Ihre Adresse in Amerika.«

MacQueen nannte ihm seinen Namen: Hector Willard MacQueen, und eine Adresse in New York.
Poirot lehnte sich in die Polster zurück.
»Das wäre gegenwärtig alles, Mr. MacQueen«, sagte er. »Ich wäre Ihnen sehr verbunden, wenn Sie die Sache mit Mr. Ratchetts Tod noch ein Weilchen für sich behalten könnten.«
»Aber sein Diener, Masterman, muss es doch erfahren.«
»Der wird es wohl schon wissen«, meinte Poirot trocken. »Wenn ja, dann versuchen Sie ihm beizubringen, dass er den Mund halten soll.«
»Das dürfte nicht weiter schwer sein. Er ist Brite und hält sich, wie er selbst es ausdrückt, gern für sich. Er hat keine hohe Meinung von Amerikanern und gar keine Meinung von allen anderen Nationalitäten.«
»Danke, Mr. MacQueen.«
Der Amerikaner verließ das Abteil.
»Nun?«, wollte Monsieur Bouc sofort wissen. »Glauben Sie, was er sagt, der junge Mann?«
»Er wirkt auf mich ehrlich und aufrichtig. Er hat uns keinerlei Sympathie für seinen Arbeitgeber vorgespielt, wie er es mit Sicherheit getan hätte, wenn er in irgendeiner Weise verwickelt wäre. Gewiss, Mr. Ratchett hat ihm nichts davon gesagt, dass er vergebens versucht hat, mich in seine Dienste zu nehmen, aber das halte ich eigentlich noch nicht für einen verdächtigen Umstand. Ich stelle mir vor, dass Mr. Ratchett so einer war, der immer alles für sich behielt, wenn es eben ging.«
»Also erklären Sie schon mindestens eine Person des Verbrechens für unschuldig«, meinte Monsieur Bouc gönnerhaft.
Poirot warf ihm einen tadelnden Blick zu.
»Ich? Ich verdächtige alle und jeden bis zur letzten Minute«, sagte er. »Trotzdem gebe ich zu, ich kann mir nicht vorstellen, dass dieser ruhige, umsichtige Mr. MacQueen derart den Kopf verloren und ein gutes Dutzend Mal auf seinen Arbeitgeber eingestochen haben soll. Das entspräche nicht seiner Mentalität – nein, ganz und gar nicht.«
»Nein«, meinte Monsieur Bouc bedächtig. »So etwas ist die Tat eines Mannes, den blindwütiger Hass fast um den Verstand gebracht hat – es spricht eher für ein südländisches Temperament. Oder aber es spricht, wie unser guter *chef de train* so felsenfest überzeugt ist, für eine Frau.«

Siebtes Kapitel

Die Leiche

Mit Dr. Constantine im Gefolge begab sich Poirot in den nächsten Wagen und dort zu dem Abteil, das der Ermordete innegehabt hatte. Der Schaffner kam und schloss ihnen mit seinem Hauptschlüssel die Tür auf.
Die beiden Männer traten ein. Poirot wandte sich fragend an seinen Begleiter.
»Was wurde in diesem Abteil alles verändert?«
»Es wurde nichts angerührt. Ich selbst habe mich sehr bemüht, die Leiche bei der Untersuchung nicht zu bewegen.«
Poirot nickte. Dann blickte er sich um.
Das Erste, was seine Sinne wahrnahmen, war die Eiseskälte. Das Fenster war so tief hinuntergeschoben, wie es nur ging, das Rollo hochgezogen.
»Brrr«, machte Poirot.
Der andere lächelte verständnisvoll. »Ich wollte es lieber nicht schließen«, sagte er.
Poirot nahm das Fenster sorgfältig in Augenschein.
»Sie haben Recht«, sagte er. »Niemand hat den Wagen auf diesem Wege verlassen. Das offene Fenster sollte vielleicht zu diesem Schluss verführen, aber der Schnee hat diese Absicht des Mörders durchkreuzt.«
Er beäugte den Fensterrahmen von allen Seiten. Dann nahm er ein Schächtelchen aus seiner Jackentasche und pustete etwas Pulver darauf.
»Keinerlei Fingerabdrücke«, sagte er. »Das heißt, der Rahmen wurde abgewischt. Aber gut, wenn welche darauf wären, würden sie uns wenig sagen. Sie würden von Mr. Ratchett oder seinem Diener oder dem Schaffner stammen. Verbrecher begehen solche Fehler heutzutage nicht mehr. Und da dies so ist«, fuhr er vergnügt fort, »können wir das Fenster ebenso gut schließen. Hier ist es ja wie in einem Eiskeller!«
Er ließ seinen Worten die Tat folgen, dann wandte er seine Aufmerksamkeit zum ersten Mal der reglosen Gestalt im Bett zu.

Ratchett lag auf dem Rücken. Seine mit rostroten Flecken bedeckte Schlafanzugjacke war geöffnet und zurückgeschlagen.
»Ich musste mich über die Art der Wunden kundig machen«, erklärte der Arzt.
Poirot nickte. Er beugte sich über den Leichnam. Endlich richtete er sich mit einer Grimasse wieder auf.
»Kein schöner Anblick«, sagte er. »Jemand muss hier gestanden und ein ums andere Mal zugestochen haben. Wie viele Wunden sind es genau?«
»Ich habe zwölf gezählt. Die eine oder andere ist so klein, dass man sie höchstens als Kratzer bezeichnen kann. Andererseits waren mindestens drei geeignet, jede für sich den Tod herbeizuführen.«
Etwas im Ton des Arztes ließ Poirot aufhorchen. Er sah ihn scharf an. Der kleine Grieche starrte mit verwundertem Stirnrunzeln auf die Leiche hinunter.
»Ihnen kommt etwas komisch vor, nicht wahr?«, fragte er freundlich. »Sagen Sie es mir, mein Freund. Irgendetwas gibt Ihnen Rätsel auf?«
»Sie haben Recht«, bestätigte der andere.
»Was denn?«
»Sehen Sie, diese beiden Wunden – hier und hier –« Er zeigte darauf. »Sie sind so tief, dass bei jedem Stich Blutgefäße durchtrennt worden sein müssen – und trotzdem – die Ränder klaffen nicht auseinander. Sie haben nicht geblutet, wie es eigentlich zu erwarten gewesen wäre.«
»Was bedeutet –?«
»Dass der Mann tot war – schon einige Zeit tot –, als ihm diese Wunden beigebracht wurden. Aber das ist natürlich widersinnig.«
»Sollte man meinen«, sagte Poirot bedächtig. »Es sei denn, unser Mörder hatte das Gefühl, sein Werk nicht ordentlich vollbracht zu haben, und ist noch einmal zurückgekommen, um sicherzugehen; aber das ist vollkommen widersinnig! Noch etwas?«
»Ja, noch eins.«
»Und das wäre?«
»Sehen Sie diese Wunde hier – unter dem rechten Arm – nah bei der rechten Schulter. Hier, nehmen Sie einmal meinen Bleistift. Könnten Sie so zustechen?«
Poirot hob die Hand.
»*Précisément*«, sagte er. »Ich verstehe. Mit der rechten Hand wäre das äußerst

schwierig – geradezu unmöglich. Man müsste gewissermaßen mit einer Rückhand zustoßen. Wenn aber der Stich mit der linken Hand geführt wurde –«

»Genau, Monsieur Poirot. Dieser Stich wurde fast bestimmt mit der linken Hand geführt.«

»So dass unser Mörder ein Linkshänder wäre? Nein, die Sache ist komplizierter, stimmt's?«

»Sie sagen es, Monsieur Poirot. Einige andere Stiche wurden ebenso offensichtlich mit der rechten Hand geführt.«

»Also zwei Personen. Wieder haben wir es mit zwei Personen zu tun«, murmelte der Detektiv. Dann fragte er plötzlich:

»War das elektrische Licht an?«

»Das ist schwer zu sagen. Der Strom wird nämlich jeden Morgen gegen zehn Uhr vom Schaffner abgestellt.«

»Die Schalterstellungen werden es uns sagen«, meinte Poirot.

Er besah sich den Schalter der Deckenlampe und der Leselampe. Beide standen auf aus.

»Eh bien«, meinte er nachdenklich. »Als Arbeitshypothese haben wir also einen Ersten Mörder und einen Zweiten Mörder, wie es beim großen Shakespeare heißen würde. Der Erste Mörder hat sein Opfer erstochen, das Abteil verlassen und dabei das Licht ausgeschaltet. Der Zweite Mörder kam im Dunkeln, sah nicht, dass seine oder ihre Arbeit bereits getan war, und stach mindestens noch zweimal auf den Toten ein. *Que pensez-vous de ça?«*

»Großartig«, rief der kleine Doktor begeistert.

Poirots Augen blitzten. »Finden Sie? Freut mich zu hören. Mir selbst kommt es ein bisschen unsinnig vor.«

»Was kann es denn sonst für eine Erklärung geben?«

»Das frage ich mich ja auch. Liegt hier ein zufälliges Zusammentreffen vor oder was? Gibt es noch andere Ungereimtheiten, die einen Hinweis darauf bieten, dass zwei Personen im Spiel sind?«

»Ich glaube, das kann ich bejahen. Wie ich schon sagte, deuten einige der Stiche auf eine Schwäche hin – mangelnde Kraft oder mangelnde Entschlossenheit. Sie wurden halbherzig geführt und sind abgeglitten. Aber der hier – und der –« Er zeigte wieder auf die Stiche. »Sie erforderten große Körperkraft. Sie sind glatt durch den Muskel gedrungen.«

»Sie meinen, das könne nur ein Mann gewesen sein?«

»Mit aller Bestimmtheit.«

»Es könnte nicht doch eine Frau gewesen sein?«
»Eine sehr athletische junge Frau könnte ihm diese Wunden beigebracht haben, vor allem, wenn sie unter dem Einfluss einer heftigen Gefühlsbewegung stand, aber nach meiner Meinung ist das höchst unwahrscheinlich.«
Poirot war eine Zeit lang still.
»Sie verstehen, was ich meine?«, fragte der Doktor gespannt.
»Vollkommen«, antwortete Poirot. »Das Dunkel beginnt sich wunderbar aufzuhellen. Der Mörder war ein Mann von großer Körperkraft, er war schwächlich, er war eine Frau, er war Rechtshänder, er war Linkshänder – *ah, c'est rigolo, tout ça.*«
Plötzlich ungehalten, sprach er weiter: »Und der Ermordete? Was tut er? Schreit er? Wehrt er sich? Versucht er sich zu verteidigen?«
Er schob die Hand unters Kissen und holte die Pistole hervor, die Ratchett ihm am Tag zuvor gezeigt hatte.
»Da, sehen Sie. Voll geladen«, sagte er.
Sie schauten sich um. Ratchetts Tageskleidung hing an den Wandhaken. Auf einem Tischchen, das aus der Abdeckung des Waschbeckens bestand, befanden sich verschiedenerlei Dinge: ein falsches Gebiss in einem Glas Wasser; noch ein Glas – leer; eine Flasche Mineralwasser; ein großer Flakon und ein Aschenbecher, in dem ein Zigarrenstummel, ein paar verkohlte Papierschnipsel und zwei abgebrannte Zündhölzer lagen.
Der Arzt nahm das leere Glas und schnupperte daran.
»Hier ist die Erklärung für die Tatenlosigkeit des Opfers«, sagte er ruhig.
»Betäubt?«
»Ja.«
Poirot nickte. Er nahm die beiden Zündhölzer und besah sie sich sehr genau.
»Haben Sie einen Hinweis gefunden?«, wollte der kleine Doktor neugierig wissen.
»Es sind zwei Zündhölzer von unterschiedlicher Form«, antwortete Poirot. »Sehen Sie her, das eine ist flacher als das andere.«
»Solche bekommt man hier im Zug«, sagte der Arzt. »In Pappheftchen.«
Poirot tastete die Taschen von Ratchetts Kleidung durch. Bald fand er eine Schachtel Zündhölzer. Er verglich sie mit den anderen.
»Das rundere hat Mr. Ratchett selbst angezündet«, sagte er. »Sehen wir mal, ob er auch welche von den flacheren hat.«
Aber es kamen keine weiteren Zündhölzer zum Vorschein.
Poirots Blick huschte im Abteil hin und her. Seine leuchtenden Augen waren

so scharf wie die eines Vogels. Man hatte den Eindruck, dass ihnen nichts entging.
Mit einem leisen Ausruf bückte er sich plötzlich und hob etwas vom Boden auf.
Es war ein zierliches Tüchlein aus feinstem Batist. »Unser guter *chef de train* hatte doch Recht«, sagte er. »Es ist eine Frau im Spiel. Und entgegenkommenderweise«, fuhr er fort, »hat sie uns ihr Taschentuch hinterlassen. Wie im Roman oder im Kino – und um es uns noch leichter zu machen, ist sogar ein gesticktes Monogramm darauf.«
»Welch ein Glückfall für uns!«, rief der Arzt.
»Nicht wahr?«, meinte Poirot.
Etwas in seinem Ton erstaunte den Arzt. Aber ehe er um Aufklärung bitten konnte, bückte Poirot sich schon wieder.
Diesmal streckte der Detektiv ihm die offene Hand entgegen. Darauf lag ein Pfeifenreiniger.
»Gehörte er vielleicht Mr. Ratchett?«, spekulierte der Arzt.
»In keiner seiner Taschen findet sich eine Pfeife, und weder Tabak noch ein Tabaksbeutel.«
»Dann ist es ein Hinweis.«
»Eindeutig ja. Und wieder wurde er entgegenkommenderweise hier fallen gelassen. Aber diesmal ist es ein Hinweis auf einen Mann, wohlgemerkt. Über einen Mangel an Hinweisen kann man sich in diesem Fall wahrhaftig nicht beklagen. Was haben Sie übrigens mit der Tatwaffe gemacht?«
»Von einer Tatwaffe war nichts zu sehen. Der Mörder muss sie wieder mitgenommen haben.«
»Und ich frage mich, warum«, überlegte Poirot.
»Ah!« Der Doktor hatte vorsichtig die Schlafanzugtaschen des Toten durchsucht. »Das habe ich übersehen«, sagte er. »Ich hatte die Jacke aufgeknöpft und zurückgeschlagen.«
Damit zog er aus der Brusttasche eine goldene Uhr. Das Gehäuse hatte eine kräftige Delle, und die Zeiger standen auf Viertel nach eins.
»Sehen Sie?«, rief Dr. Constantine aufgeregt. »Das verrät uns die Tatzeit. Sie stimmt mit meinen Berechnungen überein. Zwischen Mitternacht und zwei Uhr morgens, habe ich gesagt, und wahrscheinlich gegen ein Uhr, obwohl man sich in solchen Dingen schwer festlegen kann. Eh bien, hier haben wir die Bestätigung. Viertel nach eins. Das ist die Tatzeit.«
»Möglich. Möglich ist es auf jeden Fall.«

Der Arzt beäugte ihn neugierig.
»Verzeihen Sie, Monsieur Poirot, aber ich verstehe Sie nicht ganz.«
»Ich verstehe es selbst nicht«, sagte Poirot. »Ich verstehe überhaupt nichts, und wie Sie wohl merken, bereitet mir das einiges Kopfzerbrechen.«
Er beugte sich seufzend über das Tischchen und betrachtete die verkohlten Papierschnipsel. Dabei brummelte er ständig vor sich hin.
»Was ich jetzt brauchen könnte, wäre eine altmodische Damenhutschachtel.«
Dr. Constantine wusste mit dieser kuriosen Aussage nun gar nichts anzufangen. Aber Poirot ließ ihm keine Zeit zum Nachfragen. Er öffnete die Tür zum Gang und rief nach dem Schaffner.
Der kam im Laufschritt herbeigeeilt.
»Wie viele Damen sind in diesem Wagen?«
Der Schaffner zählte sie an den Fingern ab.
»Eine, zwei, drei – sechs, Monsieur. Die alte Amerikanerin, eine Schwedin, die junge Engländerin, die Gräfin Andrenyi und die Fürstin Dragomiroff mit ihrer Zofe.«
Poirot dachte nach.
»Und alle haben Hutschachteln bei sich?«
»Ja, Monsieur.«
»Dann bringen Sie mir bitte – Moment – die der Schwedin und die der Zofe. Diese beiden sind meine einzige Hoffnung. Sagen Sie den Damen, es hätte etwas mit den Zollbestimmungen zu tun – oder was Ihnen gerade einfällt.«
»Das wird nicht weiter schwierig sein, Monsieur. Die Damen sind im Augenblick beide nicht in ihren Abteilen.«
»Dann machen Sie schnell.«
Der Schaffner ging und kam mit den beiden Hutschachteln zurück. Poirot öffnete die der Zofe und legte sie achtlos wieder fort. Dann öffnete er die der Schwedin und äußerte sich sehr befriedigt. Vorsichtig nahm er die Hüte heraus, unter denen ein gewölbtes Drahtgestell zum Vorschein kam.
»Ah, da haben wir ja, was wir brauchen. Vor etwa fünfzehn Jahren wurden Hutschachteln nur so gemacht. Man steckte den Hut mit einer Nadel an solchen Drahtgestellen fest.«
Während er redete, löste er behutsam zwei Schichten von dem Drahtgeflecht. Dann packte er die Hüte wieder ein und wies den Schaffner an, die Schachteln dahin zurückzubringen, wo er sie hergeholt hatte.

Nachdem die Tür wieder zu war, wandte er sich an seinen Gefährten.
»Sehen Sie, mein lieber Doktor, ich halte ja sonst nicht viel von kriminalistischer Technik. Ich kümmere mich mehr um Psychologie als um Fingerabdrücke oder Zigarettenasche. Aber in diesem Fall könnte ich ein wenig kriminalistische Technik gut gebrauchen. Dieses Abteil steckt voller Hinweise, aber wie kann ich sicher sein, dass diese Hinweise wirklich sind, was sie zu sein scheinen?«
»Ich verstehe Sie nicht ganz, Monsieur Poirot.«
»Also, um Ihnen ein Beispiel zu nennen – wir finden ein Damentaschentuch. Hat eine Dame es verloren? Oder hat sich ein Mann bei Begehung der Tat gesagt: ›Ich will es wie die Tat einer Frau erscheinen lassen. Ich werde unnötig oft auf meinen Feind einstechen und einige Stiche schwach und wirkungslos aussehen lassen, und dann lasse ich noch dieses Taschentuch so fallen, dass man es nicht übersehen kann.‹ Dies ist die eine Möglichkeit. Aber es gibt noch eine andere. Hat eine Frau ihn getötet und voll Bedacht einen Pfeifenreiniger verloren, damit es nach dem Werk eines Mannes aussieht? Oder sollen wir allen Ernstes annehmen, dass zwei Personen – ein Mann und eine Frau – voneinander unabhängig gehandelt haben und beide so unvorsichtig waren, einen Hinweis auf ihre Identität zu hinterlassen? Das ist mir doch alles etwas zu viel der Zufälligkeiten.«
»Aber was hat die Hutschachtel damit zu tun?«, fragte der Arzt, noch immer ratlos.
»Ah, dahin kommen wir gleich. Wie gesagt, diese Hinweise – die Uhr, die um Viertel nach eins stehen geblieben ist, das Taschentuch, der Pfeifenreiniger – sie können echt sein, aber auch falsch. Bisher vermag ich das noch nicht zu entscheiden. Aber einen Hinweis gibt es, von dem ich glaube – obwohl ich mich auch hier wieder irren kann –, dass er *keine* Irreführung ist. Ich meine das flache Streichholz, *Monsieur le Docteur. Ich glaube, dass dieses Streichholz vom Mörder benutzt wurde, nicht von Mr. Ratchett.* Und zwar wurde es dazu benutzt, ein belastendes Schriftstück der einen oder anderen Art zu verbrennen. Möglicherweise einen Brief. Wenn ja, dann enthielt dieser Brief irgendetwas – einen Fehler, einen Irrtum –, woraus man vielleicht auf die Identität des Mörders schließen kann. Ich will mich bemühen, dieses Etwas wieder ans Licht zu bringen.«
Er verließ das Abteil und kam wenig später mit einem kleinen Spirituskocher und einer Brennschere zurück.
»Die benutze ich für meinen Schnurrbart«, erklärte er die Letztere.

Der Arzt sah höchst interessiert zu, wie Poirot die beiden gewölbten Drahtnetze flach drückte und sehr behutsam das verkohlte Stückchen Papier auf das eine praktizierte. Das andere legte er darüber, dann klemmte er beide Netze mit der Brennschere zusammen und hielt das Ganze über die Flamme des Spirituskochers.
»Das ist eine sehr behelfsmäßige Vorrichtung«, sagte er über die Schulter. »Hoffen wir, dass sie dennoch ihren Zweck erfüllt.«
Der Doktor beobachtete den Vorgang aufmerksam. Die Drahtgeflechte begannen zu glühen. Plötzlich waren schwache Spuren von Buchstaben zu erkennen. Langsam kamen Wörter zum Vorschein – Wörter aus Feuer. Der Papierfetzen war sehr klein. Es passten nur fünf Wörter darauf:

... an die kleine Daisy Armstrong

»Oh!«, entfuhr es Poirot laut.
»Sagt Ihnen das etwas?«, fragte der Arzt.
Poirots Augen glänzten. Er legte die Brennschere vorsichtig nieder.
»Ja«, sagte er. »Ich weiß jetzt, wie der Tote wirklich hieß. Ich weiß auch, warum er Amerika verlassen musste.«
»Wie hieß er denn?«
»Cassetti.«
»Cassetti.« Dr. Constantine legte die Stirn in Falten. »Das erinnert mich an irgendetwas. Liegt ein paar Jahre zurück. Es fällt mir jetzt nicht ein ... War das nicht ein Kriminalfall in Amerika?«
»Ganz recht«, sagte Poirot. »Ein Kriminalfall in Amerika.«
Darüber hinaus war Poirot nicht sehr mitteilungsbedürftig. Er blickte sich einmal um, ehe er fortfuhr:
»Wir werden uns gleich damit befassen. Vorher sollten wir uns nur noch vergewissern, dass wir hier alles gesehen haben, was es zu sehen gibt.«
Schnell und geübt durchsuchte er noch einmal die Taschen des Toten, fand darin aber nichts von Interesse. Er probierte die Verbindungstür zum Abteil nebenan, aber sie war von der anderen Seite verriegelt.
»Eines verstehe ich nicht«, sagte Dr. Constantine. »Wenn der Mörder nicht durchs Fenster entkommen ist, und wenn diese Verbindungstür von der anderen Seite verriegelt war, und wenn die Tür zum Gang nicht nur von innen verschlossen war, sondern auch noch die Kette vorlag, wie hat der Mörder dann das Abteil verlassen?«

»Das ist genau die Frage, die sich das Publikum immer stellt, wenn der an Händen und Füßen gefesselte Mensch in einen Schrank gesperrt wird – und verschwindet.«
»Sie meinen –«
»Ich meine«, erklärte Poirot, »dass der Mörder, der uns glauben machen wollte, dass er durchs Fenster entkommen sei, es natürlich so aussehen lassen musste, als hätte er unmöglich die beiden anderen Ausgänge benutzen können. Es ist ein Trick dabei – wie bei dem verschwindenden Menschen im Schrank. Unsere Aufgabe ist es nun, hinter diesen Trick zu kommen.«
Er verriegelte die Verbindungstür auch von dieser Seite.
»Nur für den Fall«, sagte er, »dass die vortreffliche Mrs. Hubbard es sich in den Kopf setzen sollte, sich aus erster Hand ein paar Details zu dem Verbrechen zu beschaffen, um sie ihrer Tochter mitteilen zu können.«
Er sah sich noch einmal um.
»So, ich glaube, hier gibt es jetzt nichts mehr zu tun. Gehen wir wieder zu Monsieur Bouc.«

Achtes Kapitel

Der Entführungsfall Armstrong

Monsieur Bouc saß gerade über den Resten eines Omeletts.
»Ich hielt es für das Beste«, sagte er, »im Speisewagen schon jetzt das Mittagessen servieren zu lassen. Danach wird er dann geräumt, und Monsieur Poirot wird dort die Fahrgäste vernehmen. Für uns drei habe ich inzwischen schon etwas zu essen hierher bestellt.«
»Ausgezeichnete Idee«, sagte Poirot.
Die beiden anderen waren nicht hungrig, und so war das Mahl bald verzehrt. Aber erst beim Kaffee kam Monsieur Bouc auf das Thema zu sprechen, das sie alle beschäftigte.

»*Eh bien?*«, fragte er.
»*Eh bien.* Ich habe die wahre Identität des Opfers herausbekommen und weiß jetzt, warum es für ihn so wichtig war, Amerika zu verlassen.«
»Wer war er denn?«
»Erinnern Sie sich an die Zeitungsberichte über die Entführung der kleinen Daisy Armstrong? Er ist der Mann, der das Kind ermordet hat – Cassetti.«
»Ja, ich entsinne mich. Furchtbare Geschichte – auch wenn mir die Einzelheiten nicht mehr im Gedächtnis sind.«
»Colonel Armstrong war Engländer – Träger des Victoria-Kreuzes. Er war auch halb Amerikaner, denn seine Mutter war eine Tochter des Wall-Street-Millionärs W. K. Van der Halt. Er war verheiratet mit einer Tochter Linda Ardens, der berühmtesten amerikanischen Tragödin jener Tage. Sie lebten in Amerika und hatten ein Kind – ein Mädchen –, das ihr Ein und Alles war. Als das Kind drei Jahre alt war, wurde es entführt und für seine Rückgabe eine unvorstellbar hohe Summe verlangt. Ich möchte Sie jetzt nicht mit all den folgenden Verwicklungen ermüden und springe gleich zu dem Zeitpunkt weiter, als man nach Zahlung der gewaltigen Summe von zweihunderttausend Dollar die Leiche der Kleinen fand, die mindestens schon zwei Wochen tot war. Die öffentliche Empörung kochte über. Doch es kam noch schlimmer. Mrs. Armstrong, die wieder ein Kind erwartete, erlitt durch den Schock eine Fehlgeburt, an der sie selbst starb. Ihr völlig gebrochener Mann erschoss sich.«
»*Mon Dieu*, welche Tragödie! Ich erinnere mich jetzt wieder«, sagte Monsieur Bouc. »Und es gab dann noch einen Todesfall, wenn ich es richtig im Gedächtnis habe.«
»Ja – ein unglückseliges französisches oder schwedisches Kindermädchen. Die Polizei war überzeugt, dass sie irgendwie über das Verbrechen Bescheid gewusst haben müsse. Sie konnte es abstreiten, soviel sie wollte, man glaubte ihr nicht. Schließlich hat die Ärmste sich in ihrer Verzweiflung aus dem Fenster gestürzt. Hinterher erwies es sich dann, dass sie jeglicher Komplizenschaft vollkommen unschuldig war.«
»Man möchte gar nicht daran denken«, sagte Monsieur Bouc.
»Ein halbes Jahr später wurde dieser Cassetti als Kopf der Entführerbande verhaftet. Die Gangster waren schon öfter nach derselben Methode vorgegangen: Immer wenn sie glaubten, dass die Polizei ihnen auf der Spur sei, töteten sie ihr Opfer und versteckten die Leiche, erpressten aber weiter so viel Geld wie möglich, bis das Verbrechen entdeckt wurde.

Nun muss ich noch auf eines ganz klar hinweisen, meine Freunde. Cassetti war erwiesenermaßen der Täter! Aber mit Hilfe des immensen Reichtums, den er angehäuft hatte, und der heimlichen Macht, die er über gewisse Personen besaß, gelang es ihm, wegen irgendeines Formfehlers einen Freispruch zu erwirken. Dessen ungeachtet wäre er von der Bevölkerung gelyncht worden, wenn er nicht schlau genug gewesen wäre, sich aus dem Staub zu machen. Mir ist jetzt völlig klar, wie es weitergegangen ist. Er hat seinen Namen geändert und Amerika verlassen. Seitdem reiste er als reicher Müßiggänger durch die Lande, der von den Erträgen seines Vermögens lebte.«

»*Ah, quel animal!*« In Monsieur Boucs Ton lag abgrundtiefe Verachtung. »Ich vermag seinen Tod nicht im Mindesten zu bedauern, wahrhaftig nicht.«

»Da bin ich ganz Ihrer Meinung.«

»*Tout de même*, es musste nicht ausgerechnet im Orientexpress sein. Man hätte ihn anderswo umbringen können.«

Poirot lächelte. Monsieur Boucs Voreingenommenheit in dieser Frage war ihm durchaus verständlich.

»Die Frage, die wir uns jetzt stellen müssen, ist diese«, sagte er. »War der Mord das Werk einer rivalisierenden Bande, die früher einmal von Cassetti aufs Kreuz gelegt wurde, oder war er ein privater Racheakt?«

Er berichtete, wie er auf dem verkohlten Stück Papier die paar Wörter entdeckt hatte.

»Wenn meine Mutmaßung stimmt, wurde der Brief vom Mörder verbrannt. Warum? Weil das Wort ›Armstrong‹ darin vorkam, das den Schlüssel zu dem Rätsel bildet.«

»Lebt denn noch jemand von der Familie Armstrong?«

»Leider weiß ich das nicht. Aber wenn ich mich recht erinnere, habe ich einmal von einer jüngeren Schwester der Mrs. Armstrong gelesen.«

Poirot berichtete weiter, zu welchen Erkenntnissen er und Dr. Constantine gemeinsam gekommen waren. Als er auf die stehen gebliebene Uhr zu sprechen kam, begann Monsieur Bouc zu strahlen.

»Mir scheint, das gibt uns die genaue Tatzeit an.«

»Ja«, meinte Poirot. »Es kommt uns sehr zupass.«

Aber es lag etwas Unbestimmbares in seinem Ton, weshalb die beiden anderen ihn neugierig ansahen.

»Sie sagen doch, Sie selbst hätten Mr. Ratchett noch um zwanzig vor eins mit dem Schaffner reden hören?«

Poirot berichtete über diesen Vorgang.

»Nun«, sagte Monsieur Bouc, »das beweist doch, dass Cassetti – oder Ratchett, wie ich ihn weiterhin nennen werde – auf jeden Fall um zwanzig vor eins noch am Leben war.«
»Um dreiundzwanzig vor eins, um es genau zu sagen.«
»Also war Mr. Ratchett, um es präzise auszudrücken, um null Uhr siebenunddreißig noch am Leben. Damit wissen wir doch wenigstens etwas.«
Poirot antwortete nicht. Er blickte nur nachdenklich vor sich hin.
Es klopfte, und ein Speisewagenkellner trat ein.
»Der Speisewagen ist jetzt frei, Monsieur«, meldete er.
»Dann wollen wir uns dorthin begeben«, sagte Monsieur Bouc, schon im Aufstehen.
»Darf ich mitkommen?«, fragte Dr. Constantine.
»Aber gewiss, mein lieber Doktor. Sofern Monsieur Poirot keine Einwände erhebt?«
»Mitnichten, mitnichten«, beteuerte Poirot.
Und nach einigen höflichen *»Après vous, Monsieur« – »Mais non, après vous«* – verließen sie das Abteil.

TEIL 2

Die Zeugen

Erstes Kapitel

Das Zeugnis des Schlafwagenschaffners

Im Speisewagen war alles bereit.
Poirot und Monsieur Bouc setzten sich nebeneinander an einen Tisch. Der Arzt nahm auf der anderen Seite des Mittelgangs Platz.
Vor Poirot lag eine Grundrissskizze des Wagens Istanbul-Calais, in die mit roter Tinte die Namen der Reisenden eingetragen waren.
Ein Stapel Pässe und Fahrkarten lag auf der einen Seite. Schreibpapier, Tinte, Federhalter und Bleistifte waren vorhanden.
»Ausgezeichnet«, sagte Poirot. »Wir können ohne weitere Umschweife mit dem Verhör beginnen. Zuerst, meine ich, sollten wir uns die Aussage des Schlafwagenschaffners anhören. Sie kennen den Mann wahrscheinlich. Was hat er für einen Charakter? Ist er ein Mensch, auf dessen Wort man sich verlassen kann?«
»Das möchte ich auf jeden Fall bejahen. Pierre Michel arbeitet schon seit über fünfzehn Jahren bei der Schlafwagengesellschaft. Er ist Franzose – wohnt nicht weit von Calais. Durch und durch anständig und ehrlich. Vielleicht nicht übermäßig intelligent.«
Poirot nickte verstehend.
»Gut«, sagte er. »Lassen wir ihn herkommen.«
Pierre Michel hatte seine Fassung teilweise wiedergewonnen, aber er wirkte noch immer überaus nervös.
»Monsieur sehen hoffentlich keine Pflichtvergessenheit meinerseits«, begann er ängstlich, während sein Blick zwischen Poirot und Monsieur Bouc hin und her ging. »Es ist schrecklich, was da passiert ist. Monsieur sind hoffentlich nicht der Meinung, dass es ein schlechtes Licht auf mich wirft?«
Nachdem Poirot die Ängste des Mannes beschwichtigt hatte, begann er mit der Befragung. Zuerst ließ er sich Michels Namen und Adresse nennen, die Zahl seiner Dienstjahre und die Zeit, die er schon auf dieser Stre-

Speisewagen

W.C.

4-5 — Edward Masterman, Antonio Foscarelli

T

T

6-7 — Hector MacQueen

8-9 — Hildegard Schmidt

T

T

10-11 — Greta Ohlsson, Mary Debenham

T

1 — Hercule Poirot

2 — Samuel Ratchett

T
T

3 — Caroline Hubbard

12 — Gräfin Andrenyi

T
T

13 — Graf Andrenyi

14 — Fürstin Dragomiroff

T
T

15 — Oberst Arbuthnot

16 — Cyrus Hardman

T

W.C

Schaffnerplatz

Waggon Paris–Athen

cke fuhr. Es waren lauter Dinge, die Poirot schon wusste; die Routinefragen sollten den Mann nur beruhigen.

»Und nun«, fuhr Poirot fort, »wollen wir auf die Ereignisse der vergangenen Nacht zu sprechen kommen. Um welche Zeit ist Mr. Ratchett zu Bett gegangen?«

»Gleich nach dem Abendessen, Monsieur. Genauer gesagt, bevor wir in Belgrad abfuhren. Genau wie schon am Abend davor. Er hatte mich angewiesen, sein Bett herzurichten, während er beim Abendessen war, und das habe ich getan.«

»Ist danach noch jemand in sein Abteil gegangen?«

»Sein Diener, Monsieur, und dieser junge amerikanische Gentleman, sein Sekretär.«

»Sonst noch jemand?«

»Nein, Monsieur, nicht dass ich wüsste.«

»Gut. Und das war das letzte Mal, dass Sie ihn gesehen oder etwas von ihm gehört haben?«

»Nein, Monsieur. Sie vergessen, dass er gegen zwanzig vor eins nach mir geklingelt hat – kurz nachdem der Zug stehen geblieben war.«

»Schildern Sie mir diesen Vorgang genau.«

»Ich habe angeklopft, und er hat herausgerufen, es sei ein Versehen gewesen.«

»Auf Englisch oder Französisch?«

»Französisch.«

»Was waren seine genauen Worte?«

»Ce n'est rien. Je me suis trompé.«

»Richtig«, sagte Poirot. »Das habe ich auch gehört. Und dann sind Sie fortgegangen?«

»Ja, Monsieur.«

»Sind Sie an Ihren Platz zurückgekehrt?«

»Nein, Monsieur. Zuerst musste ich noch zu einem anderen Abteil gehen, wo man auch nach mir geläutet hatte.«

»Und nun, Michel, werde ich Ihnen eine sehr wichtige Frage stellen. Wo waren Sie um Viertel nach eins?«

»Ich, Monsieur? Da saß ich auf meinem Platz am Ende des Wagens – mit Blick zum Gang.«

»Ganz bestimmt?«

»Mais oui – das heißt –«

»Ja?«
»Ich bin einmal in den nächsten Wagen gegangen, den Athener, um mit meinem Kollegen zu sprechen. Wir haben uns über den Schnee unterhalten. Das war irgendwann kurz nach ein Uhr. Auf die Minute kann ich es nicht sagen.«
»Und wann sind Sie zurückgekommen?«
»Es hatte geläutet, Monsieur – ich weiß noch – ich habe es Ihnen erzählt. Es war die Dame aus Amerika. Sie hatte mehrmals geklingelt.«
»Ich erinnere mich«, sagte Poirot. »Und danach?«
»Danach, Monsieur? Da haben Sie doch nach mir geläutet, und ich habe Ihnen ein Mineralwasser gebracht. Etwa eine halbe Stunde später habe ich dann in einem der anderen Abteile das Bett hergerichtet – das des jungen amerikanischen Gentleman, Mr. Ratchetts Sekretär.«
»War Mr. MacQueen allein in seinem Abteil, als Sie sein Bett herrichten gingen?«
»Der englische Oberst aus Nummer fünfzehn war bei ihm. Sie hatten noch zusammengesessen und sich unterhalten.«
»Was hat der Oberst getan, nachdem er Mr. MacQueen verließ?«
»Er ist in sein Abteil gegangen.«
»Nummer fünfzehn – das ist doch ganz nah bei Ihrem Platz, nicht wahr?«
»Ja, Monsieur. Das zweite Abteil vom Wagenende her.«
»War sein Bett schon hergerichtet?«
»Ja, Monsieur, das hatte ich schon gemacht, als er beim Abendessen war.«
»Wann war das alles?«
»Ich kann es Ihnen nicht genau sagen, Monsieur. Aber auf keinen Fall später als zwei Uhr.«
»Und danach?«
»Danach, Monsieur, habe ich bis zum Morgen auf meinem Platz gesessen.«
»Sie sind nicht wieder in den Athener Wagen gegangen?«
»Nein, Monsieur.«
»Aber Sie haben vielleicht geschlafen?«
»Das glaube ich nicht, Monsieur. Der Zug stand, und dadurch bin ich nicht eingenickt wie sonst immer.«
»Haben Sie einen der Fahrgäste auf dem Gang gesehen?«
Der Schaffner überlegte.
»Ich glaube, eine der Damen ist auf die Toilette am anderen Ende gegangen.«

»Welche?«
»Das weiß ich nicht, Monsieur. Es war am anderen Ende, und sie kehrte mir den Rücken zu. Sie hatte einen roten Kimono an, mit Drachen darauf.«
Poirot nickte.
»Und danach?«
»Nichts mehr, Monsieur, bis zum Morgen.«
»Ganz gewiss?«
»*Oh, pardon* – Sie selbst, Monsieur, haben noch einmal die Tür geöffnet und kurz herausgeschaut.«
»Gut, mein Lieber«, sagte Poirot. »Ich wollte nur wissen, ob Sie sich daran erinnern. Übrigens war ich von etwas aufgewacht, was sich anhörte, als ob etwas Schweres gegen meine Tür gefallen wäre. Haben Sie eine Ahnung, was das gewesen sein kann?«
Der Mann sah ihn mit großen Augen an.
»Da war nichts, Monsieur. Gar nichts, ich bin ganz sicher.«
»Dann muss ich schlecht geträumt haben«, meinte Poirot gelassen.
»Oder was Sie gehört haben«, mischte Monsieur Bouc sich ein, »war im Abteil nebenan.«
Poirot beachtete den Einwand nicht. Vielleicht wollte er vor dem Schlafwagenschaffner nicht darüber sprechen.
»Wenden wir uns nun einer anderen Frage zu«, sagte er. »Angenommen, gestern Abend ist ein Mörder zugestiegen. Es steht doch fest, dass er nach Begehung der Tat nicht wieder ausgestiegen sein kann?«
Pierre Michel schüttelte den Kopf.
»Und dass er sich nirgendwo versteckt halten kann?«
»Der Zug wurde eingehend durchsucht«, sagte Monsieur Bouc. »Schlagen Sie sich diesen Gedanken aus dem Kopf, mein Freund.«
»Außerdem«, sagte Michel, »hätte niemand in den Schlafwagen kommen können, ohne dass ich ihn gesehen hätte.«
»Wo haben wir zuletzt gehalten?«
»In Vincovci.«
»Wann war das?«
»Planmäßig hätten wir dort um 23.58 Uhr abfahren sollen. Aber wegen des schlechten Wetters hatten wir zwanzig Minuten Verspätung.«
»Hätte jemand aus den normalen Reisewagen nach vorn kommen können?«

»Nein, Monsieur. Nach dem Abendessen wird die Tür zwischen den Reisewagen und den Schlafwagen abgeschlossen.«
»Sind Sie selbst in Vincovci einmal ausgestiegen?«
»Ja, Monsieur. Ich bin wie immer auf den Bahnsteig hinuntergestiegen und am Einstieg stehen geblieben. Die anderen Schaffner genauso.«
»Und die vordere Tür? Die vor dem Durchgang zum Speisewagen?«
»Die ist immer an der Innenseite eingehakt.«
»Jetzt aber nicht.«
Der Schaffner machte erstaunte Augen, dann lächelte er.
»Dann kann nur einer der Fahrgäste sie geöffnet haben, um sich den vielen Schnee anzusehen.«
»So wird es sein«, sagte Poirot.
Er trommelte eine Weile nachdenklich mit den Fingern auf dem Tisch.
»Monsieur machen mir keine Vorwürfe?«, fragte der Schaffner furchtsam.
Poirot lächelte ihn freundlich an.
»Sie hatten einfach Pech, mein Lieber«, sagte er. »Halt, noch eins, da es mir gerade einfällt. Sie sagten, es hätte noch woanders geklingelt, gerade als Sie an Mr. Ratchetts Tür klopften. Das habe ich selbst auch gehört. Welches Abteil war das?«
»Das war *Madame la Princesse* Dragomiroff. Sie hat mir aufgetragen, ihre Zofe zu holen.«
»Und das haben Sie getan?«
»Ja, Monsieur.«
Poirot studierte mit nachdenklichem Blick die vor ihm liegende Grundrissskizze. Dann nickte er kurz.
»Das ist alles«, sagte er. »Für den Augenblick.«
»Danke, Monsieur.«
Der Schaffner erhob sich. Er sah Monsieur Bouc an.
»Grämen Sie sich nicht«, sagte dieser freundlich. »Ich kann keinerlei Pflichtvergessenheit Ihrerseits erkennen.«
Befriedigt verließ Pierre Michel das Abteil.

Zweites Kapitel

Das Zeugnis des Sekretärs

Poirot gab sich eine Weile seinen Gedanken hin.
»Ich glaube«, sagte er schließlich, »wir täten gut daran, im Lichte dessen, was wir inzwischen wissen, noch einmal ein Wörtchen mit Mr. MacQueen zu reden.«
Der junge Amerikaner erschien prompt.
»Nun?«, fragte er. »Wie stehen die Dinge?«
»Gar nicht schlecht. Seit unserem letzten Gespräch habe ich etwas in Erfahrung gebracht – nämlich wer Mr. Ratchett wirklich war.«
Hector MacQueen beugte sich interessiert vor.
»Und?«, fragte er.
»Der Name Ratchett war, wie Sie vermuteten, ein Alias. Ratchett war in Wirklichkeit Cassetti, der Drahtzieher dieser Aufsehen erregenden Entführungsfälle – darunter der berühmt gewordene Fall der kleinen Daisy Armstrong.«
Ein Ausdruck höchsten Erstaunens erschien auf MacQueens Gesicht, dann verdüsterte es sich.
»Dieses gemeine Stinktier!«, rief er.
»Sie hatten davon keine Ahnung, Mr. MacQueen?«
»Nein, Monsieur«, antwortete der junge Amerikaner entschieden. »Wenn ich das gewusst hätte, hätte ich mir lieber die rechte Hand abgehackt, bevor sie einen Schlag für ihn arbeiten konnte.«
»Es geht Ihnen sehr nahe, Mr. MacQueen?«
»Ja. Und das hat einen bestimmten Grund. Mein Vater war der Staatsanwalt, der den Fall zu bearbeiten hatte, Monsieur Poirot. Ich habe Mrs. Armstrong öfter als einmal zu Gesicht bekommen – eine wunderbare Frau. So sanftmütig, so untröstlich.« Er wurde zornrot. »Wenn je ein Mensch verdient hat, was er bekam, dann ist es dieser Ratchett oder Cassetti. Sein Tod ist mir eine große Freude. So einer hat auf der Welt nichts zu suchen.«

»Sie wären gewissermaßen bereit gewesen, die gute Tat persönlich zu vollbringen?«
»Ja. Ich –« Er stockte und errötete schuldbewusst. »Ich glaube, ich bin auf dem besten Wege, mich verdächtig zu machen.«
»Ich wäre eher geneigt, Sie zu verdächtigen, Mr. MacQueen, wenn Sie sich über das Hinscheiden Ihres Arbeitgebers unverhältnismäßig betroffen gezeigt hätten.«
»Ich glaube, das könnte ich nicht einmal, um mich vor dem elektrischen Stuhl zu retten«, sagte MacQueen erbittert. Dann fuhr er fort:
»Wenn es nicht ungebührlich neugierig von mir ist: Wie sind Sie darauf gekommen? Ich meine, dass er Cassetti war?«
»Durch einen Brieffetzen, den ich in seinem Abteil gefunden habe.«
»Aber der – ich meine – war das nicht ein bisschen schludrig von dem Alten?«
»Das«, antwortete Poirot, »kommt ganz auf den jeweiligen Standpunkt an.«
Dem jungen Mann schien diese Bemerkung etwas rätselhaft vorzukommen. Er musterte Poirot von oben bis unten, als versuchte er aus ihm schlau zu werden.
»Vor mir liegt nun die Aufgabe«, sagte Poirot, »mir über die Schritte jedes Einzelnen in diesem Zug Klarheit zu verschaffen. Deswegen sollte sich niemand gekränkt fühlen, verstehen Sie? Es ist eine reine Routineangelegenheit.«
»Selbstverständlich. Fragen Sie nur, damit ich mich nach Möglichkeit rein waschen kann.«
»Ich brauche Sie wohl nicht nach der Nummer Ihres Abteils zu fragen«, meinte Poirot lächelnd, »denn ich habe es eine Nacht lang mit Ihnen geteilt. Es ist das Zweiter-Klasse-Abteil mit den Betten Nummer sechs und sieben, und nachdem ich ausgezogen war, hatten Sie es für sich allein.«
»Richtig.«
»Und nun möchte ich von Ihnen über jeden Schritt unterrichtet werden, Mr. MacQueen, den Sie gestern Abend nach Verlassen des Speisewagens getan haben.«
»Das ist ganz einfach. Ich bin in mein Abteil gegangen und habe ein bisschen gelesen, mir in Belgrad auf dem Bahnsteig kurz die Füße vertreten, fand es aber zu kalt und bin wieder eingestiegen. Ich habe mich eine Zeit lang mit einer jungen Engländerin unterhalten, die im übernächsten Abteil wohnt. Dann bin ich mit diesem Engländer ins Gespräch gekommen, Colo-

nel Arbuthnot – ich glaube, Sie sind sogar an uns vorbeigegangen, während wir dastanden und redeten. Dann bin ich zu Mr. Ratchett gegangen und habe, wie schon gesagt, ein paar Notizen zu Briefen geholt, die ich für ihn schreiben sollte. Ich habe ihm gute Nacht gesagt und bin gegangen. Colonel Arbuthnot stand noch auf dem Gang. Sein Abteil war schon für die Nacht hergerichtet, und ich habe ihm vorgeschlagen, mit in meines zu kommen. Ich habe uns etwas zu trinken bringen lassen, und dann ging's los mit der Diskussion: über die Weltpolitik, das Generalgouvernement Indien und unsere eigenen Finanzprobleme wegen der Krise an der Wall Street. Normalerweise habe ich für Briten nicht viel übrig – sie sind derart verbohrt –, aber diesen Colonel konnte ich ganz gut leiden.«
»Wissen Sie, wie viel Uhr es war, als er Sie verließ?«
»Ziemlich spät. Ich würde sagen, es ging auf zwei Uhr zu.«
»Sie haben gemerkt, dass der Zug stand?«
»Aber natürlich. Hat uns ein bisschen gewundert. Wir haben hinausgeschaut und den hohen Schnee gesehen, aber richtig ernst genommen haben wir das nicht.«
»Wie ging es weiter, nachdem Colonel Arbuthnot sich schließlich von Ihnen verabschiedet hatte?«
»Er ist in sein Abteil gegangen, und ich habe den Schaffner gerufen und mir das Bett herrichten lassen.«
»Wo haben Sie sich währenddessen aufgehalten?«
»Ich habe mich vor die Tür gestellt und eine Zigarette geraucht.«
»Und dann?«
»Dann habe ich mich ins Bett gelegt und bis zum Morgen geschlafen.«
»Sind Sie im Lauf des Abends irgendwann einmal aus dem Zug gestiegen?«
»Arbuthnot und ich sind in – wie hieß das noch? – Vincovci – zuerst kurz ausgestiegen, um uns die Füße zu vertreten, aber es war so bitterkalt – und dann der Schneesturm. Da sind wir schnell wieder eingestiegen.«
»Durch welche Tür sind Sie ausgestiegen?«
»Die meinem Abteil am nächsten war.«
»Also vor dem Durchgang zum Speisewagen?«
»Ja.«
»Erinnern Sie sich, ob sie zugesperrt war?«
MacQueen überlegte.
»Hm, ja – soweit ich mich erinnere. Da war jedenfalls irgend so eine Vorrichtung, die über die Klinke griff. Meinen Sie das?«

»Ja. Und als Sie wieder einstiegen, haben Sie die Klinke da wieder gesichert?«
»Hm, nein – ich glaube nicht. Ich bin als Letzter eingestiegen. Nein, ich kann mich an so etwas nicht erinnern.«
Plötzlich fragte er nach: »Ist das irgendwie von Bedeutung?«
»Könnte sein. Ich nehme an, Mr. MacQueen, dass während Ihres Gesprächs mit Colonel Arbuthnot die Abteiltür zum Gang offen war?«
Hector MacQueen nickte.
»Nun möchte ich, wenn Sie mir das sagen können, von Ihnen wissen, ob in der Zeit zwischen der Abfahrt des Zuges in Vincovci und dem Ende Ihres Gesprächs mit dem Colonel irgendjemand auf dem Gang vorbeigekommen ist.«
MacQueen zog die Stirn in angestrengte Falten.
»Ich glaube, einmal ist der Schaffner vorbeigegangen«, sagte er. »Er kam vom Speisewagen her. Und eine Frau ist in umgekehrter Richtung vorbeigegangen, auf den Speisewagen zu.«
»Welche Frau?«
»Das wüsste ich nicht. Ich habe überhaupt nicht darauf geachtet. Ich versuchte Arbuthnot doch gerade etwas auseinander zu setzen. Ich glaube mich nur zu erinnern, dass irgendetwas in roter Seide an meiner Abteiltür vorbeiging. Ich habe aber nicht hingeschaut, und das Gesicht der Person hätte ich sowieso nicht sehen können. Wie Sie wissen, guckt man aus meinem Abteil in Richtung Speisewagen. Wenn da also jemand in dieser Richtung vorbeigeht, sehe ich ihn nur noch von hinten.«
Poirot nickte.
»Sie war vermutlich auf dem Weg zur Toilette?«
»Das nehme ich an.«
»Und haben Sie dann gesehen, wie sie zurückkam?«
»Hm, nein – wo Sie es jetzt erwähnen – ich habe nicht gesehen, wie sie zurückgekommen ist, aber das muss sie ja wohl.«
»Noch eine Frage, Mr. MacQueen. Rauchen Sie Pfeife?«
»Nein, Monsieur.«
Poirot schwieg kurz.
»Ich glaube, das ist vorerst alles«, sagte er dann. »Jetzt möchte ich gern Mr. Ratchetts Diener sprechen. Sind Sie und er übrigens immer in der zweiten Klasse gereist?«
»Er ja. Aber ich war für gewöhnlich in der ersten Klasse – nach Möglichkeit im angrenzenden Abteil zu Mr. Ratchett. Dann konnte er den größten

Teil seines Gepäcks in meinem Abteil unterbringen, und es war doch jederzeit für ihn greifbar, ebenso wie ich. Aber diesmal waren alle Erste-Klasse-Abteile schon gebucht, außer diesem einen, in dem er war.«
»Ich verstehe. Vielen Dank, Mr. MacQueen.«

Drittes Kapitel

Das Zeugnis des Dieners

Nach dem Amerikaner kam die Reihe an den blassen Engländer mit dem ausdruckslosen Gesicht, den Poirot schon am Vortag gesehen hatte. Der Diener blieb in korrekter Haltung stehen und wartete, bis Poirot ihm bedeutete, Platz zu nehmen.
»Sie sind, soviel ich weiß, Mr. Ratchetts Diener?«
»Jawohl, Sir.«
»Ihr Name?«
»Edward Henry Masterman.«
»Alter?«
»Neununddreißig.«
»Und Ihre Heimatadresse?«
»Clerkenwell, Friar Street einundzwanzig.«
»Sie haben schon gehört, dass Ihr Herr ermordet wurde?«
»Ja, Sir. Es ist furchtbar.«
»Würden Sie mir jetzt bitte sagen, wann Sie Mr. Ratchett das letzte Mal gesehen haben?«
Der Diener überlegte.
»Das muss gegen neun Uhr gewesen sein, Sir, letzte Nacht. Vielleicht auch ein wenig später.«
»Schildern Sie mir mit Ihren eigenen Worten ganz genau, wie das abgelaufen ist.«

»Ich bin wie gewöhnlich zu Mr. Ratchett gegangen, Sir, um ihm zu Diensten zu sein.«

»Was hatten Sie im Einzelnen zu tun?«

»Ich musste seine Kleidung zusammenlegen oder aufhängen, Sir, seine Gebissprothese in ein Glas Wasser tun und dafür sorgen, dass er alles hatte, was er für die Nacht brauchte.«

»War sein Verhalten mehr oder weniger wie sonst?«

Der Diener dachte kurz darüber nach.

»Also, Sir – ich glaube, er war aufgebracht.«

»Aufgebracht – inwiefern?«

»Wegen eines Briefs, den er gerade gelesen hatte. Er hat mich gefragt, ob ich den in sein Abteil gelegt hätte. Ich habe ihm natürlich geantwortet, dass ich nichts dergleichen getan hatte, aber er hat mich beschimpft und hatte an allem, was ich tat, etwas auszusetzen.«

»War das ungewöhnlich?«

»O nein, Sir, er konnte sehr leicht außer sich geraten – wie gesagt, es hing nur davon ab, was ihn gerade aus der Fassung brachte.«

»Hat Ihr Herr je etwas zum Einschlafen genommen?«

Dr. Constantine beugte sich gespannt vor.

»Auf Eisenbahnfahrten immer, Sir. Er sagte, er könne sonst nicht schlafen.«

»Ist Ihnen bekannt, welches Mittel er gewöhnlich nahm?«

»Ich habe wirklich keine Ahnung, Sir. Es stand nichts auf der Flasche. Nur ›Der Schlaftrunk vor dem Zubettgehen‹.«

»Hat er gestern Nacht auch davon genommen?«

»Ja, Sir. Ich habe ihn in ein Glas gegossen und es ihm auf das Toilettentischchen gestellt.«

»Haben Sie gesehen, wie er ihn getrunken hat?«

»Das nicht, Sir.«

»Wie ging es dann weiter?«

»Ich habe ihn gefragt, ob er noch einen Wunsch hat und wann er am Morgen geweckt werden möchte. Er hat gesagt, er werde nach mir klingeln und wolle bis dahin nicht gestört werden.«

»War das üblich?«

»Durchaus üblich, Sir. Er pflegte nach dem Schaffner zu klingeln und mich von ihm holen zu lassen, wenn er zum Aufstehen bereit war.«

»Stand er gewöhnlich früh oder spät auf?«

»Das hing von seiner Laune ab, Sir. Manchmal stand er schon zum Frühstück auf, manchmal blieb er bis gegen Mittag liegen.«
»Demnach haben Sie sich keine Gedanken gemacht, als es heute Vormittag immer später wurde und niemand nach Ihnen rief?«
»Nein, Sir.«
»Wussten Sie, dass Ihr Herr Feinde hatte?«
»Ja, Sir.«
Er sagte das vollkommen emotionslos.
»Woher wussten Sie es?«
»Ich habe ihn mit Mr. MacQueen über irgendwelche Briefe reden hören, Sir.«
»Waren Sie Ihrem Arbeitgeber – zugetan, Masterman?«
Mastermans Gesicht wurde, soweit das möglich war, noch ausdrucksloser als sonst.
»So würde ich es kaum nennen wollen, Sir. Er war ein großzügiger Arbeitgeber.«
»Aber Sie mochten ihn nicht?«
»Können wir es so ausdrücken, dass ich die Amerikaner nicht besonders mag, Sir?«
»Waren Sie je in Amerika?«
»Nein, Sir.«
»Können Sie sich erinnern, in der Zeitung über den Entführungsfall Armstrong gelesen zu haben?«
In die Wangen des Mannes kam jetzt ein wenig Farbe.
»Ja, Sir, in der Tat. Ein kleines Mädchen, nicht wahr? Eine ganz furchtbare Geschichte.«
»Wussten Sie, dass Ihr Arbeitgeber, Mr. Ratchett, der Drahtzieher in dieser Sache war?«
»Wahrhaftig nicht, Sir.« Zum ersten Mal drückte die Stimme des Dieners eine echte Empfindung aus. »Das kann ich kaum glauben, Sir.«
»Es ist trotzdem wahr. Nun zu Ihren diversen Tätigkeiten im Lauf der Nacht. Reine Routinesache, Sie verstehen? Was haben Sie gemacht, nachdem Sie Ihren Herrn verlassen hatten?«
»Ich habe Mr. MacQueen gesagt, dass der Herr nach ihm verlangt, Sir. Dann bin ich in mein eigenes Abteil gegangen und habe gelesen.«
»Ihr Abteil ist –?«
»Das letzte in der zweiten Klasse, Sir. Gleich hinter dem Speisewagen.«

Poirot warf einen Blick auf seine Skizze.
»Aha. Und Sie haben welches Bett?«
»Das untere, Sir.«
»Das ist Nummer vier?«
»Ja, Sir.«
»Ist in diesem Abteil noch jemand?«
»Ja, Sir, ein großer, dicker Italiener.«
»Spricht er Englisch?«
»So etwas Ähnliches wie Englisch, Sir«, sagte der Diener in missbilligendem Ton. »Er war in Amerika – in Chicago –, soviel ich weiß.«
»Unterhalten Sie sich viel miteinander?«
»Nein, Sir. Ich ziehe es vor, zu lesen.«
Poirot lächelte. Er sah es im Geiste vor sich – den dicken, redseligen Italiener und den hochnäsigen Diener, der ihn abblitzen ließ.
»Darf ich fragen, was Sie gerade lesen?«, erkundigte er sich.
»Zurzeit lese ich ›Gefangener der Liebe‹, Sir, von Mrs. Arabella Richardson.«
»Ein guter Roman?«
»Ich finde ihn überaus erfreulich, Sir.«
»Gut, fahren wir fort. Sie sind in Ihr Abteil gegangen und haben ›Gefangener der Liebe‹ gelesen – bis wann?«
»Gegen halb elf wollte dieser Italiener zu Bett gehen, Sir. Also kam der Schaffner, um die Betten herzurichten.«
»Und dann sind Sie zu Bett gegangen und haben geschlafen?«
»Ich bin zu Bett gegangen, Sir, habe aber nicht geschlafen.«
»Warum nicht?«
»Ich hatte Zahnschmerzen, Sir.«
»Oh, là, là! Das kann schlimm sein.«
»Sehr schlimm, Sir.«
»Haben Sie etwas dagegen getan?«
»Ich habe ein wenig Nelkenöl daraufgetupft, Sir, und es hat die Schmerzen ein wenig gelindert, aber schlafen konnte ich trotzdem noch nicht. Da habe ich das Licht über meinem Kopf angeknipst und weitergelesen – um mich abzulenken.«
»Und geschlafen haben Sie gar nicht?«
»Doch, Sir. Gegen vier Uhr morgens bin ich eingeschlafen.«
»Und Ihr Abteilgenosse?«

»Der Italiener? Der hat nur geschnarcht.«
»Er hat das Abteil während der ganzen Nacht nicht verlassen?«
»Nein, Sir.«
»Und Sie?«
»Auch nicht, Sir.«
»Haben Sie im Lauf der Nacht etwas gehört?«
»Ich glaube nicht, Sir. Nichts Ungewöhnliches, meine ich. Da der Zug stand, war es ja sehr still.«
Poirot schwieg ein paar Sekunden, dann sagte er: »Hm, ich denke, es gibt dazu nicht mehr viel zu sagen. Sie können kein Licht in die Tragödie bringen?«
»Leider nein, Sir. Bedaure, Sir.«
»Gab es Ihres Wissens jemals einen Streit oder böses Blut zwischen Ihrem Herrn und Mr. MacQueen?«
»O nein, Sir. Mr. MacQueen ist ein sehr wohlerzogener junger Mann.«
»Wo haben Sie in Diensten gestanden, bevor Sie zu Mr. Ratchett kamen?«
»Bei Sir Henry Tomlinson, Sir, am Grosvenor Square.«
»Warum sind Sie da fortgegangen?«
»Er ging nach Ostafrika, Sir, und benötigte meine Dienste nicht mehr. Aber er wird gewiss ein Wort für mich einlegen, Sir. Ich war einige Jahre bei ihm.«
»Und bei Mr. Ratchett waren Sie – wie lange?«
»Etwas über neun Monate, Sir.«
»Ich danke Ihnen, Masterman. Übrigens, sind Sie Pfeifenraucher?«
»Nein, Sir. Ich rauche nur Zigaretten – ›Sargnägel‹, Sir.«
»Danke. Das genügt.«
Der Diener zögerte einen Augenblick.
»Wenn Sie verzeihen, Sir, aber diese ältere Dame aus Amerika ist – ich würde sagen, in heller Aufregung. Sie sagt, sie weiß alles über den Mörder. Sie ist sehr erregt, Sir.«
»In diesem Fall«, meinte Poirot lächelnd, »sollten wir sie wohl als Nächstes befragen.«
»Soll ich es ihr ausrichten, Sir? Sie verlangt schon die ganze Zeit jemanden zu sprechen, der hier etwas zu sagen hat. Der Schaffner versucht sie zu beruhigen.«
»Her mit ihr, mein Guter«, sagte Poirot. »Wir wollen uns sofort anhören, was sie uns zu erzählen hat.«

Viertes Kapitel

Das Zeugnis der Dame aus Amerika

Als Mrs. Hubbard in den Speisewagen kam, war sie im Zustand solcher Erregung, dass sie kaum ein verständliches Wort herausbrachte.
»Jetzt sagen Sie mir einmal, wer hier etwas zu bestimmen hat. Ich habe etwas sehr Wichtiges mitzuteilen, sehr, sehr wichtig, und das will ich so schnell wie möglich bei jemandem loswerden, der hier etwas zu bestimmen hat. Wenn also die Herren –«
Ihr Blick irrte zwischen den drei Männern hin und her. Poirot beugte sich vor.
»Sagen Sie es mir, Madame«, antwortete er. »Aber zuvor nehmen Sie doch bitte Platz.«
Mrs. Hubbard ließ sich schwer auf den Sitz ihm gegenüber fallen.
»Ich habe Ihnen nicht mehr und nicht weniger zu sagen, als dass heute Nacht ein Mörder im Zug war, und dieser *Mörder war doch glatt in meinem Abteil.*«
Sie legte eine Kunstpause ein, um ihre Worte wirken zu lassen.
»Sind Sie sich dessen gewiss, Madame?«
»Natürlich bin ich mir dessen gewiss. Welche Frage! Ich weiß, wovon ich rede. Ich erzähle Ihnen einfach mal alles, was es zu erzählen gibt. Also, ich war zu Bett gegangen und eingeschlafen, und plötzlich wachte ich auf – im Stockdunkeln – und wusste, dass ein Mann in meinem Abteil war. Ich hatte solche Angst, dass ich nicht mal schreien konnte, wenn Sie verstehen, was ich meine. Ich lag nur da und dachte: ›Barmherzigkeit, jetzt werde ich gleich ermordet.‹ Ich kann Ihnen einfach nicht beschreiben, wie mir zu Mute war. Diese widerwärtigen Eisenbahnen, habe ich gedacht, und diese Ungeheuerlichkeiten, von denen ich gelesen habe. Und ich dachte: ›Wenigstens kriegt er meinen Schmuck nicht.‹ Denn den hatte ich in einen Strumpf getan und unter meinem Kissen versteckt – was übrigens nicht besonders bequem ist, so hart und höckrig, wenn Sie verstehen, was ich meine. Aber das tut jetzt nichts zur Sache. Wo war ich?«

»Sie hatten bemerkt, Madame, dass ein Mann in Ihrem Abteil war.«
»Ach ja. Also, und da lag ich nun, hatte die Augen zu und überlegte hin und her, was ich machen könnte, und da dachte ich: ›Wenigstens bin ich froh, dass meine Tochter nicht weiß, in was für einer furchtbaren Lage ich hier bin.‹ Aber irgendwie habe ich mich dann wieder gefangen und mit der Hand um mich getastet und auf die Klingel für den Schaffner gedrückt. Ich habe geklingelt und geklingelt, aber es passierte nichts, und ich kann Ihnen sagen, ich dachte schon, mir bleibt gleich das Herz stehen. ›Barmherzigkeit‹, dachte ich, ›vielleicht haben die ja schon alle Leute im Zug umgebracht.‹ Der Zug stand ja auch, und es war so eine schreckliche Stille in der Luft. Aber ich habe immer wieder auf diese Klingel gedrückt, und oh, welche Erlösung, als ich endlich schnelle Schritte auf dem Gang hörte und jemand an meine Tür klopfte! ›Herein!‹, habe ich gerufen und zugleich das Licht angeknipst. Und ob Sie es glauben oder nicht, es war keine Menschenseele da.«
Für Mrs. Hubbard schien dies der dramatische Höhepunkt ihrer Geschichte zu sein, nicht das Gegenteil.
»Und wie ging es dann weiter, Madame?«
»Also, ich habe dem Schaffner gesagt, was los war, und er wollte mir überhaupt nicht glauben. Bildete sich anscheinend ein, ich hätte das Ganze nur geträumt. Aber ich habe darauf bestanden, dass er unter den Sitz guckt, obwohl er sagte, da ist gar nicht so viel Platz, dass ein Mann sich hineinquetschen könnte. Also, es lag völlig klar auf der Hand, dass der Mann abgehauen war, aber es war einer da gewesen, und es machte mich einfach wütend, wie der Schaffner mich dauernd nur beschwichtigen wollte! Ich phantasiere mir doch nichts zusammen, Mr. – ich glaube, ich kenne Ihren Namen noch gar nicht.«
»Poirot, Madame, und das ist Monsieur Bouc, ein Direktor der Gesellschaft. Und Dr. Constantine.«
Mrs. Hubbard murmelte abwesend und an alle drei zugleich gerichtet: »Sehr erfreut«, und stürzte sich wieder in ihre Erzählung.
»Wissen Sie, ich will ja nicht sagen, dass ich mich besonders schlau angestellt hätte. Für mich stand einfach fest, dass es der Mann von nebenan war – der arme Kerl, den sie ermordet haben. Ich habe dem Schaffner gesagt, er soll sich die Verbindungstür zwischen den beiden Abteilen ansehen, und siehe da, sie war nicht verriegelt. Also, kaum hatte ich das gesehen, habe ich ihm natürlich gesagt, er soll sie auf der Stelle verriegeln, und nachdem er

draußen war, bin ich aufgestanden und habe zur Sicherheit noch einen Koffer davor gestellt.«

»Um welche Zeit war das, Mrs. Hubbard?«

»Also, das kann ich Ihnen nun wirklich nicht sagen. Ich habe doch nicht auf die Uhr gesehen. Dafür war ich viel zu aufgeregt.«

»Und wie lautet jetzt Ihre Theorie?«

»Also, ich würde sagen, das liegt doch auf der Hand. Der Mann in meinem Abteil war der Mörder! Wer denn sonst?«

»Und Sie glauben, er ist wieder ins Nachbarabteil gegangen?«

»Woher soll ich wissen, wohin er gegangen ist? Ich hatte doch die Augen ganz fest zu.«

»Er muss sich zur Tür hinaus auf den Gang geschlichen haben.«

»Ich habe keine Ahnung. Wie gesagt, ich hatte doch die Augen zu.« Mrs. Hubbard entrang sich ein zittriger Seufzer. »Barmherzigkeit, hatte ich eine Angst! Wenn meine Tochter wüsste –«

»Sie glauben nicht, Madame, dass die Geräusche, die Sie gehört haben, nebenan gewesen sein könnten – im Abteil des Ermordeten?«

»Nein, Mr. – wie war noch der Name – Poirot? Nein, der Mann war bei mir, *mit mir im selben Abteil.* Und vor allem kann ich das sogar beweisen.« Triumphierend nahm sie eine große Handtasche auf den Schoß und begann in ihren Tiefen zu wühlen. Nacheinander holte sie zwei große saubere Taschentücher heraus, eine Hornbrille, ein Fläschchen Aspirin, ein Päckchen Glaubersalz, ein Zelluloidröhrchen mit grünen Pfefferminzbonbons, einen Schlüsselbund, eine Schere, ein Scheckheft von American Express, ein Foto von einem ausnehmend hässlichen Kind, ein paar Briefe, fünf Ketten mit falschen orientalischen Perlen und einen kleinen metallenen Gegenstand – einen Knopf.

»Sehen Sie diesen Knopf? Also, *mir* gehört der nicht. Er ist von keiner meiner Sachen. Ich habe ihn heute Morgen gefunden, als ich aufstand.«

Als sie den Knopf auf den Tisch legte, beugte Monsieur Bouc sich mit einem Ausruf des Erstaunens darüber.

»Aber dieser Knopf ist ja von der Uniform eines Schlafwagenschaffners!«

»Dafür kann es eine natürliche Erklärung geben«, meinte Poirot.

Er wandte sich freundlich an die Dame.

»Dieser Knopf, Madame, könnte sich von der Uniform des Schaffners gelöst haben, entweder als er Ihr Abteil durchsuchte oder als er gestern Abend Ihr Bett herrichtete.«

»Ich weiß wirklich nicht, was mit Ihnen allen los ist. Anscheinend können Sie nichts als Einwände erheben. Jetzt hören Sie mir mal gut zu. Ich habe gestern Abend vor dem Einschlafen noch in einer Zeitschrift gelesen. Bevor ich das Licht ausmachte, habe ich diese Zeitschrift auf eine Kiste gelegt, die unter dem Fenster auf dem Boden stand. Haben Sie das so weit mitbekommen?«
Alle drei versicherten ihr, dass sie verstanden hatten.
»Gut, dann also weiter. Der Schaffner hat von der Tür aus unter den Sitz geguckt, dann ist er hereingekommen und hat die Tür zwischen meinem und dem nächsten Abteil verriegelt, aber er ist nie auch nur in die Nähe des Fensters gekommen. Also, und heute Morgen lag dieser Knopf genau auf meiner Zeitschrift. Wie Sie das nennen, würde ich schon ganz gern wissen.«
»Ich nenne es ein Beweisstück, Madame«, sagte Poirot.
Die Antwort schien die Dame zu besänftigen.
»Ich werde wütend wie eine Hornisse, wenn man mir nicht glaubt«, erklärte sie.
»Sie haben uns einen hochinteressanten und wertvollen Hinweis geliefert, Madame«, sagte Poirot begütigend. »Darf ich Ihnen nun ein paar Fragen stellen, Madame?«
»Aber gern.«
»Wie kommt es, wenn Ihnen dieser Mr. Ratchett nicht geheuer war, dass Sie die Tür zwischen den Abteilen nicht schon früher verriegelt haben?«
»Hatte ich doch«, versetzte Mrs. Hubbard prompt.
»So?«
»Also, genauer gesagt, ich habe diese Schwedin – eine angenehme Person – gefragt, ob die Tür verriegelt ist, und sie hat ja gesagt.«
»Warum konnten Sie denn nicht selbst nachsehen?«
»Ich lag doch im Bett, und mein Waschzeugbeutel hing an der Türklinke.«
»Um welche Zeit war das, als Sie die Schwedin um diesen Gefallen baten?«
»Lassen Sie mich überlegen. Das muss zwischen halb und Viertel vor elf gewesen sein. Sie war gekommen, um zu fragen, ob ich ein Aspirin für sie hätte. Ich habe ihr gesagt, wo sie es findet, nämlich in meiner Handtasche, und da hat sie sich welche genommen.«
»Sie selbst lagen schon im Bett?«
»Ja.«
Plötzlich lachte sie.

»Die arme Seele – sie war ganz schön aus dem Häuschen. Sie hatte doch versehentlich die Tür zum Abteil nebenan geöffnet.«
»Mr. Ratchetts Tür?«
»Ja. Sie wissen, wie schwierig das ist, wenn man durch den Zug kommt und alle Türen zu sind. Da hat sie wohl versehentlich die seine geöffnet. Es war ihr furchtbar arg. Er hat anscheinend gelacht, und ich könnte mir vorstellen, dass er womöglich auch noch etwas Uncharmantes zu ihr gesagt hat. Die Ärmste, sie war ganz durchgedreht. ›Oh, ich mich geirrt‹, sagte sie, ›ich schäme für Fehler. Mann war nicht nett‹, sagte sie, ›du zu alt, hat gesagt.‹«
Dr. Constantine gluckste, und Mrs. Hubbard warf ihm einen Blick zu, der ihn unverzüglich zu Eis erstarren ließ.
»Er war gar kein netter Mensch«, erklärte sie. »So etwas zu einer Dame zu sagen. Und es gehört sich auch nicht, darüber zu lachen.«
Dr. Constantine entschuldigte sich eilig.
»Haben Sie danach noch irgendetwas aus Mr. Ratchetts Abteil gehört?«, fragte Poirot.
»Hm – nicht direkt.«
»Wie meinen Sie das, Madame?«
»Hm –«, machte sie wieder. »Er hat geschnarcht.«
»Ach, geschnarcht hat er?«
»Fürchterlich. Die Nacht davor hat es mich wach gehalten.«
»Sie haben ihn aber nicht mehr schnarchen hören, nachdem Sie diesen Schrecken mit dem Mann in Ihrem Abteil erlebt hatten?«
»Aber wie sollte ich denn, Mr. Poirot? Da war er doch tot.«
»Ach ja, richtig«, sagte Poirot. Er wirkte etwas geistesabwesend.
»Erinnern Sie sich an den Entführungsfall Armstrong, Mrs. Hubbard?«, fragte er.
»Oh, und ob ich mich erinnere. Und wie der elende Schurke, der das getan hatte, ungestraft davongekommen ist! Also, wenn ich den in die Finger gekriegt hätte.«
»Er ist eben doch nicht davongekommen. Er ist tot. Letzte Nacht ist er gestorben.«
»Sie wollen nicht sagen –?« Mrs. Hubbard erhob sich vor Aufregung halb von ihrem Sitz.
»Doch, genau das. Ratchett war der Mann.«
»*Na so was!* Das muss man sich vorstellen! Also, das muss ich unbedingt meiner Tochter schreiben. Na so was. Habe ich Ihnen nicht erst gestern

Abend gesagt, der Mann hat ein böses Gesicht? Sie sehen, wie Recht ich hatte. Meine Tochter sagt immer: ›Wenn Mama ein Gefühl hat, dann kannst du deinen letzten Dollar darauf wetten, dass was dran ist.‹«
»Waren Sie mit jemandem von der Familie Armstrong bekannt, Mrs. Hubbard?«
»Nein. Diese Leute bewegten sich in sehr exklusiven Kreisen. Aber ich habe immer gehört, dass Mrs. Armstrong eine absolut wunderbare Frau war und dass ihr Mann sie anbetete.«
»Nun, Mrs. Hubbard, Sie haben uns sehr geholfen – wirklich sehr. Wenn Sie mir vielleicht noch Ihren vollen Namen angeben könnten?«
»Aber gewiss. Caroline Martha Hubbard.«
»Würden Sie mir Ihre Adresse hier aufschreiben?«
Mrs. Hubbard tat es, ohne sich beim Reden zu unterbrechen.
»Ich kann es nicht fassen. Cassetti – in diesem Zug. Ich hatte ja gleich so ein dummes Gefühl bei diesem Mann, stimmt's nicht, Mr. Poirot?«
»O doch, Madame. Übrigens, besitzen Sie einen scharlachroten seidenen Morgenmantel?«
»Barmherzigkeit, was ist denn das für eine seltsame Frage! Also nein. Ich habe zwei Morgenmäntel bei mir, einen aus rosa Flanell, der auf dem Schiff sehr bequem ist, und einen, den mir meine Tochter geschenkt hat – so etwas von dort, aus Seide, aber purpurrot. Wieso interessieren Sie sich um Himmels willen für meine Morgenmäntel?«
»Nun, Madame, dazu sollten Sie wissen, dass gestern Nacht jemand in einem scharlachroten Kimono entweder in Ihr oder in Mr. Ratchetts Abteil gegangen ist. Es ist ja, wie Sie selbst vorhin sagten, schwer zu entscheiden, welches Abteil welches ist, wenn alle Türen geschlossen sind.«
»Also, in meinem Abteil war niemand in einem scharlachroten Kimono.«
»Dann muss sie in Mr. Ratchetts Abteil gegangen sein.«
Mrs. Hubbard schürzte die Lippen und sagte gehässig: »Das würde mich kein bisschen wundern.«
Poirot beugte sich fragend zu ihr vor.
»Sie haben also nebenan eine Frauenstimme gehört?«
»Ich weiß nicht, wie Sie das erraten haben, Mr. Poirot. Wirklich nicht. Aber – wie die Dinge liegen – ja, ich *habe* eine gehört.«
»Aber als ich Sie vorhin fragte, ob Sie nebenan etwas gehört hätten, haben Sie nur gesagt, Sie hätten Mr. Ratchett schnarchen hören.«
»Das stimmt ja auch. Er *hat* die halbe Zeit geschnarcht. Was die andere hal-

be Zeit angeht –« Hier wurde Mrs. Hubbard ein bisschen rot. »Das ist ja nichts, worüber man so gerne spricht.«
»Um welche Zeit war das, als Sie eine Frauenstimme gehört haben?«
»Das kann ich Ihnen nicht sagen. Ich bin nur ganz kurz aufgewacht und habe eine Frau reden hören, und es war ganz eindeutig, wo sie sich befand. Ich habe also nur gedacht: ›Aha, so einer ist das. Mich wundert es jedenfalls nicht‹, und dann bin ich wieder eingeschlafen, und bestimmt hätte ich so etwas nie vor drei fremden Herren erwähnt, wenn Sie es nicht so aus mir herausgequetscht hätten.«
»War das vor oder nach dem Schrecken mit dem Mann in Ihrem Abteil?«
»Also hören Sie, was Sie für Fragen stellen! Er kann doch nicht mit einer Frau gesprochen haben, wenn er schon tot war, oder?«
»*Pardon.* Sie müssen mich für sehr dumm halten, Madame.«
»Na ja, sogar Sie kommen wohl manchmal ein bisschen durcheinander. Aber ich kann es einfach nicht fassen, dass es dieses Untier Cassetti war. Was meine Tochter sagen wird –«
Poirot half der guten Dame geschickt, ihre Handtasche wieder einzuräumen, dann geleitete er sie zur Tür.
Im letzten Moment sagte er: »Sie haben Ihr Taschentuch fallen gelassen, Madame.«
Mrs. Hubbard besah sich das Batisttüchlein, das er ihr hinhielt.
»Das ist nicht meines, Mr. Poirot. Meines habe ich hier.«
»*Pardon.* Ich dachte nur, weil doch ein ›H‹ darauf gestickt ist –«
»Ja, das ist schon komisch, aber mir gehört es wirklich nicht. Auf meinen steht ›C.M.H.‹, und das sind vernünftige Taschentücher – nicht so ein teurer Pariser Firlefanz. Was soll denn so ein Fetzen einer Nase nützen?«
Keiner der drei Herren schien auf diese Frage eine Antwort zu haben, und Mrs. Hubbard segelte im Triumph davon.

Fünftes Kapitel

Das Zeugnis der Schwedin

Monsieur Bouc befingerte den Knopf, den Mrs. Hubbard ihnen dagelassen hatte.
»Dieser Knopf. Ich verstehe das nicht. Bedeutet er, dass Pierre Michel vielleicht doch in irgendeiner Weise verwickelt ist?«, fragte er. Als Poirot keine Antwort gab, fuhr er nach kurzem Schweigen fort: »Was sagen Sie dazu, mein Freund?«
»Der Knopf, er lässt Möglichkeiten erahnen«, antwortete Poirot nachdenklich. »Hören wir uns als Nächstes die Dame aus Schweden an, bevor wir über die bisher erhaltenen Aussagen sprechen.«
Er kramte in den vor ihm liegenden Pässen.
»Ah, da haben wir sie. Greta Ohlsson, neunundvierzig Jahre alt.«
Monsieur Bouc schickte einen Speisewagenkellner, und bald darauf wurde die Dame mit dem gelbgrauen Haarknoten und dem langen, sanften Schafsgesicht hereingeführt. Sie beäugte Poirot kurzsichtig durch ihre Brille, aber sie war vollkommen ruhig.
Es stellte sich heraus, dass sie Französisch sprach und verstand, und so wurde die Vernehmung in dieser Sprache geführt. Poirot stellte ihr zuerst die Fragen, auf die er die Antworten schon kannte – Name, Alter, Adresse. Dann erkundigte er sich nach ihrem Beruf.
Sie sei Hausmutter in einer Missionsschule bei Istanbul, erklärte sie ihm, und ausgebildete Krankenschwester.
»Sie haben gewiss schon gehört, was sich letzte Nacht hier zugetragen hat, Mademoiselle?«
»Natürlich. Es ist so furchtbar. Und die Dame aus Amerika sagt, dass der Mörder sogar in ihrem Abteil war.«
»Wie ich höre, Mademoiselle, waren Sie die Letzte, die den Ermordeten lebend gesehen hat?«
»Das weiß ich nicht. Es kann aber sein. Ich hatte doch versehentlich die Tür

zu seinem Abteil geöffnet. Ich habe mich sehr geniert. Es war so ein peinliches Versehen.«
»Und Sie haben ihn mit eigenen Augen gesehen?«
»Ja. Er las in einem Buch. Ich habe mich entschuldigt und die Tür schnell wieder zugemacht.«
»Hat er etwas zu Ihnen gesagt?«
Eine leichte Röte stieg der Dame in die Wangen.
»Er hat gelacht und ein paar Worte gesagt. Ich – habe sie nicht ganz verstanden.«
»Und was haben Sie dann getan, Mademoiselle?«, fragte Poirot, um taktvoll das Thema zu wechseln.
»Ich bin zu Mrs. Hubbard hineingegangen, der Amerikanerin, und habe sie um ein Aspirin gebeten. Sie hat mir welches gegeben.«
»Hat Mrs. Hubbard Sie gefragt, ob die Verbindungstür zwischen ihrem und Mr. Ratchetts Abteil verriegelt war?«
»Ja.«
»Und war sie verriegelt?«
»Ja.«
»Und danach?«
»Danach bin ich in mein Abteil zurückgegangen, habe das Aspirin genommen und mich zu Bett gelegt.«
»Wann war das alles?«
»Als ich mich hinlegte, war es fünf Minuten vor elf, denn ich sehe immer auf die Uhr, bevor ich sie aufziehe.«
»Sind Sie dann bald eingeschlafen?«
»Nicht sehr bald. Mein Kopfweh hatte nachgelassen, aber dann habe ich doch noch einige Zeit wach gelegen.«
»War der Zug schon stehen geblieben, bevor Sie endlich einschliefen?«
»Ich glaube nicht. Einmal haben wir, soviel ich weiß, auf einem Bahnhof gehalten, als ich gerade schläfrig wurde.«
»Das dürfte in Vincovci gewesen sein. Ihr Abteil, Mademoiselle, ist doch dieses hier?« Er zeigte es ihr auf der Skizze.
»Ja, genau.«
»Haben Sie das obere oder das untere Bett?»
»Das untere. Nummer zehn.»
»Und es ist noch jemand in Ihrem Abteil?«

»Ja, eine junge Engländerin. Sehr liebenswürdig, sehr nett. Sie hat ihre Reise in Bagdad angetreten.«
»Hat sie, nachdem der Zug in Vincovci wieder abgefahren war, noch einmal das Abteil verlassen?«
»Nein, bestimmt nicht.»
»Woher wissen Sie das so genau, wenn Sie doch geschlafen haben?«
»Ich habe einen sehr leichten Schlaf. Beim leisesten Geräusch wache ich auf. Und ich wäre bestimmt aufgewacht, wenn sie von dem oberen Bett heruntergestiegen wäre.«
»Haben Sie selbst noch einmal das Abteil verlassen?«
»Erst heute früh.«
»Besitzen Sie einen scharlachroten Seidenkimono, Mademoiselle?«
»Aber nein. Ich besitze einen soliden, bequemen Morgenmantel aus Jägerwolle.«
»Und Ihre Abteilgenossin?«
»Einen blasslila Überwurf, wie man ihn im Orient bekommt.«
Poirot nickte. Dann fragte er in freundlichem Ton: »Was ist der Grund für Ihre Reise? Urlaub?«
»Ja, ich habe Heimaturlaub. Aber zuerst fahre ich noch für eine Woche nach Lausanne zu meiner Schwester.«
»Wären Sie wohl so liebenswürdig, mir den Namen und die Adresse Ihrer Schwester aufzuschreiben?«
»Gern.«
Sie nahm das Blatt Papier und den Stift, den er ihr gab, und schrieb den Namen und die Adresse auf.
»Waren Sie je in Amerika, Mademoiselle?«
»Nein. Einmal beinahe. Da sollte ich eine invalide Dame begleiten, aber das wurde in letzter Minute umgestoßen. Ich habe es sehr bedauert. Sie sind sehr gute Menschen, die Amerikaner. Geben viel Geld für die Gründung von Schulen und Krankenhäusern. Und sie sind sehr praktisch veranlagt.«
»Erinnern Sie sich, einmal von dem Entführungsfall Armstrong gehört zu haben?«
»Nein, was war das?«
Poirot erklärte es ihr.
Greta Ohlsson war empört. Ihr gelber Haarknoten bebte, so erschüttert war sie.

»Dass es derart schlechte Menschen auf der Welt gibt! Da möchte man an Gott zweifeln. Die arme Mutter. Mir blutet das Herz für sie.«
Die liebenswerte Schwedin ging. Ihr gütiges Gesicht war gerötet, in ihren Augen standen Tränen.
Poirot machte sich eifrig Notizen.
»Was schreiben Sie denn da, mein Freund?«, erkundigte sich Monsieur Bouc.
»Mon cher, Ordnung und Methode sind meine zweite Natur. Ich stelle hier nur eine kleine Chronologie der Ereignisse zusammen.«
Er schrieb zu Ende, dann reichte er Monsieur Bouc das Blatt.

21.15	Zug fährt in Belgrad ab.
21.40	Diener verlässt Ratchett mit Schlaftrunk auf dem Nachttisch.
22.00	MacQueen verlässt Ratchett.
22.40	Greta Ohlsson sieht Ratchett (zum letzten Mal lebend). *Nota bene:* Er war wach und las in einem Buch.
00.10	Zug fährt in Vincovci ab (verspätet).
00.30	Zug gerät in eine Schneeverwehung.
00.37	Ratchetts Klingel ertönt. Schaffner geht hin. Ratchett sagt: *»Ce n'est rien. Je me suis trompé.«*
01.17	Mrs. Hubbard wähnt einen Mann in ihrem Abteil. Klingelt nach dem Schaffner.

Monsieur Bouc nickte beifällig.
»Sehr ordentlich«, lobte er.
»Und nichts kommt Ihnen daran seltsam vor?«
»Nein, für mich ist das alles ganz klar. Es dürfte feststehen, dass die Tat um ein Uhr fünfzehn begangen wurde. Das sagt uns die stehen gebliebene Uhr, und Mrs. Hubbards Aussage stimmt damit überein. In meinen Augen ist auch schon klar, wer der Mörder ist. Ich sage Ihnen, mein Freund, es war dieser dicke Italiener. Er kommt aus Amerika – Chicago –, und wohlgemerkt, die Waffe des Italieners ist das Messer. Und er sticht damit nicht einmal zu, sondern viele Male.«
»Das ist wohl wahr.«
»Zweifellos ist das die Lösung des Falles. Bestimmt waren er und dieser Ratchett gemeinsam an der Entführung beteiligt. Cassetti ist ein italienischer Name. Dann hat Cassetti ihn ›gelinkt‹, wie man das in Fachkreisen nennt. Der Italiener kommt ihm auf die Spur, schickt ihm zuerst Droh-

briefe und rächt sich zuletzt an ihm auf brutale Weise. Das ist doch alles ganz einfach.«
Poirot schüttelte zweifelnd den Kopf.
»Ich fürchte, so einfach ist es wohl doch nicht«, murmelte er.
»Ich für meinen Teil bin überzeugt, dass es die Wahrheit ist«, erklärte Monsieur Bouc, der sich mehr und mehr in seine Theorie verliebte.
»Und der Diener mit den Zahnschmerzen, der schwört, dass der Italiener zu keinem Zeitpunkt das Abteil verlassen hat?«
»Da steckt der Haken.«
Poirot blinzelte ihn an.
»Ach ja, wie ärgerlich. Pech für Ihre Theorie und Glück für unseren italienischen Freund, dass Mr. Ratchetts Diener ausgerechnet letzte Nacht Zahnweh haben musste.«
»Dafür wird sich eine Erklärung finden«, sprach Monsieur Bouc mit erhabener Gewissheit.
Poirot schüttelte wieder den Kopf.
»Nein, so einfach dürfte es wohl nicht sein«, murmelte er noch einmal.

Sechstes Kapitel

Das Zeugnis der russischen Fürstin

»Hören wir jetzt, was Pierre Michel uns zu dem Knopf zu erzählen hat«, sagte Poirot.
Der Schlafwagenschaffner wurde zum zweiten Mal gerufen. Er blickte fragend in die Runde.
Monsieur Bouc räusperte sich.
»Michel«, sagte er, »hier ist ein Knopf von Ihrer Uniformjacke. Er wurde im Abteil der Amerikanerin gefunden. Was haben Sie dazu zu sagen?«
Der Schaffner griff sich unwillkürlich ans Jackett.

»Ich habe keinen Knopf verloren, Monsieur«, sagte er. »Da muss ein Irrtum vorliegen.«
»Das ist aber sehr merkwürdig.«
»Ich kann es mir auch nicht erklären, Monsieur.«
Der Schaffner machte ein verwundertes Gesicht, wirkte aber in keiner Weise schuldbewusst oder unsicher.
Monsieur Bouc sagte bedeutungsvoll: »Nach den Umständen, unter denen dieser Knopf gefunden wurde, scheint es ziemlich sicher zu sein, dass er von dem Mann verloren wurde, der letzte Nacht in Mrs. Hubbards Abteil war, als sie nach Ihnen klingelte.«
»Aber Monsieur, da war kein Mann. Das muss die Dame sich eingebildet haben.«
»Sie hat es sich nicht eingebildet, Michel. Mr. Ratchetts Mörder ist durch ihr Abteil gegangen – *und hat dabei diesen Knopf verloren.*«
Als dem Schaffner die Bedeutung von Monsieur Boucs Worten aufging, geriet er in höchste Erregung.
»Das ist nicht wahr, Monsieur, es ist nicht wahr!«, rief er. »Sie bezichtigen mich dieses Verbrechens? Mich? Ich bin unschuldig. Ich bin vollkommen unschuldig. Warum sollte ich einen Monsieur umbringen wollen, den ich noch nie zuvor gesehen habe?«
»Wo waren Sie, als Mrs. Hubbard nach Ihnen klingelte?«
»Ich sagte es Ihnen schon, Monsieur. Im nächsten Wagen. Ich habe mich mit meinem Kollegen unterhalten.«
»Wir werden ihn rufen.«
»Tun Sie das, Monsieur, ich flehe Sie an, tun Sie das.«
Der Schaffner des nächsten Wagens wurde herbeizitiert und bestätigte auf Anhieb Pierre Michels Aussage. Der Schaffner des Bukarester Wagens sei auch dabei gewesen, fügte er hinzu. Sie hätten zu dritt über die Situation gesprochen, die durch den Schnee entstanden war. Nach etwa zehn Minuten habe Michel eine Klingel zu hören geglaubt. Als er die Durchgangstüren zwischen den beiden Wagen geöffnet habe, hätten sie es alle ganz deutlich gehört. Es habe wiederholt geklingelt. Michel sei unverzüglich hingerannt.
»Sie sehen, Monsieur, dass ich unschuldig bin«, rief Michel angstvoll.
»Und diesen Knopf von der Uniform eines Schlafwagenschaffners, wie erklären Sie mir den?«
»Ich habe dafür keine Erklärung, Monsieur. Es ist mir ein Rätsel. An meiner Uniform fehlt kein Knopf.«

Die beiden anderen Schlafwagenschaffner beteuerten ebenfalls, sie hätten keinen Knopf verloren. Auch seien sie zu keiner Zeit in Mrs. Hubbards Abteil gewesen.
»Beruhigen Sie sich, Michel«, sagte Monsieur Bouc, »und denken Sie jetzt einmal an den Moment zurück, als Sie Mrs. Hubbard klingeln hörten und zu ihr eilten. Sind Sie da auf dem Gang jemandem begegnet?«
»Nein, Monsieur.«
»Haben Sie auf dem Gang jemanden in die andere Richtung gehen sehen, also von Ihnen weg?«
»Auch das nicht, Monsieur.«
»Merkwürdig«, meinte Monsieur Bouc.
»Gar nicht so merkwürdig«, sagte Poirot. »Es ist eine Frage der Zeiten. Mrs. Hubbard wacht auf und merkt, dass jemand in ihrem Abteil ist. Mindestens eine Minute lang liegt sie mit geschlossenen Augen da und ist wie gelähmt. In dieser Zeit schleicht der Mann sich wahrscheinlich auf den Gang hinaus. Dann erst beginnt sie zu klingeln. Aber der Schaffner kommt nicht gleich. Er hört erst das dritte oder vierte Klingelzeichen. Ich für meinen Teil würde sagen, dass da reichlich Zeit war –«
»Zeit wofür? Wofür, *mon cher?* Vergessen Sie nicht, dass der ganze Zug in einer hohen Schneeverwehung steckte.«
»Unserem geheimnisvollen Mörder standen zwei Wege offen«, antwortete Poirot bedächtig. »Er konnte auf eine der beiden Toiletten verschwinden oder sich in eines der Abteile zurückziehen.«
»Es waren aber alle Abteile belegt.«
»Richtig.«
»Sie meinen, er könnte sich in sein *eigenes* Abteil zurückgezogen haben?«
Poirot nickte.
»Es passt, es passt«, murmelte Monsieur Bouc. »Während der zehn Minuten, die der Schaffner nicht an seinem Platz ist, kommt der Mörder aus seinem Abteil, geht zu Mr. Ratchett, tötet ihn, verschließt die Abteiltür von innen und legt die Kette vor; dann geht er durch Mrs. Hubbards Abteil hinaus und ist, bevor der Schaffner kommt, wieder sicher in seinem eigenen Abteil.«
»Ganz so einfach ist es nicht«, murmelte Poirot. »Warum, das kann Ihnen unser guter Doktor erklären.«
Monsieur Bouc bedeutete den drei Schaffnern, dass sie gehen durften.
»Wir müssen noch acht Fahrgäste vernehmen«, sagte Poirot. »Fünf aus der

ersten Klasse – Fürstin Dragomiroff, Graf und Gräfin Andrenyi, Colonel Arbuthnot und Mr. Hardman. Und drei aus der zweiten Klasse – Miss Debenham, Antonio Foscarelli und die Zofe, Fräulein Schmidt.«

»Wen wollen Sie zuerst haben – den Italiener?«

»Oh, wie Sie auf Ihrem Italiener herumreiten! Nein, wir fangen ganz oben an. *Madame la Princesse* wird vielleicht die Güte haben, uns ein paar Minuten zu opfern. Richten Sie ihr das bitte aus, Michel.«

»*Oui,* Monsieur«, sagte der Schaffner, der gerade aus dem Speisewagen ging.

»Sagen Sie ihr, wir können ihr unsere Aufwartung auch gern in ihrem Abteil machen, falls sie nicht die Mühe auf sich nehmen möchte, hierher zu kommen«, rief Monsieur Bouc.

Aber die Fürstin Dragomiroff wies dieses Anerbieten zurück. Sie kam in den Speisewagen, neigte kaum merklich den Kopf und setzte sich Poirot gegenüber.

Ihr kleines Krötengesicht war noch gelber als am Tag zuvor. Man konnte wohl sagen, dass sie hässlich war, und doch hatte sie, ebenfalls der Kröte gleich, Augen wie Juwelen, dunkel und gebieterisch. Sie verrieten eine innere Energie und Geisteskraft, die man sofort spürte.

Ihre tiefe, sehr klare Stimme hatte etwas Raspelndes.

Sie schnitt Monsieur Bouc, der schon zu einer blumigen Entschuldigung ansetzte, kurzerhand das Wort ab.

»Sie brauchen sich nicht zu entschuldigen, Messieurs. Ich weiß, dass ein Mord geschehen ist. Selbstverständlich müssen Sie alle Fahrgäste vernehmen. Ich will Ihnen gerne helfen, soweit es in meiner Macht steht.«

»Sie sind sehr liebenswürdig, Madame«, sagte Poirot.

»Aber nein. Es ist meine Pflicht. Was möchten Sie wissen?«

»Als Erstes Ihren vollen Vornamen und Ihre Adresse, Madame. Wenn Sie das vielleicht lieber selbst aufschreiben möchten...?«

Poirot wollte ihr ein Blatt Papier und einen Bleistift reichen, aber die Fürstin wies beides mit einer Geste zurück.

»Schreiben Sie das nur selbst«, sagte sie. »Es ist nicht schwer. Natalia Dragomiroff, Avenue Kléber siebzehn, Paris.«

»Sie kommen aus Konstantinopel und fahren nach Hause, Madame?«

»Ja. Ich habe dort in der österreichischen Botschaft geweilt. Und ich reise in Begleitung meiner Zofe.«

»Wären Sie so gütig, mir kurz zu berichten, was Sie gestern Abend ab dem Abendessen getan haben?«

»Gern. Ich hatte den Schlafwagenschaffner angewiesen, mein Bett herzurichten, solange ich im Speisewagen war. Nach dem Abendessen bin ich sofort zu Bett gegangen. Ich habe bis elf Uhr gelesen und dann das Licht gelöscht. Schlafen konnte ich aber wegen gewisser rheumatischer Beschwerden, unter denen ich leide, nicht. Gegen Viertel vor eins habe ich meine Zofe rufen lassen. Sie hat mich massiert und mir dann vorgelesen, bis ich schläfrig war. Ich kann nicht auf die Minute sagen, wann sie wieder gegangen ist. Es kann eine halbe Stunde später gewesen sein, vielleicht etwas mehr.«

»Stand der Zug da schon?«

»Er stand.«

»Sie haben während dieser Zeit nichts gehört, Madame – ich meine, nichts Ungewöhnliches?«

»Ich habe nichts Ungewöhnliches gehört.«

»Wie heißt Ihre Zofe?«

»Hildegard Schmidt.«

»Ist sie schon lange in Ihren Diensten?«

»Fünfzehn Jahre.«

»Ist sie Ihrer Ansicht nach vertrauenswürdig?«

»Ganz und gar. Ihre Familie stammt von einem Gut meines Mannes in Deutschland.«

»Ich nehme an, Sie waren schon einmal in Amerika, Madame?«

Der unvermittelte Themenwechsel bewirkte bei der alten Dame ein kurzes Stirnrunzeln.

»Schon oft.«

»Waren Sie früher einmal mit einer Familie Armstrong bekannt – in der sich eine Tragödie ereignet hat?«

Die Fürstin antwortete mit sehr bewegter Stimme: »Sie sprechen von Menschen, die meine Freunde waren, Monsieur.«

»Demnach kannten Sie Colonel Armstrong gut?«

»Ihn kannte ich nur flüchtig; aber seine Frau, Sonia Armstrong, war mein Patenkind. Ich stand zu ihrer Mutter, der Schauspielerin Linda Arden, in einer freundschaftlichen Beziehung. Linda Arden war eine geniale Tragödin, eine der größten der Welt. Als Lady Macbeth, als Magda kam ihr keine gleich. Ich habe nicht nur ihre Kunst bewundert, ich war ihre persönliche Freundin.«

»Ist sie tot?«

»Nein, nein, sie lebt noch, aber ganz zurückgezogen. Sie ist von zarter Gesundheit und liegt die meiste Zeit auf ihrem Sofa.«
»Soviel ich weiß, hatte sie noch eine zweite Tochter?«
»Ja. Wesentlich jünger als Mrs. Armstrong.«
»Und, lebt sie noch?«
»Gewiss.«
»Wo lebt sie?«
Die alte Dame sah ihn scharf an.
»Ich muss Sie bitten, mir den Grund für diese Fragen zu nennen. Was hat das alles mit der Sache zu tun – dem Mord in diesem Zug?«
»Es hat insofern damit zu tun, Madame, als der Ermordete derselbe Mann ist, der Mrs. Armstrongs Kind entführen ließ.«
»Ach!«
Die Fürstin zog ihre geraden Augenbrauen zusammen. Sie setzte sich etwas aufrechter.
»Dann ist dieser Mord in meinen Augen ein überaus erfreuliches Ereignis! Sie werden mir diesen etwas einseitigen Standpunkt verzeihen.«
»Ich finde ihn höchst natürlich, Madame. Nun aber zurück zu der Frage, die Sie noch nicht beantwortet haben. Wo lebt Linda Ardens jüngere Tochter, Mrs. Armstrongs Schwester?«
»Das kann ich Ihnen wahrhaftig nicht sagen, Monsieur. Ich habe die jüngere Generation aus den Augen verloren. Soviel ich weiß, hat sie vor einigen Jahren einen Engländer geheiratet und ist mit ihm nach England gezogen, aber auf ihren Namen kann ich mich im Augenblick nicht besinnen.«
Sie schwieg ein paar Sekunden, dann fragte sie: »Haben Sie noch weitere Fragen an mich, meine Herren?«
»Nur noch eine, Madame – eine ziemlich persönliche Frage. Welche Farbe hat Ihr Morgenmantel?«
Sie zog nur leicht die Augenbrauen hoch.
»Ich nehme an, dass Sie auch für diese Frage einen Grund haben. Mein Morgenmantel ist aus blauem Satin.«
»Das wäre alles, Madame. Ich danke Ihnen, dass Sie auf meine Fragen so bereitwillig geantwortet haben.«
Sie winkte mit ihrer dick beringten Hand ab.
Als sie dann aufstand und die anderen sich ebenfalls erhoben, hielt sie plötzlich noch einmal inne.

»Sie werden verzeihen, Monsieur«, sagte sie, »aber darf ich Sie nach Ihrem Namen fragen? Ihr Gesicht kommt mir irgendwie bekannt vor.«
»Mein Name, Madame, ist Hercule Poirot – zu Ihren Diensten.«
Sie schwieg eine ganze Weile.
»Hercule Poirot«, sagte sie dann. »Doch, jetzt erinnere ich mich. Das ist Vorsehung.«
Sehr aufrecht und etwas steifbeinig schritt sie davon.
»*Voilà une grande dame*«, sagte Monsieur Bouc. »Was halten Sie von ihr, mein Freund?«
Aber Hercule Poirot schüttelte nur den Kopf.
»Ich überlege«, sagte er, »was sie wohl mit ›Vorsehung‹ gemeint hat.«

Siebtes Kapitel

Das Zeugnis des Grafen Andrenyi und Gemahlin

Graf und Gräfin Andrenyi wurden als Nächste gerufen, aber der Graf kam allein in den Speisewagen.
Er war zweifelsohne ein sehr gut aussehender Mann, wenn man ihm gegenüberstand – über einen Meter achtzig groß, breitschultrig und schmalhüftig. Er trug einen tadellos geschneiderten englischen Tweedanzug und hätte überhaupt als Engländer gelten können, wenn da nicht die Größe seines Schnurrbarts und ein gewisses Etwas in der Form seiner Wangenknochen gewesen wäre.
»Nun, Messieurs«, sagte er, »womit kann ich Ihnen dienen?«
»Sie verstehen, Monsieur«, antwortete Poirot, »dass ich angesichts dessen, was hier geschehen ist, die Pflicht habe, allen Fahrgästen gewisse Fragen zu stellen.«
»Durchaus, durchaus«, antwortete der Graf lässig. »Ich verstehe Ihre Situa-

tion. Allerdings fürchte ich, dass meine Frau und ich Ihnen nicht viel weiterhelfen können. Wir haben geschlafen und nichts gehört.«
»Wissen Sie, um wen es sich bei dem Verstorbenen handelt, Monsieur?«
»Wie ich höre, ist es dieser Amerikaner – ein Mensch mit ausgesprochen unangenehmem Gesicht. Bei den Mahlzeiten saß er an diesem Tisch.« Er deutete mit einer Kopfbewegung zu dem Tisch, an dem Ratchett und MacQueen gesessen hatten.
»Ja, Sie erinnern sich vollkommen richtig, Monsieur. Aber ich meinte, ob Sie den Namen des Mannes kannten?«
»Nein.« Poirots Fragen schienen den Grafen gründlich zu verwirren.
»Wenn Sie den Namen wissen wollen«, sagte er, »der steht doch sicher in seinem Pass.«
»In seinem Pass steht der Name Ratchett«, sagte Poirot. »Aber das war nicht sein richtiger Name, Monsieur. Vielmehr handelt es sich um einen gewissen Cassetti, auf dessen Konto dieser empörende Entführungsfall in Amerika ging.«
Während er das sagte, beobachtete er den Grafen sehr genau, doch diesen ließ seine Mitteilung offenbar völlig ungerührt. Er öffnete nur die Augen ein wenig weiter.
»Aha«, meinte er. »Das dürfte Licht in die Sache bringen. Ein sonderbares Land, dieses Amerika.«
»Sie waren vielleicht schon dort, *Monsieur le Comte?*«
»Ich war ein Jahr in Washington.«
»Kannten Sie dort vielleicht die Familie Armstrong?«
»Armstrong – Armstrong – schwer zu sagen. Man lernt so viele Leute kennen.« Er zuckte lächelnd die Achseln. »Um aber auf den eigentlichen Gegenstand dieses Gesprächs zurückzukommen, Messieurs«, sagte er dann, »wie kann ich Ihnen sonst noch weiterhelfen?«
»Als Sie sich zur Ruhe begaben, *Monsieur le Comte* – wann war das?«
Hercule Poirot warf einen verstohlenen Blick auf seine Skizze. Graf und Gräfin Andrenyi belegten die benachbarten Abteile zwölf und dreizehn.
»Wir hatten das eine Abteil schon für die Nacht herrichten lassen, während wir beim Abendessen saßen. Nachdem wir zurück waren, haben wir noch eine Weile in dem anderen gesessen –«
»Welches war das?«
»Nummer dreizehn. Wir haben Piquet gespielt. Gegen elf Uhr hat meine

Frau sich zur Ruhe begeben. Dann hat der Schaffner auch mein Abteil hergerichtet, und ich bin ebenfalls zu Bett gegangen. Ich habe durchgeschlafen bis zum Morgen.«

»Haben Sie gemerkt, dass der Zug stehen blieb?«

»Das habe ich erst heute Morgen gesehen.«

»Und Ihre Frau?«

Der Graf lächelte.

»Meine Frau nimmt auf nächtlichen Eisenbahnfahrten immer einen Schlaftrunk. Sie hat ihre gewohnte Dosis Trional genommen.« Er schwieg einen Moment. »Es tut mir Leid, dass ich Ihnen in keiner Weise behilflich sein kann.«

Poirot schob ihm ein Blatt Papier und einen Federhalter über den Tisch.

»Danke, *Monsieur le Comte*. Es ist eine reine Formalität, aber könnten Sie mir bitte Ihren Namen und Ihre Adresse hier aufschreiben?«

Der Graf schrieb langsam und penibel.

»Es ist schon besser, wenn ich das selbst schreibe«, meinte er leutselig. »Die Schreibung meines Landsitzes bereitet Leuten, die mit der Sprache nicht vertraut sind, doch gewisse Schwierigkeiten.«

Er schob Poirot das Blatt Papier wieder hin und stand auf.

»Es dürfte sich erübrigen, auch noch meine Frau kommen zu lassen«, sagte er. »Sie kann Ihnen nicht mehr sagen als ich.«

In Poirots Augen begann es ein wenig zu funkeln.

»Gewiss, gewiss«, sagte er. »Dennoch möchte ich ganz gern ein paar Worte mit *Madame la Comtesse* reden.«

»Ich versichere Ihnen, dass es völlig unnötig ist.«

Sein Ton klang jetzt gebieterisch.

Poirot blinzelte ihn freundlich an.

»Es ist eine bloße Formalität«, sagte er. »Aber Sie verstehen, ich brauche das für meinen Bericht.«

»Bitte, wie Sie wünschen.«

Der Graf gab widerstrebend nach, und mit einer knappen, fremdländischen Verbeugung verließ er den Speisewagen.

Poirot angelte sich einen der Pässe. Darin standen der Name und die Titel des Grafen. Er blätterte zu den weiteren Angaben – *begleitet von:* Ehefrau; Vorname: Elena Maria; Mädchenname: Goldenberg; Alter: zwanzig Jahre. Irgendwann hatte ein liederlicher Beamter einen Fettfleck darauf hinterlassen.

»Ein Diplomatenpass«, sagte Monsieur Bouc. »Wir sollten uns vorsehen, mein Freund, damit wir nicht anecken. Diese Leute können mit dem Mord ja nichts zu tun haben.«

»Beruhigen Sie sich, *mon vieux,* ich werde sehr taktvoll vorgehen. Eine bloße Formalität.«

Er ließ die Stimme sinken, als Gräfin Andrenyi in den Speisewagen trat. Sie sah ein wenig ängstlich und über die Maßen bezaubernd aus.

»Sie wünschen mich zu sprechen, Messieurs?«

»Eine bloße Formalität, *Madame la Comtesse.*« Poirot erhob sich ritterlich und wies ihr mit einer Verbeugung den Platz ihm gegenüber an. »Nur um zu fragen, ob Sie vergangene Nacht irgendetwas gesehen oder gehört haben, was Licht in diese Angelegenheit bringen könnte.«

»Nein, Monsieur, gar nichts. Ich habe geschlafen.«

»Sie haben zum Beispiel nicht gehört, was im Abteil nebenan vor sich ging? Die Amerikanerin, die es belegt, hatte einen hysterischen Anfall und hat nach dem Schaffner geklingelt.«

»Ich habe nichts gehört, Monsieur. Wissen Sie, ich hatte doch einen Schlaftrunk genommen.«

»Ach ja, ich verstehe. Nun, dann brauche ich Sie wohl nicht länger aufzuhalten – nur noch einen kleinen Moment«, sagte er, als sie sich flink erhob. »Diese Angaben hier – Mädchenname, Alter und so weiter – sie stimmen doch?«

»Voll und ganz, Monsieur.«

»Dann würden Sie mir das vielleicht hier unterschreiben?«

Sie unterschrieb – mit einer flotten, schräg gestellten Schrift.

Elena Andrenyi.

»Haben Sie Ihren Gatten seinerzeit nach Amerika begleitet, Madame?«

»Nein, Monsieur.« Sie errötete ein wenig. »Wir waren damals noch nicht verheiratet. Das sind wir erst seit einem Jahr.«

»Ach ja. Danke, Madame. Übrigens, raucht Ihr Gatte?«

Sie war schon halb zum Gehen gewandt und sah ihn mit großen Augen an.

»Ja.«

»Pfeife?«

»Nein. Zigaretten und Zigarren.«

»Aha! Ich danke Ihnen.«

Sie zögerte. Ihre Augen betrachteten ihn neugierig. Es waren wunderschöne Augen, dunkel und mandelförmig, mit sehr langen schwarzen Wimpern, die sich von der feinen Blässe ihrer Wangen abhoben. Ihre nach fremdländischer Sitte sehr rot geschminkten Lippen waren leicht geöffnet. Sie war eine exotische Schönheit.

»Warum haben Sie mich das gefragt?«

»Madame –« Poirot machte eine wegwerfende Geste. »Detektive müssen allerlei Fragen stellen. Zum Beispiel: Würden Sie mir die Farbe Ihres Morgenmantels verraten?«

Sie sah ihn wieder groß an. Dann lachte sie.

»Er ist aus maisgelbem Chiffon. Ist das wirklich wichtig?«

»Sehr wichtig, Madame.«

Sie fragte neugierig:

»Und Sie sind tatsächlich ein Detektiv?«

»Zu Ihren Diensten, Madame.«

»Ich dachte, während der Durchfahrt durch Jugoslawien wäre keine Polizei im Zug – erst wieder in Italien.«

»Ich bin kein jugoslawischer Polizist, Madame. Ich bin ein internationaler Detektiv.«

»Vom Völkerbund?«

»Ich gehöre der Welt, Madame«, antwortete Poirot erhaben. »Hauptsächlich«, fuhr er fort, »arbeite ich in London. Sprechen Sie Englisch?«

»A lietel, yäs«, antwortete sie mit bezauberndem Akzent.

Poirot verbeugte sich noch einmal.

»Wir werden Sie nicht länger aufhalten, Madame. Sie sehen, es war doch gar nicht so schlimm.«

Sie lächelte, neigte kurz den Kopf und ging.

»Elle est jolie femme«, sagte Monsieur Bouc anerkennend.

Er seufzte.

»Also, viel weiter hat uns das nicht gebracht.«

»Nein«, sagte Poirot. »Zwei Leute, die nichts gesehen oder gehört haben.«

»Sollen wir jetzt den Italiener rufen?«

Poirot antwortete zunächst nicht. Er war ganz versunken in einen Fettfleck auf einem ungarischen Diplomatenpass.

Achtes Kapitel

Das Zeugnis des Colonel Arbuthnot

Poirot riss sich aus seinen Gedanken. Seine Augen funkelten ein wenig, als sie Monsieur Boucs tatenhungrigem Blick begegneten.

»Ach, mein lieber alter Freund«, sagte er. »Wissen Sie, ich bin so etwas wie ein Snob geworden. Ich finde, man sollte der ersten Klasse seine Aufwartung doch vor der zweiten machen. Meiner Meinung nach sollten wir als Nächstes den schmucken Colonel Arbuthnot hören.«

Nachdem er festgestellt hatte, dass der Oberst des Französischen nur sehr begrenzt mächtig war, führte Poirot die Vernehmung auf Englisch.

Arbuthnots Name, Alter, Heimatadresse und genaue Dienststellung wurden ermittelt. Dann fuhr Poirot fort:

»Sehe ich es richtig, dass Sie auf Urlaub – *en permission*, wie wir dazu sagen – aus Indien zurückkommen?«

Colonel Arbuthnot, den es herzlich wenig interessierte, wie die dummen Ausländer zu irgendetwas sagten, antwortete mit echt britischer Kürze:

»Ja.«

»Sie machen die Reise aber nicht, wie sonst üblich, mit einem Schiff der Peninsular & Oriental Line?«

»Nein.«

»Warum nicht?«

»Weil ich aus Gründen, die nur mich etwas angehen, den Landweg vorziehe.«

»Und das«, schien sein Ton zu sagen, »kannst du dir hinter die Ohren schreiben, du naseweiser kleiner Laffe.«

»Sie kommen auf direktem Weg aus Indien?«

Der Colonel antwortete trocken:

»Ich habe eine Nacht im Ur der Chaldäer Station gemacht, um mir diese Stadt anzusehen, und mich dann noch drei Tage in Bagdad beim dortigen Standortkommandanten aufgehalten, der zufällig ein alter Freund von mir ist.«

»Sie waren also drei Tage in Bagdad. Soviel ich weiß, kommt diese junge Engänderin, Miss Debenham, ebenfalls aus Bagdad. Sind Sie ihr dort vielleicht begegnet?«
»Nein. Ich bin Miss Debenham zum ersten Mal begegnet, als sie und ich im selben Kurswagen von Kirkuk nach Nusaybin saßen.«
Poirot beugte sich vor. Er schlug einen schmeichelnden Ton an und gab sich ausländischer, als er es nötig gehabt hätte.
»Ich möchte Sie um Hilfe bitten, Sir. Sie und Miss Debenham sind die beiden einzigen Engländer im Zug. Ich muss Sie beide fragen, was Sie voneinander halten.«
»Äußerst regelwidrig«, versetzte Colonel Arbuthnot kalt.
»Keineswegs. Sehen Sie, dieses Verbrechen, es wurde höchstwahrscheinlich von einer Frau begangen. Auf den Mann wurde nicht weniger als zwölfmal eingestochen. Sogar der *chef de train* hat sofort gesagt: ›Das war eine Frau.‹ Nun, was ist also meine erste Aufgabe? Ich muss alle Frauen im Wagen Istanbul-Calais ›durchleuchten‹, wie es in amerikanischen Krimis immer heißt. Aber eine Engländerin zu beurteilen, ist nicht einfach. Sie sind so reserviert, die Engländer. Ich bitte Sie also um Ihre Hilfe, Sir, im Interesse der Gerechtigkeit. Was ist Miss Debenham für ein Mensch? Was wissen Sie über die Dame?«
»Miss Debenham«, sagte der Oberst gefühlvoll, »ist eine Lady.«
»Ah!«, sagte Poirot mit allen Anzeichen tiefster Befriedigung. »Sie halten es also für kaum wahrscheinlich, dass sie mit dem Verbrechen etwas zu tun haben könnte?«
»Völlig abwegiger Gedanke«, sagte Arbuthnot. »Der Mann war für sie ein Wildfremder – sie hat ihn nie im Leben gesehen.«
»Hat sie Ihnen das gesagt?«
»Ja, das hat sie. Sie hat sofort etwas über seine wenig angenehme Erscheinung gesagt. *Wenn* eine Frau im Spiel ist, wie Sie zu glauben scheinen (nach meiner Ansicht ohne jeden Beweis, nur auf Grund von Vermutungen), dann kann ich Ihnen versichern, dass Miss Debenham dafür unmöglich in Frage kommt.«
»Sie lassen Ihr Herz sprechen«, meinte Poirot lächelnd.
Colonel Arbuthnot quittierte das mit einem eisigen Blick. »Ich weiß wirklich nicht, was Sie damit meinen«, sagte er.
Der Blick schien Poirot zu beschämen. Er begann in den Papieren zu kramen, die vor ihm lagen.

»Das tut ja alles nichts zur Sache«, meinte er schließlich. »Wenden wir uns den Tatsachen zu. Wir haben Gründe zu der Annahme, dass die Tat letzte Nacht um Viertel nach eins geschah. Es gehört zum üblichen Vorgehen, jeden im Zug zu fragen, was er oder sie um diese Zeit getan hat.«
»Ganz recht. Um Viertel nach eins habe ich mich meines Erinnerns noch mit diesem jungen Amerikaner unterhalten, dem Sekretär des Toten.«
»Aha. Waren Sie in seinem Abteil oder er in Ihrem?«
»Ich war in seinem.«
»Es handelt sich um den jungen Mann namens MacQueen?«
»Ja.«
»Ist er ein Freund oder Bekannter von Ihnen?«
»Nein. Ich bin ihm vor dieser Reise nie begegnet. Wir kamen gestern zwanglos ins Gespräch und fanden es beide interessant. Normalerweise mag ich die Amerikaner ja nicht – kann nichts mit ihnen anfangen.«
Poirot musste an MacQueens Vorbehalte gegen »die Briten« denken und lächelte.
»Aber dieser junge Mann gefiel mir. Er hatte natürlich so ein paar alberne Vorstellungen von der Lage in Indien; das ist das Ärgerlichste bei den Amerikanern – sie sind so gefühlsduselig und idealistisch gesinnt. Aber was ich ihm zu sagen hatte, hat ihn jedenfalls interessiert. Ich kenne dieses Land schon fast dreißig Jahre. Und ich fand es meinerseits interessant, was er mir über die finanzielle Situation in Amerika zu sagen hatte. Dann kamen wir auf die Weltpolitik im Allgemeinen zu sprechen. Ich war ziemlich überrascht, als ich einmal auf die Uhr sah und feststellte, dass es schon Viertel vor zwei war.«
»Zu diesem Zeitpunkt haben Sie das Gespräch dann beendet?«
»Ja.«
»Was haben Sie anschließend gemacht?«
»Bin in mein Abteil gegangen und habe mich zu Bett gelegt.«
»Ihr Bett war schon hergerichtet?«
»Ja.«
»Das ist – mal sehen – Abteil Nummer fünfzehn – das vorletzte in diesem Wagen, vom Speisewagen aus gesehen?«
»Ja.«
»Wo war der Schaffner gerade, als Sie in Ihr Abteil gingen?«
»Er saß an einem Tischchen am hinteren Ende des Wagens. MacQueen hat ihn sogar noch zu sich gerufen, als ich in mein Abteil ging.«

»Warum hat er ihn gerufen?«
»Damit er ihm sein Bett macht, nehme ich an. Sein Abteil war noch nicht für die Nacht hergerichtet.«
»Nun bitte ich Sie, Colonel Arbuthnot, einmal sehr genau nachzudenken. Ist in der Zeit, während Sie sich mit Mr. MacQueen unterhielten, jemand draußen auf dem Korridor vorbeigegangen?«
»So etliche Leute, würde ich mal sagen. Ich habe nicht darauf geachtet.«
»Hm, ja, aber ich spreche von – sagen wir – den letzten anderthalb Stunden Ihrer Unterhaltung. Sie sind in Vincovci aus dem Zug gestiegen, ja?«
»Ja, aber nur ganz kurz. Draußen war ein Schneesturm im Gange. Eine fürchterliche Kälte. Da war man richtig dankbar, wieder in den Mief zu kommen, obwohl ich es eigentlich skandalös finde, wie diese Züge überheizt sind.«
Monsieur Bouc seufzte.
»Es ist nicht leicht, es allen recht zu machen«, sagte er. »Die Engländer, sie reißen immer alles auf – dann kommen andere daher und machen alles wieder zu. Es ist gar nicht leicht.«
Weder Poirot noch Colonel Arbuthnot schenkten ihm Beachtung.
»Nun denken Sie bitte einmal zurück, Sir«, sagte Poirot aufmunternd. »Draußen ist es kalt. Sie steigen wieder ein. Sie nehmen Platz, Sie rauchen – vielleicht eine Zigarette, vielleicht eine Pfeife –«
Er machte eine fragende Pause.
»Ich Pfeife, MacQueen Zigaretten.«
»Der Zug fährt wieder an. Sie rauchen Ihre Pfeife. Sie diskutieren über den Stand der Dinge in Europa – in der Welt. Es ist inzwischen spät. Die meisten Reisenden haben sich zur Ruhe begeben. Kommt da noch jemand an Ihrer Tür vorbei? Denken Sie bitte nach.«
Arbuthnot dachte sichtlich angestrengt nach.
»Schwer zu sagen«, antwortete er schließlich. »Ich habe ja nicht darauf geachtet.«
»Aber Sie haben doch den soldatischen Blick fürs Detail. Sie bemerken etwas, gewissermaßen ohne es zu merken.«
Der Oberst dachte wieder nach, schüttelte aber den Kopf.
»Kann ich nicht sagen. Ich wüsste nicht, dass außer dem Schaffner da noch jemand vorbeigekommen wäre. Halt – ich glaube, da kam einmal eine Frau ...«
»Haben Sie die Frau gesehen? War sie alt – jung?«

»Gesehen habe ich sie nicht. Hab nicht hingeschaut. War nur so ein Rascheln – und eine Duftwolke.«

»Duftwolke? Ein guter Duft?«

»Hm – etwas fruchtig, wenn Sie verstehen, was ich meine. So einer, den man hundert Meter gegen den Wind riecht. Aber wohlgemerkt«, fuhr der Oberst eilig fort, »das kann auch schon früher am Abend gewesen sein. Denn wie Sie selbst vorhin sagten, gehört das zu diesen Dingen, die man gewissermaßen bemerkt, ohne es zu merken. Irgendwann im Lauf des Abends habe ich bei mir gedacht: ›Frau – Parfüm – ein bisschen dick aufgetragen.‹ Aber *wann* das war, kann ich nicht mit Bestimmtheit sagen, außer dass es – aber ja, es muss nach Vincovci gewesen sein.«

»Warum?«

»Weil ich mich erinnere, dass mir dieser – na ja – Duft in die Nase stieg, als ich gerade davon sprach, zu was für einem totalen Fiasko sich Stalins Fünfjahresplan entwickelte. Ich weiß noch, dass mir bei dem Gedanken ›Frau‹ die Lage der Frauen in Russland einfiel. Und ich weiß auch noch, dass wir auf Russland erst ziemlich gegen Ende unserer Unterhaltung zu sprechen kamen.«

»Sie können sich nicht noch genauer festlegen?«

»N-nein. Es muss ungefähr in der letzten halben Stunde gewesen sein.«

»Als der Zug schon stand?«

Der andere nickte.

»Ja, da bin ich mir fast sicher.«

»Gut, dann verlassen wir jetzt dieses Thema. Waren Sie schon einmal in Amerika, Colonel Arbuthnot?«

»Noch nie. Will auch nicht hin.«

»Kannten Sie einen Colonel Armstrong?«

»Armstrong – Armstrong – ich kannte zwei oder drei Armstrongs. Einen Tommy Armstrong im Sechzigsten – den meinen Sie doch nicht? Und Selby Armstrong – der ist an der Somme gefallen.«

»Ich meine den Colonel Armstrong, der eine Amerikanerin geheiratet hat und dessen einziges Kind entführt und ermordet wurde.«

»Ach ja, ich erinnere mich, darüber etwas gelesen zu haben – scheußliche Geschichte. Ich glaube nicht, dass ich diesem Armstrong je begegnet bin, aber gehört hatte ich natürlich von ihm. Toby Armstrong. Feiner Kerl. Den mochten alle. Hatte eine bemerkenswerte Karriere. Träger des Victoria-Kreuzes.«

»Der Mann, der letzte Nacht ermordet wurde, war derselbe, der Colonel Armstrongs Kind auf dem Gewissen hat.«
Arbuthnot machte ein grimmiges Gesicht.
»Dann hat das Schwein in meinen Augen nur bekommen, was es verdiente. Ich hätte es allerdings vorgezogen, den Kerl ordentlich an den Galgen gebracht zu sehen – oder auf den elektrischen Stuhl, wie man es da drüben macht, soviel ich weiß.«
»Das heißt, Colonel Arbuthnot, dass Sie von Gesetz und Ordnung mehr halten als von privater Rache?«
»Na, man kann doch nicht hergehen und Blutrache üben und sich gegenseitig abstechen, wie auf Korsika oder bei der Mafia«, meinte der Oberst. »Sagen Sie, was Sie wollen, aber ein Schwurgericht ist eine saubere Sache.«
Poirot betrachtete ihn eine Weile nachdenklich.
»Ja«, sagte er dann, »diese Einstellung habe ich bei Ihnen erwartet. Nun, Colonel Arbuthnot, ich glaube nicht, dass ich sonst noch Fragen an Sie habe. Sie erinnern sich an nichts aus der vergangenen Nacht, was Ihnen *irgendwie* verdächtig vorkam – oder Ihnen jetzt im Nachhinein verdächtig vorkommt?«
Arbuthnot dachte ein paar Sekunden nach.
»Nein«, sagte er dann. »Gar nichts. Höchstens –« Er zauderte.
»Aber bitte, sprechen Sie weiter.«
»Ach, es ist eigentlich nichts«, sagte der Oberst langsam. »Aber Sie sagten, irgendwie.«
»Ja doch. Reden Sie.«
»Ach was, das war nichts. Ein bloßes Detail am Rande. Aber als ich zu meinem Abteil zurückkam, sah ich, dass die Tür des nächsten hinter meinem – es ist das letzte, wie Sie wissen –«
»Ja. Nummer sechzehn.«
»Also, da war die Tür nicht ganz zu. Und der Kerl darin spähte irgendwie heimlich durch den Spalt heraus. Dann hat er die Tür ganz schnell zugemacht. Ich weiß natürlich, dass da nichts weiter dabei ist – aber es kam mir eben ein bisschen komisch vor. Ich meine, es wäre völlig normal, die Tür aufzumachen und den Kopf herauszustecken, wenn man etwas sehen will. Es war nur diese heimliche Art, die mir auffiel.«
»J-ja«, meinte Poirot skeptisch.
»Ich sagte ja schon, dass es nichts weiter war«, wehrte sich Arbuthnot. »Aber Sie wissen, wie das ist – mitten in der Nacht – alles ganz still – das wirkte

irgendwie bedrohlich – wie im Kriminalroman. In Wirklichkeit alles Blödsinn.«
Er stand auf.
»Also, wenn Sie mich nicht mehr brauchen –«
»Ich danke Ihnen, Colonel Arbuthnot. Nein, sonst hätte ich nichts mehr.«
Der Offizier zögerte noch einen kleinen Moment. Sein anfänglicher Widerwille gegen ein Verhör durch »Ausländer« schien verflogen.
»Apropos Miss Debenham«, meinte er ein wenig verlegen. »Nehmen Sie mein Wort darauf, dass sie eine saubere Weste hat. Sie ist – *pukka sahib*.«
Und sanft errötend zog er sich zurück.
»Was heißt denn, bitte, *pukka sahib?*«, erkundigte sich Dr. Constantine höchst interessiert.
»Es heißt«, erklärte Poirot, »dass Miss Debenhams Vater und Brüder durch die gleiche Schule gegangen sind wie Colonel Arbuthnot.«
»Oh!«, machte Dr. Constantine enttäuscht. »Dann hat es mit dem Verbrechen also gar nichts zu tun?«
»Genau«, sagte Poirot.
Er begann wieder vor sich hin zu träumen und mit den Fingern leise auf dem Tisch zu trommeln. Dann sah er auf.
»Colonel Arbuthnot raucht Pfeife«, sagte er. »In Mr. Ratchetts Abteil habe ich einen Pfeifenreiniger gefunden. Mr. Ratchett rauchte nur Zigarren.«
»Sie meinen –?«
»Er ist bisher der Einzige, der zugibt, Pfeife zu rauchen. Und er wusste von Colonel Armstrong – kannte ihn vielleicht sogar, obwohl er das nicht zugibt.«
»Sie halten es also für möglich –?«
Poirot schüttelte energisch den Kopf.
»Das ist es eben – es ist unmöglich – völlig unmöglich – dass ein ehrenhafter, nicht sonderlich gescheiter, aufrechter Engländer zwölfmal mit dem Messer auf einen Feind einsticht! Fühlen Sie nicht selbst, meine Freunde, wie unmöglich das ist?«
»Die Mentalität«, sagte Monsieur Bouc.
»Und die Mentalität gilt es zu respektieren. Dieses Verbrechen trägt eine Unterschrift, und das ist gewiss nicht die Unterschrift eines Colonel Arbuthnot. Wenden wir uns der nächsten Vernehmung zu.«
Diesmal erwähnte Monsieur Bouc den Italiener nicht. Aber er dachte an ihn.

Neuntes Kapitel

Das Zeugnis des Mr. Hardman

Als letzter Fahrgast der ersten Klasse war nur noch Mr. Hardman zu vernehmen – der vierschrötige, laute Amerikaner, der mit dem Italiener und dem Diener an einem Tisch gesessen hatte.
Er trug einen aufdringlichen karierten Anzug mit rosa Hemd und blitzender Krawattennadel, und als er in den Speisewagen trat, wälzte er irgendetwas mit der Zunge im Mund herum. Er hatte ein grobes, feistes Gesicht, wirkte aber gutmütig.
»Morgen, die Herren«, sagte er. »Was kann ich für Sie tun?«
»Sie haben schon von diesem Mord gehört, Mr. – äh – Hardman?«
»Klar.«
Er wendete geschickt seinen Kaugummi.
»Wir sehen uns genötigt, alle Reisenden in diesem Zug zu vernehmen.«
»Soll mir recht sein. Anders kommt man da wohl nicht weiter.«
Poirot konsultierte den vor ihm liegenden Pass.
»Sie sind Cyrus Bethman Hardman, amerikanischer Staatsbürger, einundvierzig Jahre alt und Handlungsreisender für Schreibmaschinenfarbbänder?«
»Stimmt, der bin ich.«
»Sie sind auf dem Weg von Istanbul nach Paris?«
»Richtig.«
»Grund der Reise?«
»Geschäftlich.«
»Reisen Sie immer erster Klasse, Mr. Hardman?«
»Jawohl, Sir. Die Firma zahlt meine Reisespesen.«
Er zwinkerte ihnen zu.
»Nun gut, Mr. Hardman. Sprechen wir über die Ereignisse der vergangenen Nacht.«
Der Amerikaner nickte.

»Was können Sie uns darüber sagen?«
»Haargenau nichts.«
»Ach, wie schade. Vielleicht können Sie uns aber wenigstens sagen, Mr. Hardman, was Sie gestern Abend alles getan haben, ab dem Abendessen?«
Zum ersten Mal schien der Amerikaner mit seiner Antwort zu zögern. Schließlich sagte er:
»Entschuldigen Sie, meine Herren, aber wer sind Sie eigentlich? Klären Sie mich doch bitte mal auf.«
»Das hier ist Monsieur Bouc, Direktor der Compagnie internationale des wagons-lits. Dieser Herr ist der Arzt, der die Leiche untersucht hat.«
»Und Sie?«
»Ich bin Hercule Poirot. Die Eisenbahngesellschaft hat mich beauftragt, in diesem Fall zu ermitteln.«
»Von Ihnen habe ich gehört«, sagte Mr. Hardman. Er dachte eine Weile nach. »Vielleicht sollte ich lieber die Karten auf den Tisch legen.«
»Es wäre Ihnen sicher anzuraten, uns alles zu sagen, was Sie wissen«, versetzte Poirot trocken.
»Das wäre ein großes Wort, wenn es etwas *gäbe,* was ich Ihnen erzählen könnte. Aber ich weiß ja nichts. Ich weiß überhaupt nichts – wie schon gesagt. Dabei *sollte* ich eigentlich etwas wissen. Das ist es doch, was mich so fuchst. Ich *sollte* etwas wissen.«
»Würden Sie mir das bitte erklären, Mr. Hardman?«
Mr. Hardman seufzte, nahm seinen Kaugummi aus dem Mund und steckte eine Hand in die Tasche. Dabei schien sich seine ganze Persönlichkeit zu verwandeln. Er wurde von der Bühnenfigur zu einem fast normalen Menschen. Seine laute, näselnde Stimme bekam einen gemäßigteren Klang.
»Dieser Pass ist Augenwischerei«, sagte er. »Hier, das bin ich wirklich.«
Poirot nahm die Visitenkarte in Augenschein, die ihm über den Tisch geschnippt wurde. Monsieur Bouc sah ihm über die Schulter.

Mr. CYRUS B. HARDMAN
Detektei McNeil
New York

Poirot kannte den Firmennamen. Es handelte sich um eine der bekanntesten und angesehensten Privatdetekteien in New York.

»So, so, Mr. Hardman«, sagte er. »Dann lassen Sie uns bitte hören, was das zu bedeuten hat.«
»Aber gern. Das ist nämlich so. Ich war auf der Fährte gewisser Halunken nach Europa gekommen – hatte mit dieser Geschichte hier nichts zu tun. Die Jagd endete in Istanbul. Ich hab's meinem Chef telegrafiert, und er hat mich zurückbeordert. Ich wäre dann auch gleich in mein liebes kleines New York zurückgekehrt, aber da kriegte ich das hier.«
Er schob einen Brief über den Tisch.
Es war ein Briefbogen aus dem *Hotel Tokatlia.*

> *Werter Herr,*
> *man hat mich davon in Kenntnis gesetzt, dass Sie ein Agent der Detektei McNeil sind. Haben Sie bitte die Güte, sich heute Nachmittag um vier Uhr in meiner Suite einzufinden.*

Die Unterschrift lautete: »S.E. Ratchett«.
»Eh bien?«
»Ich war zur angegebenen Zeit in seiner Suite, und Mr. Ratchett hat mich ins Bild gesetzt. Er hat mir ein paar Briefe gezeigt, die er bekommen hatte.«
»Hatte er Angst?«
»Er wollte es sich zwar nicht anmerken lassen, aber geschlottert hat er schon ein bisschen. Hat mir einen Auftrag angeboten. Ich sollte mit ihm im selben Zug nach Paris fahren und aufpassen, dass ihm keiner ans Leder ging. Tja, meine Herren, ich *bin* mit ihm im selben Zug gefahren, und nun ist ihm trotzdem einer ans Leder gegangen. Und das fuchst mich natürlich. Sieht ja nicht besonders gut für mich aus.«
»Hatte er bestimmte Vorstellungen, wie Sie Ihren Auftrag erfüllen sollten?«
»Klar. Er hatte sich alles genau ausgedacht. Ich sollte das Abteil neben dem seinen nehmen – daraus wurde schon gleich nichts. Das einzige Abteil, das ich noch kriegen konnte, war Nummer sechzehn, und dafür musste ich mich auch noch mächtig ins Zeug legen. Nach meinem Eindruck wollte der Schaffner dieses Abteil gern im Ärmel behalten. Aber das tut nichts zur Sache. Nachdem ich mir alles angesehen hatte, fand ich Abteil sechzehn sogar strategisch recht günstig gelegen. Vor dem Schlafwagen aus Istanbul war nur noch der Speisewagen, und die vordere Einstiegstür wurde nachts gesichert. Ein Mörder hätte also nur durch die hintere Tür einsteigen oder

von hinten durch den Zug kommen können – musste also auf jeden Fall an meinem Abteil vorbei.«

»Sie hatten, wie ich annehme, keine Ahnung, wer der mutmaßliche Attentäter sein sollte?«

»Nun, ich wusste nur ungefähr, wie er aussehen sollte. Mr. Ratchett hatte ihn mir beschrieben.«

»Wie bitte?«

Alle drei Herren beugten sich interessiert vor.

Hardman fuhr fort:

»Ein kleiner Mann mit dunklem Teint und irgendwie weibischer Stimme – so hat es der Alte genannt. Er hat auch noch gesagt, er glaubt nicht, dass es gleich schon in der ersten Nacht passieren wird. Eher in der zweiten oder dritten.«

»Er wusste also etwas«, sagte Monsieur Bouc.

»Er wusste mit Sicherheit mehr, als er seinem Sekretär anvertraut hat«, meinte Poirot nachdenklich. »Hat er Ihnen irgendetwas über seinen Widersacher gesagt, Mr. Hardman? Zum Beispiel, *warum* er ihm nach dem Leben trachtet?«

»Nein, zu diesem Thema war er ein bisschen zugeknöpft. Hat nur gesagt, der Kerl will ihm ans Leder und meint es ernst.«

»Kleiner Mann – dunkler Teint – weibische Stimme«, überlegte Poirot laut. Dann sah er Mr. Hardman scharf an und fragte: »Sie wissen natürlich, wer er wirklich war?«

»Wer, Mister?«

»Ratchett. Sie haben ihn erkannt?«

»Ich komme nicht ganz mit.«

»Ratchett war Cassetti, der Armstrong-Mörder.«

Mr. Hardman stieß einen langen Pfiff aus.

»Na, das ist aber eine Überraschung!«, sagte er. »Und was für eine! Nein, ich habe ihn nicht erkannt. Als dieser Fall aufkam, war ich gerade irgendwo an der Westküste. Kann sein, dass ich Fotos von ihm in der Zeitung gesehen habe, aber auf Zeitungsfotos würde ich meine eigene Mutter nicht erkennen. Nun gut. Ich zweifle jedenfalls nicht, dass ein paar Leute es auf diesen Cassetti abgesehen hatten.«

»Kennen Sie irgendjemanden, der von dem Fall Armstrong betroffen war und auf den diese Beschreibung passt – klein, dunkler Teint, weibische Stimme?«

Hardman dachte ein Weilchen nach.
»Schwer zu sagen. Die von diesem Fall betroffen waren, sind so ziemlich alle tot.«
»Da war aber doch noch dieses Mädchen, das sich aus dem Fenster gestürzt hat, Sie erinnern sich?«
»Klar. Da ist was dran. Irgendeine Ausländerin. Hatte vielleicht heißblütige Verwandte. Aber vergessen Sie nicht, dass der Fall Armstrong nicht der einzige war. Cassetti hat dieses Entführungsgewerbe eine ganze Weile betrieben. Sie sollten sich vielleicht nicht nur auf diesen einen Fall konzentrieren.«
»Richtig. Allerdings haben wir Grund zu der Annahme, dass der Mord in diesem Zug mit dem Fall Armstrong zu tun hat.«
Hardman warf ihm einen fragenden Blick zu. Poirot ging nicht darauf ein. Der Amerikaner schüttelte den Kopf.
»Mir fällt im Zusammenhang mit dem Fall Armstrong niemand ein, auf den diese Beschreibung passt«, sagte er langsam. »Aber ich war natürlich nicht damit befasst und weiß kaum darüber Bescheid.«
»Nun gut. Fahren Sie mit Ihrer Erzählung fort, Mr. Hardman.«
»Da gibt es wenig zu erzählen. Ich habe tagsüber geschlafen und nachts Wache gehalten. In der ersten Nacht ist nichts Verdächtiges passiert. Letzte Nacht auch nicht – aus meiner Sicht. Ich hatte meine Tür einen Spaltbreit offen und habe aufgepasst. Da ist kein Fremder vorbeigekommen.«
»Sind Sie sich dessen sicher, Mr. Hardman?«
»Absolut sicher. Niemand ist von außen in den Zug gestiegen, und niemand ist aus den hinteren Wagen gekommen. Das kann ich auf meinen Eid nehmen.«
»Konnten Sie von Ihrem Abteil aus den Schaffner sehen?«
»Klar. Er sitzt doch auf diesem Notsitz, praktisch vor meiner Tür.«
»Hat er diesen Platz irgendwann verlassen, nachdem der Zug in Vincovci gehalten hatte?«
»War das der letzte Halt? Aber ja. Es wurde ein paar Mal nach ihm geklingelt – kurz nachdem der Zug stecken geblieben war, muss das gewesen sein. Danach ist er dann an mir vorbei in den hinteren Wagen gegangen – war etwa eine Viertelstunde fort. Irgendjemand hat dann nach ihm geklingelt wie verrückt, und er kam im Laufschritt zurück. Ich bin auf den Korridor hinausgegangen, um zu sehen, was da los war – mir war ein bisschen mulmig, wenn Sie verstehen –, aber das war nur meine Landsmännin, die hat wegen irgendetwas Theater gemacht. Ich hab mir eins gegrinst. Dann ist er

noch in ein anderes Abteil gegangen und hat für irgendwen eine Flasche Mineralwasser geholt. Anschließend saß er wieder da, bis er nach vorn gerufen wurde, um irgendjemandes Bett herzurichten. Ich glaube, danach hat er sich bis morgens um fünf nicht mehr vom Fleck gerührt.«

»Ist er irgendwann einmal eingenickt?«

»Weiß ich nicht. Kann aber sein.«

Poirot nickte. Seine Hände strichen wie von selbst die vor ihm liegenden Papiere glatt. Er nahm noch einmal die Visitenkarte.

»Seien Sie so gut und zeichnen Sie mir das hier mit Ihren Initialen ab«, sagte er.

Hardman tat es.

»Es gibt wohl niemanden, der Ihre Geschichte und Ihre Identität bestätigen kann, Mr. Hardman?«

»In diesem Zug? Hm, nicht direkt. Höchstens der junge MacQueen. Ich kenne ihn ganz gut – hab ihn oft genug in der Dienststelle seines Vaters in New York gesehen – aber das heißt nicht, dass er mich auch noch kennt – da gingen ja so viele Leute ein und aus. Nein, Monsieur Poirot, Sie werden sich in Geduld fassen und nach New York telegrafieren müssen, wenn der Schnee uns freigibt. Aber es stimmt alles. Ich erzähle Ihnen keine Märchen. Also, bis dann, meine Herren. Freut mich, Sie kennen gelernt zu haben, Monsieur Poirot.«

Poirot hielt ihm sein Zigarettenetui hin.

»Oder rauchen Sie vielleicht lieber Pfeife?«

»O nein, danke.«

Hardman nahm eine Zigarette und verzog sich schnell.

Die drei Männer sahen einander an.

»Halten Sie ihn für echt?«, fragte Dr. Constantine.

»Doch, ja. Ich kenne den Typ. Außerdem wäre seine Geschichte viel zu leicht zu widerlegen.«

»Er hat uns einige hochinteressante Anhaltspunkte geliefert«, meinte Monsieur Bouc.

»Ja, in der Tat.«

»Kleiner Mann mit dunklem Teint und hoher Stimme«, sagte Monsieur Bouc nachdenklich vor sich hin.

»Eine Beschreibung, die auf niemanden in diesem Zug passt«, sagte Poirot.

Zehntes Kapitel

Das Zeugnis des Italieners

»Und nun«, sagte Poirot mit einem Funkeln im Blick, »werden wir Monsieur Boucs Herz erfreuen und uns den Italiener vornehmen.«
Antonio Foscarelli kam geschmeidig wie eine Katze in den Speisewagen. Er strahlte übers ganze Gesicht. Es war ein typisch italienisches Gesicht: sonnige Miene und dunkler Teint.
Er sprach fließend und fast akzentfrei Französisch.
»Ihr Name ist Antonio Foscarelli?«
»Ja, Monsieur.«
»Sie sind, wie ich sehe, eingebürgerter Amerikaner?«
Der Amerikaner grinste.
»Ja, Monsieur. Das ist besser fürs Geschäft.«
»Sie haben eine Vertretung für Ford-Automobile?«
»Ja, sehen Sie –«
Es folgte eine wortreiche Erklärung, an deren Ende alles, was die drei noch nicht über Foscarellis Geschäftsmethoden, seine Reisen, sein Einkommen und seine Ansichten über die Vereinigten Staaten und die meisten europäischen Länder wussten, als nebensächlich gelten durfte. Er war nicht der Mann, dem man die Informationen aus der Nase ziehen musste. Sie sprudelten nur so aus ihm heraus.
Sein gutmütiges Kindergesicht strahlte vor Zufriedenheit, als er mit einer letzten beredten Geste verstummte und sich mit einem Taschentuch die Stirn abwischte.
»Sie sehen also«, sagte er, »ich bin groß im Geschäft. Immer auf der Höhe der Zeit. Vom Verkaufen verstehe ich etwas.«
»Sie sind demnach in den letzten zehn Jahren immer wieder in Amerika gewesen?«
»Ja, Monsieur. Ah, wie gut erinnere ich mich noch an den Tag, als ich zum

ersten Mal das Schiff bestieg – nach Amerika, so weit fort! Meine Mutter, meine kleine Schwester –«

Poirot dämmte den Strom der Erinnerungen ein.

»Sind Sie auf Ihren Reisen durch Amerika je dem Verblichenen begegnet?«

»Nie. Aber ich kenne den Typ. O ja.« Er schnippte vielsagend mit den Fingern. »So einer tritt immer sehr seriös auf, makellos gekleidet, aber darunter ist alles falsch. Aus meiner Erfahrung heraus würde ich sagen, er war ein großer Halunke. Ich sage Ihnen meine Meinung freiheraus.«

»Ihre Meinung ist vollkommen richtig«, sagte Poirot trocken. »Ratchett war Cassetti, der Kindesentführer.«

»Was habe ich Ihnen gesagt? Ich habe gelernt, die Augen aufzumachen – in den Gesichtern der Leute zu lesen. Das muss man. Nur in Amerika lehren sie einen, wie man verkauft.«

»Erinnern Sie sich an den Fall Armstrong?«

»So richtig erinnere ich mich nicht. An den Namen ja. Da ging es um ein kleines Mädchen, eine *bambina*, nicht?«

»Ja. Eine überaus tragische Geschichte.«

Der Italiener schien als Erster diese Ansicht in Frage stellen zu wollen.

»Ach, so etwas kommt eben vor«, meinte er mit der Abgeklärtheit des Philosophen. »In einer großen Kultur wie Amerika –«

Poirot schnitt ihm das Wort ab.

»Sind Sie jemals einem Angehörigen der Familie Armstrong begegnet?«

»Nein, ich glaube nicht. Schwer zu sagen. Ich will Ihnen mal ein paar Zahlen nennen. Was ich allein im letzten Jahr verkauft –«

»Bleiben Sie bitte bei der Sache, Monsieur.«

Der Italiener schleuderte förmlich die Hände von sich. »Ich bitte tausendmal um Vergebung.«

»Zählen Sie mir bitte, wenn es recht ist, ganz genau auf, was Sie gestern seit dem Abendessen alles getan haben.«

»Mit Vergnügen. Ich bin hier im Speisewagen geblieben, solange es ging. Hier ist es kurzweiliger. Ich unterhalte mich mit dem Amerikaner an meinem Tisch. Er verkauft Farbbänder für Schreibmaschinen. Dann gehe ich in mein Abteil zurück. Es ist leer. Der mickrige Engländer, mit dem ich es teile, ist fort – muss seinen Herrn bedienen. Endlich kommt er zurück – ellenlanges Gesicht, wie immer. Reden mag er nicht – sagt immer nur ja oder nein. Ein erbärmliches Volk, diese John Bulls – kein bisschen gesellig.

Er setzt sich in die Ecke, ganz steif, und liest in einem Buch. Dann kommt der Schaffner und macht unsere Betten.«
»Die Nummern vier und fünf«, murmelte Poirot.
»Genau. Das vorderste Abteil. Mein Bett ist das obere. Ich steige rauf. Ich rauche und lese. Der kleine Engländer hat Zahnschmerzen, glaube ich. Er kramt ein Fläschchen mit irgendwelchem Zeug hervor, das sehr stark riecht. Dann liegt er im Bett und stöhnt. Bald schlafe ich ein. Immer wenn ich aufwache, höre ich ihn stöhnen.«
»Wissen Sie, ob er im Lauf der Nacht einmal das Abteil verlassen hat?«
»Ich glaube nicht. So etwas würde ich hören. Das Licht vom Gang – da wacht man automatisch auf und denkt, es ist die Zollkontrolle an irgendeiner Grenze.«
»Hat er je von seinem Herrn gesprochen? Irgendeinen Groll gegen ihn zum Ausdruck gebracht?«
»Ich sage Ihnen doch, dass er nichts geredet hat. Er ist ungesellig. Ein Fisch.«
»Sie sagen, Sie rauchen – Pfeife, Zigaretten, Zigarren?«
»Nur Zigaretten.«
Poirot bot ihm eine an, und Foscarelli bediente sich.
»Waren Sie je in Chicago?«, erkundigte sich Monsieur Bouc.
»O ja – eine schöne Stadt – aber am besten kenne ich New York, Washington, Detroit. Waren Sie mal in den Staaten? Nein? Da sollten Sie hin, es –«
Poirot schob ihm ein Blatt Papier über den Tisch.
»Unterschreiben Sie das bitte, und notieren Sie mir Ihre ständige Adresse darauf.«
Der Italiener schrieb schwungvoll. Dann erhob er sich – sein Lächeln war gewinnend wie eh und je.
»Das ist alles? Sie brauchen mich nicht länger? Einen schönen guten Tag, die Herren. Ich wollte, wir kämen endlich aus diesem Schnee heraus. Ich habe einen Termin in Mailand –« Er schüttelte traurig den Kopf. »Das Geschäft wird mir durch die Lappen gehen.«
Er entfernte sich.
Poirot sah seinen Freund an.
»Er war lange in Amerika«, sagte Monsieur Bouc, »und er ist Italiener. Die Italiener sind Messerstecher! Und große Lügner! Ich mag die Italiener nicht.«
»*Ça se voit*«, meinte Poirot lächelnd. »Es könnte ja sein, dass Sie Recht haben,

aber ich muss Sie darauf hinweisen, mein Freund, dass wir absolut nichts gegen den Mann in der Hand haben.«
»Und die Mentalität? Sind die Italiener vielleicht keine Messerstecher?«
»Auf jeden Fall«, sagte Poirot. »Besonders in der Hitze eines Streits. Aber dies hier – das ist ein Verbrechen anderer Art. Ich habe so einen leisen Verdacht, mein Freund, dass dieses Verbrechen sehr genau geplant und durchgeführt wurde. Es ist von langer Hand vorbereitet. Das ist – wie soll ich es nennen? – kein südländisches Verbrechen. Es verrät ein kühles, findiges, planendes Gehirn – ich denke eher an ein angelsächsisches Gehirn.«
Er nahm die letzten beiden Pässe zur Hand.
»Dann«, sagte er, »wollen wir also jetzt Miss Mary Debenham anhören.«

Elftes Kapitel

Das Zeugnis der Mary Debenham

Als Mary Debenham den Speisewagen betrat, bestätigte sie den Eindruck, den Poirot schon vorher von ihr gewonnen hatte.
Sie trug ein sehr adrettes schwarzes Kostüm mit grauer Bluse, ihre dunklen Haare waren sanft gewellt, und ihr Auftreten war so ruhig und unaufgeregt wie ihre Frisur.
Sie setzte sich Poirot und Monsieur Bouc gegenüber und sah beide fragend an.
»Sie heißen Mary Hermione Debenham und sind sechsundzwanzig Jahre alt?«, begann Poirot.
»Ja.«
»Engländerin?«
»Ja.«
»Würden Sie so freundlich sein, Mademoiselle, Ihre ständige Adresse hier auf dieses Blatt zu schreiben?«

Sie kam der Aufforderung nach. Ihre Schrift war klar und gut leserlich.
»Und nun, Mademoiselle: Was können Sie uns über die Angelegenheit von gestern Nacht erzählen?«
»Da habe ich Ihnen leider gar nichts zu erzählen. Ich bin zu Bett gegangen und habe geschlafen.«
»Sind Sie sehr bestürzt darüber, Mademoiselle, dass in diesem Zug ein Verbrechen begangen wurde?«
Die Frage hatte sie eindeutig nicht erwartet. Ihre grauen Augen weiteten sich ein wenig.
»Ich verstehe Sie nicht recht.«
»Ich habe Ihnen doch eine ganz einfache Frage gestellt, Mademoiselle. Aber ich will sie gern wiederholen. Sind Sie sehr bestürzt darüber, dass in diesem Zug ein Verbrechen begangen wurde?«
»Unter diesem Gesichtspunkt habe ich noch gar nicht darüber nachgedacht. Nein, ich kann nicht sagen, dass es mich in irgendeiner Weise bestürzt.«
»Ein Verbrechen – ist das also für Sie etwas Normales?«
»Es ist natürlich höchst unerquicklich, wenn so etwas passiert«, antwortete Miss Debenham ruhig.
»Sie sind sehr angelsächsisch, Mademoiselle. *Vous n'éprouvez pas d'émotion.*«
Sie lächelte. »Ich kann Ihnen meine Empfindsamkeit leider nicht durch einen hysterischen Anfall beweisen. Schließlich sterben alle Tage Menschen.«
»Sterben, ja. Aber Mord ist schon etwas seltener.«
»Ja, gewiss.«
»Sie waren mit dem Verstorbenen nicht bekannt?«
»Ich habe ihn gestern zum ersten Mal gesehen, hier, beim Mittagessen.«
»Und welchen Eindruck hatten Sie von ihm?«
»Ich habe ihn kaum zur Kenntnis genommen.«
»Sie hatten nicht den Eindruck, dass er ein böser Mensch war?«
Sie hob die Schultern ein wenig. »Wirklich, ich kann nicht behaupten, dass ich mir darüber Gedanken gemacht hätte.«
Poirot sah sie scharf an.
»Mir scheint, Sie halten wenig von der Art und Weise, wie ich meine Vernehmungen durchführe«, meinte er augenzwinkernd. »So würde man das in England nie machen, denken Sie. Dort würde man rein sachlich vorgehen – strikt auf die Fakten bezogen – eine geordnete Sache. Aber ich, Mademoiselle, habe nun einmal meine kleinen Eigenheiten. Ich sehe mir meine

Zeugen zuerst an, mache mir ein Bild von ihrem Charakter und formuliere dementsprechend meine Fragen. So habe ich eben erst einen Herrn vernommen, der mir zu allem und jedem seine Ansichten darlegen wollte. In so einem Fall bleibe ich streng bei der Sache. Ich will von ihm nur ja oder nein hören, so oder so. Und dann kommen Sie. Ich sehe mit einem Blick, dass Sie Wert auf Ordnung und Methode legen. Sie möchten sich auf das beschränken, worum es geht. Ihre Antworten werden kurz und sachbezogen sein. Und da die menschliche Natur nun einmal etwas verquer ist, Mademoiselle, stelle ich Ihnen ganz andere Fragen. Ich frage Sie, was Sie *empfinden*, was Sie *gedacht* haben. Gefällt Sie Ihnen nicht, diese Methode?«
»Wenn ich so frei sein darf, ich halte sie für reine Zeitverschwendung. Ob Mr. Ratchett mir gefiel oder nicht, bringt uns der Antwort auf die Frage nicht näher, wer ihn umgebracht hat.«
»Wissen Sie, wer dieser Mr. Ratchett wirklich war, Mademoiselle?«
Sie nickte. »Mrs. Hubbard erzählt es ja jedem.«
»Und was halten Sie von der Armstrong-Geschichte?«
»Abscheulich«, antwortete sie kurz und bündig.
Poirot sah sie nachdenklich an.
»Sie haben Ihre Reise, soviel ich weiß, in Bagdad angetreten, Miss Debenham?«
»Ja.«
»Und fahren nach London?«
»Ja.«
»Was hatten Sie in Bagdad zu tun?«
»Ich habe dort für zwei Kinder die Gouvernante gespielt.«
»Und nach diesem Urlaub kehren Sie auf Ihren Posten zurück?«
»Das weiß ich noch nicht.«
»Wie das?«
»Bagdad ist ziemlich weit aus der Welt. Wenn ich von einer passenden Stelle in London hören sollte, würde ich sie vorziehen.«
»Aha. Ich dachte, Sie wollten vielleicht heiraten.«
Miss Debenham antwortete nicht. Sie sah Poirot nur voll ins Gesicht, und ihr Blick sagte deutlich: »Sie sind unverschämt.«
»Was halten Sie von der Dame, die mit Ihnen im Abteil ist – Miss Ohlsson?«
»In meinen Augen ist sie ein schlichter, aber angenehmer Mensch.«
»Welche Farbe hat ihr Morgenmantel?«

Mary Debenham sah ihn groß an.
»Irgendwie bräunlich – Naturwolle.«
»Ah! Ich darf, hoffentlich ohne indiskret zu sein, erwähnen, dass mir auf dem Weg von Aleppo nach Istanbul die Farbe Ihres Morgenmantels aufgefallen ist. Ein blasses Lila, glaube ich.«
»Stimmt.«
»Haben Sie noch einen anderen Morgenmantel, Mademoiselle? Einen scharlachroten zum Beispiel?«
»Nein, der gehört mir nicht.«
Poirot beugte sich vor. Er war wie eine Katze, die zum Sprung nach einer Maus ansetzt.
»Wem dann?«
Die Frau schrak ein wenig zusammen.
»Das weiß ich nicht. Wie meinen Sie das?«
»Sie haben nicht gesagt: ›Nein, so etwas besitze ich nicht.‹ Sie sagen: ›Der gehört mir nicht‹ – was ja wohl heißt, dass er jemand anderem gehört.«
Sie nickte.
»Jemandem in diesem Zug?«
»Ja.«
»Wem?«
»Ich sagte es gerade, ich weiß es nicht. Ich bin heute früh um fünf aufgewacht und hatte das Gefühl, dass der Zug schon eine ganze Weile stand. Da habe ich die Abteiltür aufgemacht und auf den Gang hinausgesehen, weil ich dachte, wir wären vielleicht auf einem Bahnhof. Und dabei habe ich am anderen Ende des Korridors jemanden in einem roten Kimono gesehen.«
»Und Sie wissen nicht, wer das war? War die Frau blond, dunkel, grau?«
»Kann ich nicht sagen. Sie trug ein Haarnetz, und ich konnte sie nur von hinten sehen.«
»Und die Figur?«
»Ziemlich groß und schlank, meine ich, aber das ist schwer zu sagen. Der Kimono war mit Drachen bestickt.«
»Ja, richtig. Drachen.«
Er schwieg eine kleine Weile. Dann sagte er leise vor sich hin: »Ich verstehe das nicht, ich verstehe das überhaupt nicht. Es hat weder Hand noch Fuß.«
Dann blickte er wieder auf und sagte:
»Ich brauche Sie nicht länger aufzuhalten, Mademoiselle.«

»Oh!« Sie schien ein wenig enttäuscht zu sein, erhob sich aber prompt. An der Tür zögerte sie jedoch kurz und kam noch einmal zurück.
»Die Schwedin – Miss Ohlsson, nicht wahr? – ist ganz geknickt. Sie habe den Mann als Letzte lebend gesehen, sollen Sie zu ihr gesagt haben. Nun scheint sie zu glauben, Sie hätten sie deswegen im Verdacht. Darf ich ihr nicht sagen, dass sie sich irrt? Sehen Sie, Miss Ohlsson ist doch nun wirklich ein Mensch, der keiner Fliege etwas zu Leide tun könnte.«
Sie lächelte ein wenig bei diesen Worten.
»Wie viel Uhr war es, als sie zu Mrs. Hubbard ging, um sich ein Aspirin zu holen?«
»Kurz nach halb elf.«
»Und – wie lange war sie fort?«
»Fünf Minuten vielleicht.«
»Hat sie im Lauf der Nacht noch einmal das Abteil verlassen?«
»Nein.«
Poirot wandte sich an den Arzt.
»Könnte Mr. Ratchett schon so früh umgebracht worden sein?«
Der Doktor schüttelte den Kopf.
»Dann können Sie, glaube ich, Ihre Freundin beruhigen, Mademoiselle.«
»Danke.« Plötzlich lächelte sie ihn an, ein gewinnendes Lächeln. »Sie ist doch ein richtiges Schaf. Bekommt es mit der Angst und blökt.«
Damit machte sie kehrt und ging hinaus.

Zwölftes Kapitel

Das Zeugnis der deutschen Zofe

Monsieur Bouc blickte seinen Freund neugierig an.
»Ich verstehe Sie nicht ganz, *mon vieux*. Was wollten Sie eigentlich von ihr?«
»Ich habe die Schwachstelle gesucht, mein Freund.«

»Schwachstelle?«
»Ja – im Panzer der Selbstbeherrschung dieser jungen Dame. Ich wollte ihr *sang-froid* erschüttern. Ist es mir gelungen? Ich weiß es nicht. Aber eines weiß ich – sie hat nicht damit gerechnet, dass ich die Sache so angehen würde, wie ich es getan habe.«
»Sie verdächtigen sie«, sagte Monsieur Bouc bedächtig. »Aber warum? Nach meinem Eindruck ist sie eine charmante junge Dame – der letzte Mensch auf der Welt, der sich in ein Verbrechen dieser Art hineinziehen lassen würde.«
»Dem stimme ich zu«, sagte Dr. Constantine. »Sie ist kalt. Sie hat keine Gefühle. Sie würde einen Mann nicht erstechen; sie würde ihn vor Gericht bringen.«
Poirot seufzte. »Meine Herren, Sie sollten sich beide von der Vorstellung lösen, dass es sich hier um ein ungeplantes, spontanes Verbrechen handelt. Dass ich Miss Debenham verdächtige, hat zwei Gründe. Zum einen habe ich etwas mitgehört, wovon Sie beide noch nichts wissen.«
Er berichtete ihnen von dem sonderbaren Wortwechsel, dessen Zeuge er auf der Fahrt von Aleppo geworden war.
»Das ist in der Tat seltsam«, sagte Monsieur Bouc, nachdem Poirot geendet hatte. »Es bedarf der Erklärung. Wenn es bedeutet, was Sie vermuten, dann stecken sie beide zusammen darin – sie und der steife Engländer.«
Poirot nickte.
»Und genau das geben die Tatsachen nicht her«, sagte er. »Sehen Sie, wenn diese beiden gemeinsam die Finger im Spiel hätten – was müssten wir erwarten? Dass sie sich gegenseitig ein Alibi liefern. Ist es nicht so? Aber nein, es geschieht nichts dergleichen. Miss Debenham bekommt ihr Alibi von einer Schwedin, die sie noch nie gesehen hat, und für Colonel Arbuthnots Alibi steht Mr. MacQueen gerade, der Sekretär des Toten. Nein, diese Lösung des Rätsels ist zu einfach.«
»Sie sagten, Sie hätten zwei Gründe, Miss Debenham zu verdächtigen«, rief Monsieur Bouc ihm in Erinnerung.
Poirot lächelte.
»Ah, aber der zweite hat nur mit Psychologie zu tun. Ich frage mich, wäre Miss Debenham im Stande, dieses Verbrechen geplant zu haben? Hinter der Sache steckt nach meiner Überzeugung ein kühles, intelligentes, findiges Gehirn. Diese Beschreibung trifft auf Miss Debenham zu.«
Monsieur Bouc schüttelte den Kopf.

»Ich glaube, Sie irren sich, mein Freund. Ich kann diese junge englische Dame nicht für eine Kriminelle halten.«

»Alors«, sagte Poirot und nahm den letzten Pass zur Hand. »Hier ist der letzte Name auf meiner Liste. Hildegard Schmidt, Zofe.«

Hildegard Schmidt kam, vom Kellner benachrichtigt, in den Speisewagen und blieb respektvoll abwartend stehen.

Poirot bedeutete ihr, Platz zu nehmen.

Sie tat es, legte die Hände zusammen und wartete geduldig, bis sie gefragt wurde. Sie schien ein rundum sanftmütiges Wesen zu sein – durch und durch ehrbar – vielleicht nicht besonders intelligent.

Die Methode, die Poirot bei Hildegard Schmidt anwandte, stand im krassen Gegensatz zu seinem Umgang mit Mary Debenham.

Er war die Freundlichkeit und Leutseligkeit in Person, womit er die Frau zunächst einmal beruhigte. Nachdem er sie dann ihren Namen und ihre Adresse hatte niederschreiben lassen, leitete er behutsam zu seinen Fragen über. Die Vernehmung fand auf Deutsch statt.

»Wir möchten so viel wie möglich über die Ereignisse der vergangenen Nacht erfahren«, sagte Poirot. »Wir wissen, dass Sie uns nicht viel über das Verbrechen selbst sagen können, aber Sie könnten etwas gehört oder gesehen haben, was für uns vielleicht wichtig ist, auch wenn es Ihnen nicht allzu viel sagt. Verstehen Sie das?«

Offenbar nicht. Ihr breites, freundliches Gesicht behielt seinen Ausdruck sanftmütiger Dummheit, als sie antwortete:

»Ich weiß gar nichts, Monsieur.«

»Nun, aber Sie wissen doch zum Beispiel, dass Ihre Herrin letzte Nacht nach Ihnen geschickt hat?«

»Das ja.«

»Wissen Sie auch noch, um welche Zeit?«

»Nein, Monsieur. Ich hatte schon geschlafen, als der Schaffner kam und mir Bescheid sagte.«

»Ganz recht. War es für Sie normal, auf diese Weise gerufen zu werden?«

»Es war nicht unnormal, Monsieur. Es kommt oft vor, dass Ihre Durchlaucht nachts meine Aufwartung verlangt. Sie hatte nicht gut geschlafen.«

»Eh bien. Sie wurden also gerufen und sind aufgestanden. Haben Sie einen Morgenmantel übergeworfen?«

»Nein, Monsieur. Ich habe schnell ein paar Sachen angezogen. Ich wollte nicht im Morgenmantel zu Ihrer Durchlaucht gehen.«

»Aber Sie haben doch einen sehr schönen Morgenmantel – scharlachrot, nicht wahr?«
Sie sah ihn mit großen Augen an. »Dunkelblauer Flanell, Monsieur.«
»Aha! Fahren Sie fort. War nur ein kleiner Scherz von mir. Sie sind also zu *Madame la Princesse* gegangen. Und was haben Sie getan, als Sie bei ihr waren?«
»Ich habe sie zuerst massiert, Monsieur, und ihr dann vorgelesen. Ich bin nicht gut im Vorlesen, aber Ihre Durchlaucht sagt, das ist umso besser, weil sie dabei schneller einschläft. Als sie dann schläfrig wurde, hat sie mich fortgeschickt, Monsieur, und ich habe das Buch zugeklappt und bin wieder in mein Abteil gegangen.«
»Wissen Sie, um welche Zeit das war?«
»Nein, Monsieur.«
»*Alors,* wie lange waren Sie denn bei *Madame la Princesse?*«
»Eine halbe Stunde vielleicht, Monsieur.«
»Gut. Fahren Sie fort.«
»Zuerst habe ich für Ihre Durchlaucht noch eine Decke aus meinem Abteil geholt. Es war sehr kalt, trotz der Heizung. Ich habe die Decke über sie gelegt, und sie hat mir gute Nacht gewünscht. Dann habe ich ihr noch ein Glas Mineralwasser eingegossen und das Licht gelöscht und bin gegangen.«
»Und weiter?«
»Nichts weiter, Monsieur. Ich bin in mein Abteil zurückgegangen und habe mich wieder schlafen gelegt.«
»Und Sie sind auf dem Korridor niemandem begegnet?«
»Nein, Monsieur.«
»Sie haben zum Beispiel keine Dame in einem scharlachroten Kimono gesehen, mit Drachen darauf?«
Ihre sanftmütigen Augen quollen ihm förmlich entgegen.
»Wirklich nicht, Monsieur. Es war niemand da, außer dem Schaffner. Alle schliefen.«
»Aber den Schaffner haben Sie gesehen?«
»Ja, Monsieur.«
»Was tat er gerade?«
»Er kam aus einem der Abteile, Monsieur.«
»Wie?« Monsieur Bouc beugte sich vor. »Aus welchem?«
Hildegard Schmidt sah ihn wieder furchtsam an, und Poirot warf seinem Freund einen vorwurfsvollen Blick zu.

»Natürlich«, sagte er. »Der Schaffner wird in der Nacht sehr oft gerufen. Erinnern Sie sich, welches Abteil es war?«
»Ungefähr in der Mitte des Wagens, Monsieur. Zwei oder drei Türen weiter von Ihrer Durchlaucht.«
»Ah! Dann sagen Sie uns doch bitte, wo das genau war und was passierte.«
»Er hat mich fast umgerannt, Monsieur. Das war, als ich mit der Decke aus meinem Abteil wieder zu Ihrer Durchlaucht ging.«
»Und er kam aus einem Abteil und hat Sie fast umgerannt? In welche Richtung ging er?«
»Er kam auf mich zu, Monsieur. Er hat sich entschuldigt und ist weiter in Richtung Speisewagen gegangen. Es klingelte irgendwo, aber ich glaube, da ist er nicht hingegangen.« Sie schwieg kurz, dann sagte sie: »Ich verstehe das nicht. Wie kann –?«
Poirot versuchte sie zu beruhigen.
»Es geht nur um die Zeiten«, sagte er. »Reine Routine. Dieser arme Schaffner – er scheint eine unruhige Nacht gehabt zu haben. Zuerst muss er Sie wecken gehen, dann wird dauernd nach ihm geklingelt.«
»Es war aber nicht derselbe Schaffner, der mich geweckt hat, Monsieur. Es war ein anderer.«
»Ah, ein anderer! Hatten Sie ihn schon einmal gesehen?«
»Nein, Monsieur.«
»Hm! Würden Sie ihn wohl wieder erkennen?«
»Ich glaube ja, Monsieur.«
Poirot flüsterte Monsieur Bouc etwas ins Ohr. Letzterer stand auf und ging zur Tür, um eine Anweisung zu geben.
Poirot setzte freundlich und ruhig seine Befragung fort.
»Waren Sie schon einmal in Amerika, Fräulein Schmidt?«
»Noch nie, Monsieur. Muss ein schönes Land sein.«
»Sie haben vielleicht schon gehört, wer der Ermordete in Wirklichkeit war – dass er den Tod eines kleinen Kindes auf dem Gewissen hatte.«
»Ja, das habe ich gehört, Monsieur. Das war abscheulich – niederträchtig. Der liebe Gott dürfte so etwas nicht zulassen. Solche Niedertracht gibt es bei uns in Deutschland nicht.«
Tränen stiegen ihr in die Augen. Ihre mütterliche Seele war zutiefst bewegt.
»Ja, es war ein abscheuliches Verbrechen«, sagte Poirot ernst.
Er zog ein Tüchlein aus feinem Batist aus der Tasche und reichte es ihr.
»Ist das Ihr Taschentuch, Fräulein Schmidt?«

Es wurde kurz still, während die Frau sich das Tuch besah. Nach einer Weile blickte sie wieder auf. In ihr Gesicht war ein wenig Farbe gekommen.
»Aber nein, Monsieur. Das gehört mir nicht.«
»Es ist ein Monogramm darauf, ein H, sehen Sie? Deshalb dachte ich, es wäre Ihres.«
»Nein, Monsieur. Das ist das Taschentuch einer feinen Dame. Sehr teuer. Handgestickt. Aus Paris, würde ich sagen.«
»Es ist also nicht Ihres, und Sie wissen auch nicht, wem es gehört?«
»Ich? O nein, Monsieur.«
Von den drei Zuhörern vernahm nur Poirot die Spur eines Zögerns in ihrer Antwort.
Monsieur Bouc flüsterte Poirot etwas ins Ohr. Der nickte und sagte zu der Frau:
»Die drei Schlafwagenschaffner kommen jetzt. Wären Sie so freundlich, uns zu sagen, welcher es war, dem Sie letzte Nacht begegnet sind, als Sie mit der Decke zur Fürstin Dragomiroff gingen?«
Die drei Männer traten ein. Zuerst Pierre Michel, dann der große blonde Schaffner des Athener Wagens und der stämmige Schaffner des Bukarester Wagens.
Hildegard Schmidt musterte alle drei ganz kurz und schüttelte sogleich den Kopf.
»Nein, Monsieur. Von diesen Herren war es keiner, dem ich letzte Nacht begegnet bin.«
»Aber es sind die einzigen Schaffner im Zug. Sie müssen sich irren.«
»Ich bin mir ganz sicher, Monsieur. Diese Männer sind alle groß. Der, den ich gesehen habe, war klein und dunkelhäutig. Er hatte auch ein Schnurrbärtchen. Und als er ›*Pardon*‹ sagte, klang seine Stimme ganz dünn, wie die einer Frau. O ja, Monsieur, ich erinnere mich sehr gut an ihn.«

Dreizehntes Kapitel

Zusammenfassung der Zeugenaussagen

»Kleiner Mann mit dunklem Teint und weibischer Stimme«, sagte Monsieur Bouc.

Die drei Schaffner und Hildegard Schmidt waren inzwischen entlassen worden.

»Ich verstehe das nicht – ich verstehe das alles überhaupt nicht! Dieser Feind, von dem Ratchett gesprochen hat – war er demnach doch im Zug? Aber wo ist er jetzt? Wie kann er sich in Luft aufgelöst haben? Mir schwirrt der Kopf. Sagen Sie doch etwas, mein Freund, ich flehe Sie an. Zeigen Sie mir, wie das Unmögliche möglich sein kann!«

»Das war ein richtig schöner Satz«, meinte Poirot. »Das Unmögliche kann nicht geschehen sein, folglich muss das Unmögliche, allem Anschein zum Trotz, eben doch möglich sein.«

»Dann erklären Sie mir bitte ganz schnell, was sich letzte Nacht in diesem Zug wirklich zugetragen hat.«

»Ich bin kein Zauberer, *mon cher.* Ich bin genauso ratlos wie Sie. Der Fall nimmt eine höchst merkwürdige Entwicklung.«

»Er entwickelt sich gar nicht. Wir treten auf der Stelle.«

Poirot schüttelte den Kopf.

»Nein, das stimmt nicht. Wir sind vorangekommen. Wir wissen jetzt gewisse Dinge. Wir haben die Aussagen der Reisenden gehört.«

»Und was sagen sie uns? Gar nichts.«

»So würde ich es nicht ausdrücken, mein Freund.«

»Gut, ich übertreibe vielleicht. Der Amerikaner Hardman und die deutsche Zofe – ja, sie haben uns etwas gesagt, was wir noch nicht wussten. Aber das heißt zugleich, dass sie die ganze Geschichte noch undurchschaubarer gemacht haben, als sie es schon war.«

»Nein, o nein«, wiegelte Poirot ab.

Monsieur Bouc fuhr ihn an:

»Dann reden Sie doch! Lassen Sie uns teilhaben an der Weisheit Hercule Poirots.«
»Habe ich nicht eben erst gesagt, dass ich so ratlos bin wie Sie? Aber wir können uns dem Problem jetzt wenigstens stellen. Wir können Ordnung und Methode in die Fakten bringen, die wir haben.«
»Sprechen Sie bitte weiter, Monsieur«, sagte Dr. Constantine.
Poirot räusperte sich und strich angelegentlich ein Blatt Löschpapier glatt.
»Rekapitulieren wir den Fall, wie er sich uns im Moment darstellt. Zunächst sehen wir einige unumstrittene Tatsachen. Dieser Ratchett oder Cassetti wurde letzte Nacht mit zwölf Messerstichen getötet. Das ist Tatsache Nummer eins.«
»Zugestanden, *mon vieux*, zugestanden«, meinte Monsieur Bouc ironisch.
Hercule Poirot ließ sich davon keineswegs beeindrucken. Er fuhr gelassen fort.
»Ich übergehe für den Augenblick einige wunderliche Phänomene, über die Dr. Constantine und ich schon gesprochen haben. Ich werde aber bald darauf zurückkommen. Die nächste Tatsache von Bedeutung ist meines Erachtens der *Zeitpunkt* der Tat.«
»Wieder eines der wenigen Dinge, die wir wirklich wissen«, sagte Monsieur Bouc. »Die Tat wurde heute Nacht um Viertel nach eins begangen. Darauf deutet alles hin.«
»Nicht *alles*. Sie übertreiben. Aber sicherlich gibt es einige Anhaltspunkte, die dafür sprechen.«
»Freut mich, dass Sie wenigstens das zugeben.«
Auch diese Zwischenbemerkung konnte Poirot nicht aus dem Konzept bringen. Er sprach ruhig weiter.
»Drei Möglichkeiten tun sich vor uns auf:
Erstens: Die Tat wurde, wie Sie sagen, um Viertel nach eins begangen. Dies wird gestützt durch die Aussage der deutschen Zofe, Hildegard Schmidt. Es steht auch mit Dr. Constantines Feststellungen in Einklang.
Zweite Möglichkeit: Die Tat wurde später begangen und die Uhr mit böser Absicht zurückgestellt.
Dritte Möglichkeit: Die Tat wurde früher begangen und die Uhr mit ebenso böser Absicht vorgestellt.
Akzeptieren wir nun die erste Möglichkeit als die wahrscheinlichste, die zugleich durch Indizien am besten belegt ist, dann müssen wir auch gewisse Folgerungen akzeptieren, die daraus erwachsen. Zunächst: Wenn die Tat

um Viertel nach eins begangen wurde, kann der Mörder den Zug nicht mehr verlassen haben, und es erhebt sich die Frage, wo er ist. Und *wer* er ist. Prüfen wir als Erstes die Indizien, die wir haben. Von der Existenz dieses Mannes – klein mit dunklem Teint und weibischer Stimme – hören wir zum ersten Mal von Mr. Hardman. Er sagt, Ratchett habe ihm den Mann beschrieben und ihn beauftragt, nach ihm Ausschau zu halten. Dafür gibt es keine *Beweise,* nur Mr. Hardmans Aussage. Stellen wir uns als Nächstes die Frage:

Ist Mr. Hardman der, für den er sich ausgibt – Agent einer New Yorker Detektei?

Für mich ist dieser Fall deshalb so interessant, weil wir keine der Möglichkeiten haben, die der Polizei zur Verfügung stehen. Wir können den Leumund dieser Leute nicht prüfen. Wir sind allein auf logische Überlegungen angewiesen. Das macht die Sache für mich viel interessanter. Keinerlei Routinearbeit. Eine rein intellektuelle Übung. Ich frage mich: ›Können wir die Angaben, die Mr. Hardman über sich selbst gemacht hat, akzeptieren?‹ Ich entscheide mich und sage: ›Ja.‹ Ich bin der Meinung, dass wir Mr. Hardmans Angaben über sich selbst akzeptieren können.«

»Sie bauen auf Ihre Intuition – Ihren Riecher, wie es volkstümlich heißt?«, fragte Dr. Constantine.

»Keineswegs. Ich wäge Wahrscheinlichkeiten ab. Hardman reist mit falschem Pass – das macht ihn sofort verdächtig. Wenn die Polizei auf dem Schauplatz erscheint, wird sie Mr. Hardman unverzüglich festnehmen und sich telegrafisch von der Richtigkeit seiner Angaben überzeugen. Bei vielen Reisenden wird es schwierig sein, den Leumund einzuholen; wahrscheinlich wird man es in den meisten Fällen gar nicht erst versuchen, zumal es gegen diese Leute keinerlei Verdachtsmomente gibt. Bei Hardman ist es hingegen ganz einfach. Entweder ist er der, für den er sich ausgibt, oder er ist es nicht. Darum sage ich, dass sich alles als richtig herausstellen wird.«

»Sie nehmen ihn also von allem Verdacht aus?«

»Aber nein. Sie missverstehen mich. Aus meiner Sicht könnte jeder beliebige amerikanische Privatdetektiv seine persönlichen Gründe haben, Ratchett ermorden zu wollen. Nein, ich sage nur, dass wir Hardmans Angaben *über sich selbst* akzeptieren können. Als Nächstes ist diese Geschichte, die er uns erzählt hat – dass Ratchett ihn angeheuert habe –, nicht unglaubhaft und dürfte höchstwahrscheinlich, wenn auch natürlich nicht mit Sicherheit, wahr sein. Unterstellen wir sie als wahr, dann müssen wir suchen, ob es eine Bestätigung dafür gibt. Und wir finden sie, wo man sie am wenigsten erwarten sollte – in der Aussage von Hildegard Schmidt. Ihre Beschreibung des Mannes, den sie in der Uniform eines Schlafwagenschaffners gesehen hat, passt genau. Gibt es noch eine weitere Bestätigung für beide Aussagen? Ja, es gibt sie. Da ist der Knopf, den Mrs. Hubbard in ihrem Abteil gefunden hat. Und wir haben noch eine Aussage im selben Sinne, auch wenn sie Ihnen vielleicht entgangen ist.«

»Und die wäre?«

»Sowohl Colonel Arbuthnot als auch Hector MacQueen haben erwähnt, dass der Schaffner an ihrem Abteil vorbeiging. Sie haben dem keine Bedeutung beigemessen, aber, Messieurs, *Pierre Michel hat uns erklärt, dass er seinen Platz nicht verlassen hat,* außer zu ganz bestimmten, ausdrücklich genannten Anlässen, die ihn aber alle nicht zum vorderen Ende des Wagens und damit an dem Abteil vorbeiführten, in dem Arbuthnot und MacQueen saßen. Somit stützt sich die Geschichte von einem kleinen Mann mit dunklem Teint und weibischer Stimme, der die Uniform eines Schlafwagenschaffners trug, auf die direkten oder indirekten Aussagen von vier Zeugen.«

»Ein kleiner Einwand«, sagte Dr. Constantine. »Wenn Hildegard Schmidts Aussage wahr ist, wieso hat dann der richtige Schlafwagenschaffner nichts davon erwähnt, dass er sie gesehen habe, als er zu Mrs. Hubbard ging, weil sie nach ihm geläutet hatte?«

»Ich glaube, das lässt sich leicht erklären. Als er in den Wagen kam und zu Mrs. Hubbard ging, war die Zofe gerade im Abteil ihrer Herrin. Als sie dann zu ihrem eigenen Abteil zurückging, war der Schaffner bei Mrs. Hubbard.«

Monsieur Bouc hatte sich mit Mühe geduldet, bis die beiden anderen ihren Diskurs beendet hatten.

»Alles schön und gut, mein Freund«, sagte er jetzt unwirsch zu Poirot. »Aber sosehr ich Ihre umsichtige Methode bewundere, Ihr schrittweises Vorgehen, möchte ich mir doch die Bemerkung erlauben, dass Sie den Punkt, um den es hier geht, noch gar nicht berührt haben. Wir sind uns ja alle darüber einig, dass dieser Mann existiert. Die Frage ist nur – *wohin ist er verschwunden?*«

Poirot schüttelte tadelnd den Kopf.

»Das ist falsch. Sie sind in Gefahr, den Wagen vor das Pferd zu spannen. Bevor ich mich frage: *Wohin ist der Mann verschwunden?*, frage ich mich: *Gibt es den Mann überhaupt?* Denn sehen Sie, wenn dieser Mann erfunden ist – erdichtet –, wie viel leichter könnte man ihn dann von der Bildfläche verschwinden lassen! Also versuche ich zuerst herauszufinden, ob es so einen Mann überhaupt in Fleisch und Blut *gibt.*«

»Und nachdem wir nun festgestellt haben, *dass* es ihn gibt – *eh bien* – wo ist er jetzt?«

»Darauf gibt es nur zwei Antworten, *mon cher.* Entweder hält er sich noch im Zug versteckt, und zwar an einem so genial gewählten Ort, dass wir erst gar nicht darauf kommen, oder aber er ist gewissermaßen *zwei* Personen. Das heißt, er ist zum einen er selbst – der Mann, vor dem Mr. Ratchett sich fürchtete –, zum anderen ein Fahrgast, der sich so gut getarnt hat, dass nicht einmal Mr. Ratchett ihn erkannte.«

»Das ist eine Idee«, sagte Monsieur Bouc, und sein Gesicht erstrahlte. Aber sofort bewölkte es sich wieder. »Dagegen spricht allerdings eines –«

Poirot nahm ihm die Worte aus dem Mund.

»Die Größe des Mannes. Das wollten Sie sagen, ja? Mit Ausnahme von Mr. Ratchetts Diener sind alle männlichen Passagiere groß – der Italiener, Colonel Arbuthnot, Hector MacQueen, Graf Andrenyi. *Alors,* damit bleibt uns der Diener – keine sehr plausible Vermutung. Aber es gibt noch eine Möglichkeit. Denken Sie an die ›weibische‹ Stimme. Damit können wir zwischen zwei Alternativen wählen. Der Mann könnte sich als Frau verkleidet haben, oder andersherum, es könnte tatsächlich eine Frau *sein.* Eine große Frau in Männerkleidern würde klein wirken.«

»Aber Ratchett hätte doch sicher gewusst –«

»Vielleicht *hat* er es ja gewusst. Vielleicht hat diese Frau ihn schon einmal zu töten versucht, als Mann verkleidet, um leichter an ihr Ziel zu kommen. Ratchett könnte vermutet haben, dass sie diese List noch einmal anwenden würde, also weist er Hardman an, nach einem Mann Ausschau zu halten. Dabei erwähnt er jedoch ausdrücklich die ›weibische‹ Stimme.«

»Es wäre durchaus eine Möglichkeit«, sagte Monsieur Bouc. »Aber –«

»Hören Sie, mein Freund. Ich sollte Ihnen jetzt vielleicht über einige Ungereimtheiten berichten, auf die Dr. Constantine gestoßen ist.«

Er erläuterte ausführlich, welche Schlussfolgerungen er und der Arzt gemeinsam aus der Art der Wunden an der Leiche gezogen hatten. Monsieur Bouc griff sich wieder stöhnend an den Kopf.

»Ich weiß«, sagte Poirot teilnahmsvoll, »ich weiß genau, wie Ihnen zu Mute ist. Es dreht sich einem alles im Kopf, nicht wahr?«

»Das ist ja ein Stück aus dem Tollhaus!«, rief Monsieur Bouc.

»Genau. Es ist widersinnig – unwahrscheinlich – es kann gar nicht sein.

Das habe ich mir auch gesagt. Und dennoch ist es so, mein Freund. Vor Tatsachen gibt es kein Entrinnen.«
»Der helle Wahnsinn!«
»Nicht wahr? Es ist so verrückt, mein Freund, dass mich manchmal das Gefühl beschleicht, es müsse in Wirklichkeit ganz einfach sein ... Aber das ist nur so eine meiner ›kleinen Ideen‹ ...«
»Zwei Mörder«, stöhnte Monsieur Bouc. »Im Orientexpress!«
Er hätte bei diesem Gedanken weinen mögen.
»Und nun wollen wir das Tollhausstück noch etwas toller machen«, meinte Poirot fröhlich. »Vergangene Nacht befinden sich in diesem Zug zwei geheimnisvolle Fremde. Zum einen der Schlafwagenschaffner, auf den die Beschreibung zutrifft, die Mr. Hardman uns gegeben hat, und den Hildegard Schmidt, Colonel Arbuthnot und Mr. MacQueen gesehen haben. Zum anderen eine Frau im roten Kimono – eine große, schlanke Frau –, die von Pierre Michel, Miss Debenham, Mr. MacQueen und mir selbst gesehen und, wie man hinzufügen könnte, von Colonel Arbuthnot gerochen wurde! Wer war die Frau? Niemand im Zug gibt zu, einen roten Kimono zu besitzen. Auch sie ist verschwunden. Waren sie und der falsche Schlafwagenschaffner ein und dieselbe Person? Oder ist sie eine Person für sich? Wo sind die beiden? Und nebenbei gefragt, wo sind die Uniform und der rote Kimono?«
»Ah, endlich etwas Handfestes!« Monsieur Bouc sprang eilfertig auf. »Wir müssen das Gepäck sämtlicher Reisenden durchsuchen. Ja, das wäre etwas.«
Poirot stand ebenfalls auf.
»Ich will eine Prophezeiung wagen«, sagte er.
»Sie wissen, wo die Sachen sind?«
»Ich habe so eine kleine Idee.«
»Wo denn?«
»Sie werden den roten Kimono im Gepäck eines der Männer finden, und die Schaffneruniform im Gepäck von Hildegard Schmidt.«
»Hildegard Schmidt? Sie meinen –«
»Nein, nicht, was Sie denken. Lassen Sie es mich so sagen: Wenn Hildegard Schmidt schuldig ist, wird man die Uniform *vielleicht* in ihrem Gepäck finden, wenn sie aber unschuldig ist – dann *bestimmt.*«
»Aber wie –«, begann Monsieur Bouc und hielt inne.
»Was naht da für ein Lärm?«, rief er. »Das klingt ja wie eine Lokomotive in voller Fahrt.«

Der Lärm kam näher. Er bestand aus den schrillen Schreien und Protesten einer Frauenstimme. Die Tür am Ende des Speisewagens flog auf, und Mrs. Hubbard stürzte herein.
»Es ist zu grauenhaft!«, rief sie. »Einfach zu grauenhaft! In meinem Waschzeugbeutel. Ein großes Messer – und ganz voll Blut!«
Und plötzlich taumelte sie vornüber und sank an Monsieur Boucs Schulter in Ohnmacht.

Vierzehntes Kapitel

Die Tatwaffe

Mit mehr Kraft als Ritterlichkeit deponierte Monsieur Bouc die Ohnmächtige mit dem Kopf auf dem Tisch. Dr. Constantine rief nach einem der Kellner, der im Laufschritt ankam.
»Halten Sie ihren Kopf – so –«, befahl der Arzt. »Und wenn sie wieder zu sich kommt, geben Sie ihr einen Schluck Kognak. Haben Sie verstanden?«
Dann eilte er hinaus und den beiden anderen nach. Sein ganzes Interesse galt dem Verbrechen – ohnmächtige ältere Damen konnten ihm gestohlen bleiben.
Es könnte durchaus sein, dass Mrs. Hubbard dank dieser Methode etwas schneller wieder zu sich kam, als es sonst der Fall gewesen wäre. Schon nach wenigen Minuten saß sie wieder aufrecht, schlürfte Kognak aus dem Glas, das der Kellner ihr reichte, und redete drauflos.
»Ich kann Ihnen gar nicht sagen, wie schrecklich das war. Ich weiß nicht, ob jemand im Zug meine Gefühle verstehen kann. Ich war schon immer *sehr* empfindsam, schon als Kind. Wenn ich Blut nur schon sehe – brrr – wenn ich nur daran denke, wird mir gleich wieder schlecht.«
Der Kellner hielt ihr erneut das Glas an die Lippen.
»*Encore un peu,* Madame.«

»Meinen Sie, ich sollte? Ich bin mein Leben lang Abstinenzlerin gewesen. Eigentlich rühre ich Schnaps und Wein nie an. Meine ganze Familie trinkt nicht. Aber wenn es vielleicht nur als Medizin ist –«
Sie nippte noch einmal.
In der Zwischenzeit waren Poirot und Monsieur Bouc, denen Dr. Constantine auf den Fersen folgte, aus dem Speisewagen in den Schlafwagen Istanbul-Calais und dort zu Mrs. Hubbards Abteil geeilt.
Vor der Tür schienen sich sämtliche Reisenden versammelt zu haben. Der Schaffner, der einen gehetzten Ausdruck im Gesicht hatte, hielt sie zurück.
»Mais il n'y a rien à voir«, sagte er und wiederholte in verschiedenen Sprachen, dass es nichts zu sehen gebe.
»Lassen Sie mich bitte durch«, sagte Monsieur Bouc.
Er schob seinen rundlichen Leib durch den hinderlichen Pulk der Fahrgäste und betrat das Abteil. Poirot folgte ihm unmittelbar.
»Ich bin froh, dass Sie gekommen sind, Monsieur«, sagte der Schaffner mit einem Seufzer der Erleichterung. »Alle wollen da hinein. Die amerikanische Dame – wie sie geschrien hat, *ma foi!* Ich dachte schon, sie wäre auch ermordet worden. Ich bin hingerannt – gebrüllt hat sie wie am Spieß – sie muss sofort zu Ihnen, hat sie geschrien – und gleich ist sie losgerannt und hat in alle Abteile, an denen sie vorbeikam, hineinposaunt, was passiert war. *Es* –«, fuhr er mit einer entsprechenden Handbewegung fort, »ist da drinnen. Ich habe nichts angerührt.«
An der Klinke der Tür zum Nachbarabteil hing ein großer karierter Waschzeugbeutel aus Gummi. Darunter lag, wie Mrs. Hubbard ihn fallen gelassen hatte, ein Dolch – ein billiges, pseudoorientalisches Ding mit bossiertem Heft und gerader, spitz zulaufender Klinge, auf der lauter bräunliche Flecken waren, wie Rost.
Poirot hob den Dolch vorsichtig auf.
»Ja«, brummelte er leise. »Irrtum ausgeschlossen. Das ist die gesuchte Waffe – stimmt's, Doktor?«
Der Arzt nahm den Dolch von allen Seiten in Augenschein.
»Sie brauchen nicht so vorsichtig damit umzugehen«, meinte Poirot. »Da sind höchstens Mrs. Hubbards Fingerabdrücke drauf.«
Dr. Constantine brauchte für die Begutachtung nicht lange.
»Ja, das ist die Tatwaffe«, sagte er. »Die Wunden können alle von ihr stammen.«
»Ich flehe Sie an, mein Freund, sagen Sie das nicht.«

Der Doktor sah ihn verwundert an.
»Bitte, wir sind schon jetzt mit Zufällen überreichlich eingedeckt. Zwei Menschen beschließen in derselben Nacht, Mr. Ratchett zu ermorden. Es wäre wirklich zu viel des Guten, wenn sie sich beide dafür auch noch genau die gleiche Waffe zugelegt hätten.«
»In dieser Hinsicht«, meinte der Doktor, »ist der Zufall vielleicht gar nicht so groß, wie man meinen sollte. Diese pseudoorientalischen Dolche werden zu tausenden auf die Basars von Konstantinopel gebracht.«
»Das ist ein Trost, wenn auch nur ein schwacher«, sagte Poirot. Er betrachtete nachdenklich die Tür, vor der er stand. Dann nahm er den Waschzeugbeutel ab und probierte die Klinke. Die Tür bewegte sich nicht. Etwa dreißig Zentimeter über der Klinke befand sich das Verriegelungsschloss. Poirot drehte den Knauf und probierte die Klinke noch einmal, aber die Tür bewegte sich nach wie vor nicht.
»Wir haben sie von der anderen Seite verriegelt, wenn Sie sich erinnern«, sagte der Arzt.
»Richtig«, meinte Poirot, mit den Gedanken woanders. Er hatte die Stirn in tiefe Falten gelegt, als könnte er nun überhaupt nichts mehr verstehen.
»Es passt doch, oder?«, fragte Monsieur Bouc. »Der Mann geht durch dieses Abteil. Als er die Verbindungstür hinter sich schließt, fühlt er den Waschzeugbeutel. Da hat er eine Idee, und schnell steckt er das blutbefleckte Messer hinein. Dann geht er, ohne zu ahnen, dass er Mrs. Hubbard aufgeweckt hat, durch die andere Tür auf den Gang hinaus.«
»Sie sagen es«, murmelte Poirot. »So muss es zugegangen sein.«
Aber der Ausdruck tiefster Verwirrung stand noch immer in seinem Gesicht.
»Was haben Sie denn?«, fragte Monsieur Bouc. »Sie scheinen mit irgendetwas nicht zufrieden zu sein.«
Poirot warf ihm einen raschen Blick zu.
»Fällt Ihnen nicht auch etwas auf? Nein, offenbar nicht. Nun gut, es ist nur eine Kleinigkeit.«
Der Schaffner steckte den Kopf ins Abteil.
»Die Amerikanerin kommt zurück.«
Dr. Constantine blickte schuldbewusst drein. Er fand, dass er Mrs. Hubbard ziemlich schäbig behandelt hatte. Aber sie kam ihm nicht mit Vorwürfen. Ihre Energien waren auf anderes gerichtet.
»Das eine sage ich Ihnen gleich«, ließ sie sich atemlos vernehmen, kaum

dass sie an der Tür war. »Ich bleibe nicht eine Minute länger in diesem Abteil! Nein, hier könnte ich heute Nacht nicht schlafen, und wenn Sie mir eine Million Dollar dafür bieten.«
»Aber Madame –«
»Ich weiß, was Sie sagen wollen, aber dergleichen kommt überhaupt nicht in Frage. Lieber setze ich mich die ganze Nacht auf den Gang.«
Sie begann zu weinen.
»Oh, wenn das meine Tochter wüsste – wenn sie mich jetzt sehen könnte – warum –?«
Poirot griff energisch ein.
»Sie haben uns falsch verstanden, Madame. Ihre Forderung ist vollkommen berechtigt. Ihr Gepäck wird sofort in ein anderes Abteil gebracht.«
Mrs. Hubbard ließ ihr Taschentuch sinken.
»Ja? Oh, dann ist mir gleich schon wieder wohler. Aber hier ist doch schon alles voll – es sei denn, einer der Herren –«
Monsieur Bouc meldete sich zu Wort.
»Ihr Gepäck, Madame, wird sogar in einen anderen Wagen gebracht. Sie bekommen ein Abteil im nächsten Wagen, der in Belgrad angehängt wurde.«
»Oh, das ist ja wunderbar. Ich bin ja nicht übertrieben ängstlich, aber in einem Abteil zu schlafen, wo nebenan ein Toter liegt –« Sie schauderte. »Ich würde glatt verrückt.«
»Michel«, befahl Monsieur Bouc, »schaffen Sie dieses Gepäck in ein leeres Abteil im Wagen Athen-Paris.«
»Ja, Monsieur. Das gleiche Abteil wie hier – Nummer drei?«
»Nein«, sagte Poirot rasch, bevor sein Freund antworten konnte. »Ich glaube, es wäre besser für Madame, auch eine andere Abteilnummer zu bekommen. Die Zwölf zum Beispiel.«
»Bien, Monsieur.«
Der Schaffner nahm das Gepäck, und Mrs. Hubbard wandte sich dankbar an Poirot.
»Das ist sehr lieb und feinfühlig von Ihnen. Dafür bin ich Ihnen wirklich dankbar.«
»Keine Ursache, Madame. Wir kommen mit Ihnen und sorgen dafür, dass Sie gut untergebracht werden.«
So wurde Mrs. Hubbard von den drei Männern in ihr neues Reich eskortiert. Sie schaute sich glücklich um.

»Das ist gut.«
»Gefällt es Ihnen, Madame? Sie sehen, es ist genau so eines wie das, aus dem Sie soeben ausgezogen sind.«
»Stimmt – es zeigt nur in die andere Fahrtrichtung. Aber das macht nichts, weil diese Züge ja immer zuerst so und dann wieder andersherum fahren. Ich habe schon zu meiner Tochter gesagt: ›Ich möchte ein Abteil, in dem ich mit dem Gesicht zur Lokomotive sitze‹, worauf sie sagte: ›Aber Mama, das nützt dir gar nichts, denn da legst du dich in der einen Richtung schlafen, und wenn du aufwachst, fährt der Zug in die andere Richtung.‹ Stimmt vollkommen, was sie sagt. Sehen Sie, gestern Abend sind wir so nach Belgrad eingefahren und andersherum wieder heraus.«
»Jedenfalls sind Sie jetzt glücklich und zufrieden, Madame?«
»Also, das würde ich nun nicht gerade sagen. Wir stecken hier im Schnee fest, und keiner unternimmt etwas; und mein Schiff geht übermorgen.«
»Es geht uns allen genauso, Madame«, sagte Monsieur Bouc. »Jedem Einzelnen.«
»Ja, das schon«, räumte Mrs. Hubbard ein, »aber bei keinem sonst ist ein Mörder mitten in der Nacht durchs Abteil spaziert.«
»Eines wundert mich ja immer noch, Madame«, sagte Poirot, »nämlich wie der Mann in Ihr Abteil gekommen ist, wenn die Verbindungstür doch verriegelt war, wie Sie sagen. Sind Sie *sicher,* dass sie verriegelt war?«
»Also, die Dame aus Schweden hat es vor meinen Augen nachgeprüft.«
»Wollen wir diese kleine Szene einmal rekonstruieren? Sie lagen in Ihrem Bett – so – und konnten das Schloss nicht selbst sehen, sagen Sie?«
»Konnte ich nicht, wegen des Waschzeugbeutels. Oje, ich muss mir einen neuen besorgen. Mir wird ganz schlecht, wenn ich den hier nur sehe.«
Poirot nahm den Beutel und hängte ihn an die Klinke der Verbindungstür zum nächsten Abteil.
»*Précisément*«, sagte er, »ich sehe es schon. Das Schloss sitzt genau unter der Klinke – der Beutel verdeckt es. Von dort, wo Sie lagen, konnten Sie wirklich nicht sehen, ob die Tür verriegelt war oder nicht.«
»Das sage ich doch die ganze Zeit.«
»Und die Schwedin, Miss Ohlsson, stand so – zwischen Ihnen und der Tür. Sie hat die Tür probiert und Ihnen gesagt, die Verriegelung sei zu?«
»Genau.«
»Trotzdem, sie könnte sich doch geirrt haben, Madame. Sie verstehen, was ich meine?« Poirot schien sehr darauf bedacht, ihr das zu erklären. »Dieser

Verriegelungsknauf ist ja nur ein vorstehendes Stück Metall. Nach rechts gedreht, ist die Tür verriegelt, steht er gerade, ist sie es nicht. Es könnte sein, dass sie nur die Klinke probiert hat, und da die Tür von der anderen Seite verriegelt war, hat sie einfach geglaubt, sie sei es auch von Ihrer Seite.«
»Na, das fände ich aber ziemlich dumm von ihr.«
»Madame, die Sanftmütigsten und Liebenswertesten sind nicht immer auch die Klügsten.«
»Das stimmt allerdings.«
»Übrigens, Madame, sind Sie auf demselben Weg nach Smyrna gefahren?«
»Nein, da habe ich das Schiff nach Istanbul genommen, und ein Freund meiner Tochter – Mr. Johnson (so ein reizender Mann; ich würde Sie ihm so gern vorstellen) – hat mich dort abgeholt und mir ganz Istanbul gezeigt. Ich fand es als Stadt ja sehr enttäuschend – da verfällt alles so. Und dann die Moscheen, wo man sich diese rutschigen großen Dinger über die Schuhe ziehen muss – wo war ich?«
»Sie erzählten gerade, dass Mr. Johnson Sie abgeholt hat.«
»Richtig, und dann hat er mich auf ein Schiff der Messagerie Française nach Smyrna gesetzt, wo der Mann meiner Tochter mich am Kai erwartete. Was wird er nur sagen, wenn er von dieser Geschichte erfährt! Meine Tochter hat gemeint, es wäre der sicherste und einfachste Weg, den man sich denken kann. ›Du setzt dich in dein Abteil‹, hat sie gemeint, ›und fährst durch bis nach Paris, wo der American Express dich abholt.‹ Und – oje, was mache ich jetzt nur mit meiner Überfahrt? Ich muss denen doch Bescheid sagen. Unmöglich, dass ich es noch schaffe. Es ist aber auch zu schrecklich –«
Mrs. Hubbard machte Anstalten, in Tränen auszubrechen.
Poirot, der schon etwas unruhig geworden war, ergriff die Gelegenheit.
»Sie haben einen Schock erlitten, Madame. Wir werden den Speisewagenkellner bitten, Ihnen etwas Tee und ein paar Stückchen Zwieback zu bringen.«
»Ich weiß nicht, ob ich so scharf auf Tee bin«, sagte Mrs. Hubbard unter Tränen. »Das ist doch eher eine englische Sitte.«
»Dann Kaffee, Madame. Sie brauchen etwas zur Anregung.«
»Dieser Kognak hat mir so ein komisches Gefühl im Kopf gemacht. Ich glaube, ich möchte einen Kaffee.«
»Ausgezeichnet. Sie müssen Ihre Kräfte wiederbeleben.«
»Oje, was für ein komischer Ausdruck.«

»Aber zuvor, Madame, noch eine Kleinigkeit – nur Routine. Sie gestatten, dass ich Ihr Gepäck durchsuche?«
»Wozu denn das?«
»Wir werden demnächst das Gepäck aller Reisenden durchsuchen. Ich erinnere Sie ungern an ein unangenehmes Erlebnis, aber – denken Sie an Ihren Waschzeugbeutel.«
»Erbarmen! Ja, vielleicht ist es besser so. Noch mehr Überraschungen dieser Art würde ich nicht aushalten.«
Die Durchsuchung war schnell erledigt. Mrs. Hubbard reiste nur mit dem Notwendigsten – Hutschachtel, billiger Koffer und wohlgefüllte Reisetasche. Der Inhalt aller drei Gepäckstücke war nicht weiter ungewöhnlich, und die Sache wäre in ein paar Minuten erledigt gewesen, hätte Mrs. Hubbard sie nicht dadurch verzögert, dass sie gebührende Aufmerksamkeit für ihre Fotos einforderte – »meine Tochter« nebst zwei ziemlich hässlichen Kindern – »die Kinder meiner Tochter. Sind sie nicht süß?«

Fünfzehntes Kapitel

Das Reisegepäck

Nachdem Poirot sich noch einiger höflicher Unaufrichtigkeiten entledigt und Mrs. Hubbard versprochen hatte, ihr einen Kaffee bringen zu lassen, konnte er endlich mit seinen beiden Freunden das Weite suchen.
»Also, wir haben einen Anfang gemacht und eine Niete gezogen«, bemerkte Monsieur Bouc. »Wen sollen wir uns nun als Nächstes vornehmen?«
»Ich glaube, es wäre am einfachsten, von Abteil zu Abteil zu gehen. Das heißt, wir beginnen mit Nummer sechzehn – dem liebenswürdigen Mr. Hardman.«
Mr. Hardman, der gerade eine Zigarre rauchte, hieß sie freundlich willkommen.

»Treten Sie ein, meine Herren – das heißt, soweit das menschenmöglich ist. Für eine Party ist es hier ein bisschen eng.«
Monsieur Bouc erklärte den Zweck ihres Besuchs, und der stämmige Detektiv nickte verstehend.
»Das geht klar. Ehrlich gesagt, ich hatte mich schon gewundert, dass Sie darauf nicht früher gekommen sind. Hier sind die Schlüssel, meine Herren, und wenn Sie auch meine Taschen durchsuchen wollen, bitte sehr. Soll ich die Koffer für Sie herunternehmen?«
»Das macht der Schaffner. Michel!«
Mr. Hardmans zwei Koffer waren schnell durchsucht und ihr Inhalt für harmlos befunden. Sie enthielten höchstens einen ungebührlich großen Vorrat an alkoholischen Getränken. Mr. Hardman zwinkerte ihnen zu.
»Kommt nicht oft vor, dass sie einem an den Grenzen das Gepäck durchsuchen – vorausgesetzt, man freundet sich mit dem Schaffner an. Ich habe gleich zu Anfang einen Packen türkische Banknoten herausgerückt, und bisher hat es keinen Ärger gegeben.«
»Und in Paris?«
Mr. Hardman zwinkerte wieder.
»Bis wir in Paris sind«, sagte er, »werden die schäbigen Reste sich in einer Flasche mit der Aufschrift ›Haarwasser‹ befinden.«
»Ich sehe, Sie sind kein Freund der Prohibition, Mr. Hardman«, stellte Monsieur Bouc mit einem Lächeln fest.
»Hm«, machte Mr. Hardman, »ich kann nicht behaupten, dass die Prohibition mich je groß gekümmert hätte.«
»Ja ja, die Flüsterkneipen«, sagte Monsieur Bouc. Er sprach das Wort mit Andacht aus. »Ihr Amerikaner habt so ulkige Ausdrücke.«
»Ich für meinen Teil würde sehr gern nach Amerika gehen«, behauptete Poirot.
»Da drüben würden Sie ein paar fortschrittliche Methoden kennen lernen«, meinte Mr. Hardman. »Europa muss aufwachen. Es liegt halb im Schlaf.«
»Es stimmt, dass Amerika das Land des Fortschritts ist«, pflichtete Poirot ihm bei. »Es gibt so vieles, was ich an Amerika bewundere. Nur – vielleicht bin ich ja altmodisch –, aber ich finde, dass die amerikanischen Frauen nicht so charmant sind wie meine Landsmänninnen. Die Französin oder Belgierin – kokett und charmant. Ich glaube, da kommt keine andere mit.«
Hardman drehte sich zum Fenster um und blickte ein Weilchen in den Schnee hinaus.

»Vielleicht haben Sie Recht, Monsieur Poirot«, meinte er. »Aber ich denke, jedes Volk liebt seine eigenen Frauen am meisten.«
Er blinzelte, als täte der Schnee seinen Augen weh.
»Blendet ein bisschen«, bemerkte er. »Wissen Sie, meine Herren, mir geht diese Geschichte langsam auf die Nerven. Der Mord, der Schnee und so weiter, und nichts tut sich. Man hängt hier nur herum und schlägt die Zeit tot. Ich möchte mich endlich wieder auf irgendeine Fährte setzen.«
»Der wahre amerikanische Tatendrang«, meinte Poirot lächelnd.
Der Schaffner hob die Koffer wieder ins Gepäcknetz, und sie gingen ins nächste Abteil. Colonel Arbuthnot saß pfeiferauchend in einer Ecke und las in einer Illustrierten.
Poirot erklärte ihm, wozu sie gekommen waren. Der Oberst erhob keine Einwände. Er hatte zwei schwere Lederkoffer.
»Mein übriges Gepäck ist auf dem Seeweg«, erklärte er.
Wie die meisten Soldaten verstand Colonel Arbuthnot seine Koffer ordentlich zu packen. Die Durchsuchung seines Gepäcks nahm nur Minuten in Anspruch. Poirot fand ein Päckchen Pfeifenreiniger.
»Benutzen Sie immer dieselbe Sorte?«, fragte er.
»Gewöhnlich ja. Wenn ich sie kriege.«
»Aha.« Poirot nickte.
Die Pfeifenreiniger waren die gleichen wie der, den er im Abteil des Toten vom Fußboden aufgehoben hatte.
Als sie wieder auf dem Gang waren, machte Dr. Constantine eine entsprechende Bemerkung.
»Tout de même«, murmelte Poirot. »Ich kann es kaum glauben. Es ist nicht *dans son caractère,* und damit ist eigentlich alles gesagt.«
Die Tür zum nächsten Abteil war zu. Es gehörte der Fürstin Dragomiroff. Sie klopften, und die Fürstin rief: *»Entrez!«*
Monsieur Bouc war der Sprecher. Überaus ehrerbietig und höflich erklärte er ihr Begehr.
Die Fürstin hörte ihn schweigend an. Ihr kleines Krötengesicht zeigte keine Regung.
»Wenn es sein muss, Messieurs«, sagte sie ruhig, nachdem er geendet hatte, »brauchen wir darüber kein weiteres Wort zu verlieren. Meine Zofe hat die Schlüssel. Sie wird Ihnen behilflich sein.«
»Hat Ihre Zofe immer die Schlüssel, Madame?«, erkundigte sich Poirot.
»Gewiss, Monsieur.«

»Und wenn nachts an einer Grenze der Zoll einen der Koffer geöffnet haben möchte?«
Die alte Dame zuckte die Achseln.
»Das ist sehr unwahrscheinlich. Aber in so einem Fall würde der Schaffner sie rufen.«
»Sie vertrauen Ihrer Zofe also uneingeschränkt, Madame?«
»Das habe ich Ihnen schon gesagt«, antwortete die Fürstin ruhig. »Ich stelle niemanden ein, dem ich nicht vertraue.«
»Ja, ja«, meinte Poirot bedächtig. »Vertrauen ist heutzutage wirklich etwas wert. Vielleicht ist eine weniger hübsche Zofe, der man vertrauen kann, doch besser als eine schicke Mademoiselle – eine flotte Pariserin zum Beispiel.«
Die klugen, dunklen Augen richteten sich langsam auf ihn.
»Was wollen Sie damit eigentlich sagen, Monsieur Poirot?«
»Ich, Madame? Nichts. Gar nichts.«
»Aber doch. Sie finden, ich sollte mir eine flotte Französin zulegen, die mir die Toilette macht, nicht wahr?«
»Es entspräche vielleicht etwas mehr den Gepflogenheiten, Madame.«
Sie schüttelte den Kopf.
»Schmidt ist mir ergeben.« Ihre Stimme verharrte liebevoll auf dem Wort.
»Ergebenheit – *c'est impayable.*«
Die deutsche Zofe war inzwischen mit den Schlüsseln gekommen. Die Fürstin befahl ihr in ihrer Muttersprache, die Koffer zu öffnen und den Herren bei der Durchsuchung zu helfen. Sie selbst blieb solange auf dem Gang und blickte in den Schnee hinaus. Poirot leistete ihr dabei Gesellschaft und überließ die Durchsuchung des Gepäcks Monsieur Bouc.
Sie sah ihn mit einem grimmigen Lächeln an.
»Nanu, Monsieur, Sie wollen nicht sehen, was in meinen Koffern ist?«
Er schüttelte den Kopf.
»Es ist eine bloße Formalität, Madame.«
»Sind Sie da so sicher?«
»In Ihrem Fall ja.«
»Dabei habe ich doch Sonia Armstrong gekannt und geliebt. Was denken Sie also? Dass ich mir nicht die Finger schmutzig machen würde, indem ich eine *canaille* wie Cassetti persönlich ermorde? Gut, da haben Sie vielleicht recht.«
Sie schwieg eine ganze Weile, dann sagte sie:
»Wissen Sie, was ich mit so einem Menschen am liebsten gemacht hätte?

Meiner Dienerschaft zugerufen: ›Peitscht ihn zu Tode, und dann werft ihn auf den Misthaufen.‹ So hat man es gehalten, als ich noch jung war, Monsieur.«
Er sagte noch immer nichts, sondern hörte nur aufmerksam zu.
Plötzlich funkelte sie ihn böse an.
»Sie sagen ja gar nichts, Monsieur Poirot. Ich möchte wissen, was Sie denken.«
Er sah ihr voll in die Augen.
»Ich denke, Madame, dass Ihre Kraft in Ihrem Willen steckt, nicht in Ihrem Arm.«
Sie blickte hinunter auf ihre dürren, schwarz verhüllten Arme, die in zwei klauenartigen gelben Händen mit beringten Fingern endeten.
»Das ist wahr«, sagte sie. »Darin habe ich keine Kraft – gar keine. Ich weiß nicht, ob ich darüber traurig oder froh bin.«
Mit diesen Worten machte sie kehrt und ging in ihr Abteil zurück, wo die Zofe gerade die Koffer wieder packte.
Monsieur Bouc setzte zu einer langen Entschuldigung an, aber die Fürstin fiel ihm ins Wort.
»Sie brauchen sich nicht zu entschuldigen, Monsieur«, sagte sie. »Es wurde ein Mord begangen. Da sind gewisse Maßnahmen zu ergreifen. Weiter gibt es dazu nichts zu sagen.«
»*Vous êtes bien aimable,* Madame.«
Sie neigte kurz den Kopf, als sie gingen.
Die nächsten beiden Abteiltüren waren zu. Monsieur Bouc blieb davor stehen und kratzte sich am Kopf.
»*Diable*«, sagte er. »Das kann knifflig werden. Die Leute haben Diplomatenpässe. Ihr Gepäck ist immun.«
»Nur bei der Zollkontrolle. Mord ist etwas anderes.«
»Ich weiß. Trotzdem – ich möchte keine Schwierigkeiten bekommen.«
»Machen Sie sich keine Sorgen, mein Freund. Der Graf und die Gräfin werden vernünftig sein. Sehen Sie doch, wie liebenswürdig die Fürstin Dragomiroff es über sich hat ergehen lassen.«
»Sie ist wahrhaft *une grande dame.* Die beiden sind vom gleichen gesellschaftlichen Rang wie sie, aber der Graf kam mir doch ein wenig widerborstig vor. Er war gar nicht erfreut, als Sie unbedingt seine Frau vernehmen wollten. Und nun werden wir ihn noch mehr reizen. Angenommen, wir – äh – übergehen sie. Schließlich können sie mit der

Sache nichts zu tun haben. Warum sollte ich mir unnötigen Ärger zuziehen?«
»Ich bin nicht Ihrer Meinung«, sagte Poirot. »Nach meiner Überzeugung wird Graf Andrenyi ein Einsehen haben. Wir sollten es doch wenigstens versuchen.«
Und ehe Monsieur Bouc antworten konnte, klopfte er laut an die Tür von Abteil dreizehn.
Von drinnen rief eine Stimme: *»Entrez.«*
Der Graf saß in der Ecke bei der Tür und las Zeitung. Die Gräfin hatte sich in die andere Ecke beim Fenster gekuschelt. Sie hatte ein Kissen hinter dem Kopf und schien geschlafen zu haben.
»Pardon, Monsieur le Comte«, begann Poirot. »Bitte verzeihen Sie die Störung. Es ist so, dass wir alles Gepäck im Zug durchsuchen wollen. In den meisten Fällen ist das eine bloße Formalität. Aber es muss sein. Monsieur Bouc meint, Sie könnten als Inhaber eines Diplomatenpasses mit Fug und Recht verlangen, von dieser Durchsuchung ausgenommen zu werden.«
Der Graf dachte darüber kurz nach.
»Danke«, sagte er dann, »aber ich glaube, ich lege keinen Wert darauf, dass in meinem Fall eine Ausnahme gemacht wird. Es ist mir lieber, wenn unser Gepäck ebenso durchsucht wird wie das der übrigen Reisenden.«
Er wandte sich an seine Frau.
»Du hast doch hoffentlich nichts dagegen, Elena?«
»Ganz und gar nicht«, antwortete die Gräfin ohne das mindeste Zögern.
Es folgte eine rasche und ziemlich oberflächliche Durchsuchung. Es schien, als wollte Poirot eine gewisse Verlegenheit überspielen, indem er scheinbar sinnlose Bemerkungen wie die folgende machte:
»Dieses Etikett auf Ihrem Koffer ist ja ganz feucht, Madame.« Dabei nahm er einen kleinen Koffer aus blauem Saffianleder mit Initialen und Krönchen aus dem Gepäcknetz herunter.
Die Gräfin antwortete auf diese Bemerkung nicht. Überhaupt schien der ganze Vorgang sie zu langweilen, denn sie blieb in ihre Ecke gekuschelt und blickte verträumt aus dem Fenster, während die Männer im Nachbarabteil ihr Gepäck durchsuchten.
Zuletzt öffnete Poirot das Schränkchen über dem Waschbecken und überflog rasch den Inhalt: Schwamm, Gesichtscreme, Puder und ein Fläschchen mit der Aufschrift »Trional«.

Unter wechselseitigen Artigkeiten zogen die Detektive sich zurück.
Es folgten Mrs. Hubbards Abteil, das des Toten und Poirots eigenes.
So kamen sie zu den Abteilen der zweiten Klasse. Das erste mit den Betten Nummer zehn und elf belegten Mary Debenham, die in einem Buch las, und Greta Ohlsson, die in tiefem Schlaf gelegen hatte und bei ihrem Eintreten aufschreckte.
Poirot wiederholte sein Sprüchlein. Die Schwedin schien aufgeregt, Mary Debenham war die Ruhe selbst.
Poirot wandte sich an die Schwedin.
»Wenn Sie gestatten, Mademoiselle, werden wir Ihr Gepäck als Erstes durchsuchen, und dann wären Sie vielleicht so lieb, einmal zu der amerikanischen Dame zu gehen und zu fragen, wie es ihr geht. Wir haben sie in ein anderes Abteil im nächsten Wagen verlegt, aber ihre unliebsame Entdeckung setzt ihr noch immer sehr zu. Ich habe ihr einen Kaffee bringen lassen, aber ich glaube, ein Mensch, mit dem sie reden kann, ist für eine Frau wie sie geradezu lebensnotwendig.«
Die gute Schwedin war sogleich voller Mitgefühl. Ja, sie werde unverzüglich hingehen. Es müsse in der Tat ein furchtbarer Schock für ihre Nerven gewesen sein, wo doch die Reise an sich und der Abschied von ihrer Tochter die Ärmste schon so mitgenommen hätten. Ja, sie werde sofort hingehen – ihr Koffer sei nicht verschlossen – und ihr etwas Riechsalz mitnehmen.
Sie stürzte davon. Ihre Siebensachen waren schnell durchgesehen, denn sie waren überaus karg. Dass in ihrer Hutschachtel die Drahtgeflechte fehlten, hatte sie offenbar noch gar nicht bemerkt.
Miss Debenham hatte ihr Buch fortgelegt und schaute Poirot zu. Auf seine Bitte gab sie ihm ihre Schlüssel. Als er dann einen Koffer herunternahm und ihn öffnete, fragte sie:
»Warum haben Sie Miss Ohlsson fortgeschickt, Monsieur Poirot?«
»Warum, Mademoiselle? Nun, damit sie sich um die Amerikanerin kümmert.«
»Ein wunderbarer Vorwand – aber doch ein Vorwand.«
»Ich verstehe nicht, Mademoiselle.«
»Ich glaube, Sie verstehen sehr gut.«
Sie lächelte.
»Sie wollten mich allein sprechen. Habe ich nicht Recht?«
»Das legen Sie mir in den Mund, Mademoiselle.«

»Und bringe Sie damit auf Ideen? O nein, das glaube ich nicht. Die Ideen sind schon da. Oder stimmt das etwa nicht?«
»Mademoiselle, wir haben ein Sprichwort –«
»*Qui s'excuse s'accuse* – wollten Sie das nicht sagen? Sie sollten mir schon ein gewisses Maß an Beobachtungsgabe und gesundem Menschenverstand zutrauen. Aus irgendeinem Grund haben Sie sich in den Kopf gesetzt, ich wüsste etwas über diese unerquickliche Geschichte – den Mord an einem Mann, den ich noch nie im Leben gesehen habe.«
»Sie müssen sich das einbilden, Mademoiselle.«
»Nein, ich bilde mir gar nichts ein. Aber mir scheint, Sie vertun sehr viel Zeit mit Ausflüchten – Sie klopfen nur auf den Busch, statt gleich mit Ihren Anliegen herauszurücken.«
»Und Sie haben für Zeitverschwendung nichts übrig. Nein, Sie möchten gleich zur Sache kommen. Sie lieben die direkte Methode. *Eh bien,* die sollen Sie haben, Ihre direkte Methode. Ich werde Sie nach der Bedeutung bestimmter Worte fragen, die ich auf der Fahrt von Syrien zufällig mitgehört habe. Ich bin auf dem Bahnhof von Konya aus dem Zug gestiegen, um, wie die Engländer sagen, ›meine Beine zu strecken‹. Da vernahm ich aus der Nacht Ihre Stimme, Mademoiselle, und die des Colonel. Sie sagten zu ihm: ›Nicht jetzt, nicht jetzt. Erst wenn alles vorbei ist, wenn wir es hinter uns haben.‹ Was haben Sie denn damit gemeint, Mademoiselle?«
Vollkommen ruhig fragte sie zurück: »Sie glauben, ich hätte von – Mord gesprochen?«
»Die Fragen stelle ich, Mademoiselle.«
Sie seufzte – einen kleinen Moment schien sie in Gedanken verloren. Dann gab sie sich scheinbar einen Ruck und sagte:
»Diese Worte hatten eine Bedeutung, Monsieur, aber keine, die ich Ihnen nennen kann. Ich kann Ihnen nur feierlich versichern, dass dieser Ratchett mir nie vor Augen gekommen ist, bevor ich ihn in diesem Zug sah.«
»Und – Sie weigern sich, mir die Bedeutung dieser Worte zu erklären?«
»Wenn Sie es so auszudrücken belieben – ja, ich weigere mich. Es ging dabei um – eine Sache, die ich in Angriff genommen hatte.«
»Eine Sache, die nunmehr erledigt ist?«
»Wie meinen Sie das?«
»Sie ist doch jetzt erledigt, nicht wahr?«

»Wie kommen Sie darauf?«
»Hören Sie, Mademoiselle, ich will Ihnen noch etwas anderes ins Gedächtnis rufen. An dem Tag, an dem wir in Istanbul ankommen sollten, hatte der Zug Verspätung. Sie waren sehr aufgeregt, Mademoiselle. Sie, die Sie sonst so ruhig, so beherrscht sind. Diese Ruhe war Ihnen abhanden gekommen.«
»Ich wollte lediglich meinen Anschluss nicht verpassen.«
»Ja, das sagten Sie da auch. Aber der Orientexpress, Mademoiselle, verlässt Istanbul an jedem Wochentag. Selbst wenn Sie den Anschluss verpasst hätten, wäre es nur eine Sache von vierundzwanzig Stunden gewesen.«
Miss Debenham ließ sich zum ersten Mal so etwas wie Zorn anmerken.
»Sie scheinen nicht zu wissen, dass man Freunde haben kann, die einen in London erwarten, und dass ein Tag Verspätung manche Ungelegenheit bereiten kann.«
»Ach, ist das so? Sie werden in London von Freunden erwartet? Und denen möchten Sie keine Ungelegenheiten bereiten?«
»Natürlich.«
»Trotzdem – es ist merkwürdig –«
»Was ist merkwürdig?«
»In diesem Zug hier – wir haben schon wieder Verspätung. Und diesmal ist die Verspätung schlimmer, denn Sie haben nicht einmal die Möglichkeit, Ihren Freunden ein Telegramm zu schicken, keine Gelegenheit zu einem ... helfen Sie mir – wie heißt *service interurbain* auf Englisch?«
»*Long-distance call* – meinen Sie das? Ein Ferngespräch?«
»Richtig.«
Mary Debenham musste trotz allem lächeln. »Ja«, sagte sie, es ist wirklich über alle Maßen ärgerlich, niemanden telegrafisch oder telefonisch benachrichtigen zu können.«
»Und doch verhalten Sie sich diesmal völlig anders, Mademoiselle. Sie lassen sich keinerlei Ungeduld anmerken. Sie sind ganz ruhig und tragen es mit philosophischer Gelassenheit.«
Mary Debenham errötete und nagte an ihrer Lippe. Ihr überhebliches Lächeln war verschwunden.
»Sie antworten nicht, Mademoiselle?«
»Entschuldigung. Ich habe nicht mitbekommen, dass es etwas zu beantworten gab.«
»Eine Erklärung für Ihr verändertes Verhalten, Mademoiselle.«
»Finden Sie nicht, dass Sie viel Getue um nichts machen, Monsieur Poirot?«

Poirot entschuldigte sich mit einer Geste.
»Vielleicht ist das ja bei uns Detektiven eine Berufskrankheit. Wir erwarten immer, dass jedes Verhalten auf einen bestimmten Grund zurückzuführen ist, und vergessen, dass ein Mensch einfach einmal anderer Stimmung sein kann.«
Mary Debenham sagte nichts darauf.
»Sie kennen Colonel Arbuthnot gut, Mademoiselle?«
Er hatte den Eindruck, dass sie bei dem Themenwechsel erleichtert aufatmete.
»Ich bin ihm auf dieser Reise zum ersten Mal begegnet.«
»Haben Sie einen Grund, zu vermuten, dass er diesen Ratchett vielleicht gekannt hat?«
Sie schüttelte entschieden den Kopf.
»Ich weiß, dass er ihn nicht kannte.«
»Was macht Sie so sicher?«
»Seine Art, darüber zu reden.«
»Trotzdem, Mademoiselle, haben wir im Abteil des Toten einen Pfeifenreiniger auf dem Fußboden gefunden. Und Colonel Arbuthnot ist der einzige Mann im Zug, der Pfeife raucht.«
Er beobachtete sie scharf, aber sie verriet weder Überraschung noch Erschütterung, sondern sagte nur:
»Unsinn. Das ist doch völlig absurd. Colonel Arbuthnot wäre der letzte Mensch auf der Welt, der sich in ein Verbrechen hineinziehen lassen würde – schon gar nicht in ein derart theatralisches Verbrechen.«
Das entsprach so sehr Poirots eigenem Eindruck, dass er ihr um ein Haar zugestimmt hätte. Stattdessen sagte er:
»Ich muss Sie daran erinnern, dass Sie ihn gar nicht sehr gut kennen, Mademoiselle.«
Sie zuckte die Achseln.
»Ich kenne den Typ zur Genüge.«
Er sagte betont freundlich: »Sie weigern sich noch immer, mir die Bedeutung dieser Worte zu erklären – ›Erst wenn wir das hinter uns haben‹?«
»Ich habe Ihnen nichts weiter zu sagen«, antwortete sie kühl.
»Macht nichts«, sagte Hercule Poirot. »Ich werde es schon herausbekommen.«
Er verließ mit einer Verbeugung das Abteil und machte die Tür hinter sich zu.

»War das wohl klug, mein Freund?«, fragte Monsieur Bouc. »Jetzt haben Sie die Dame gewarnt – und über sie auch gleich den Obersten.«
»*Mon ami,* wenn Sie ein Karnickel fangen wollen, schicken Sie ein Frettchen in den Bau, und wenn das Karnickel darin ist, kommt es heraus. Nichts anderes habe ich getan.«
Sie gingen ins Abteil der Zofe.
Hildegard Schmidt erwartete sie schon. Ihre Miene war respektvoll, verriet aber keine Regung.
Poirot warf einen raschen Blick auf den Inhalt des kleinen Köfferchens auf der Sitzbank. Dann bedeutete er dem Schaffner, den größeren Koffer aus dem Gepäcknetz zu nehmen.
»Den Schlüssel«, sagte er.
»Er ist nicht verschlossen, Monsieur.«
Poirot öffnete die Schnallen und klappte den Deckel hoch.
»Ah!«, sagte er, an Monsieur Bouc gewandt. »Erinnern Sie sich, was ich gesagt habe? Sehen Sie doch einmal her.«
Im Koffer lag – ganz obenauf – die hastig zusammengerollte braune Uniform eines Schlafwagenschaffners.
Mit der stoischen Ruhe der Deutschen war es schlagartig vorbei.
»O Gott, o Gott!«, rief sie. »Die gehört mir nicht. Ich habe sie da nicht hineingetan. Seit wir in Istanbul abgefahren sind, habe ich diesen Koffer nicht mehr aufgemacht. Wirklich nicht, nein, wirklich, das ist die Wahrheit.«
Sie blickte flehend von einem zum anderen.
Poirot fasste sie sanft am Arm und beruhigte sie.
»Es ist ja alles gut, wir glauben Ihnen. Regen Sie sich nicht auf. Dass Sie die Uniform da nicht hineingetan haben, davon bin ich so fest überzeugt wie von Ihren Qualitäten als Köchin. Nicht wahr, Sie sind doch eine gute Köchin?«
Die Frau musste bei aller Aufregung lächeln.
»Ja, schon, das haben bisher alle meine gnädigen Frauen gesagt. Ich –«
Sie hielt mit offenem Mund inne und setzte wieder ein verängstigtes Gesicht auf.
»Nicht doch«, sagte Poirot. »Ich versichere Ihnen, dass alles seine Ordnung hat. Ich sage Ihnen, wie das zugegangen ist. Dieser Mann, den Sie in der Uniform eines Schlafwagenschaffners gesehen haben, kam aus dem Abteil des Toten. Er stieß mit Ihnen zusammen. Das war Pech für ihn. Er hatte gehofft, dass ihn niemand sehen würde. Was sollte er nun machen? Er muss-

te die Uniform loswerden. Sie war jetzt kein Schutz mehr für ihn, sondern eine Gefahr.«
Sein Blick ging zu Monsieur Bouc und Dr. Constantine, die beide aufmerksam zuhörten.
»Sehen Sie, es schneit. Der Schnee durchkreuzt seine Pläne. Wo kann er nun diese Uniform verstecken? Alle Abteile sind belegt. Aber halt, da kommt er an einer offenen Tür vorbei, und in dem Abteil ist niemand. Es muss das Abteil der Frau sein, mit der er vorhin fast zusammengestoßen ist. Er huscht schnell hinein, zieht die Uniform aus und stopft sie in den Koffer, der im Gepäcknetz liegt. Bis sie da entdeckt wird, kann eine Weile vergehen.«
»Und dann?«, fragte Monsieur Bouc.
»Darüber werden wir uns unterhalten müssen«, sagte Poirot mit einem warnenden Blick.
Er hob die Uniformjacke hoch. Ein Knopf, der dritte von oben, fehlte. Poirot schob eine Hand in die Tasche und brachte einen Hauptschlüssel zum Vorschein, wie ihn die Schaffner hatten, damit sie jedes Abteil aufschließen konnten.
»Das erklärt, wie unser Mann durch verschlossene Türen kam«, stellte Monsieur Bouc fest. »Ihre Fragen an Mrs. Hubbard waren überflüssig. Verschlossen oder nicht, der Mann kam ohne weiteres durch die Verbindungstür. Ich meine, wenn schon die Uniform, warum dann nicht auch gleich der dazugehörige Schlüssel?«
»Ganz recht, warum nicht?«, bestätigte Poirot.
»Eigentlich hätten wir das wissen müssen. Sie erinnern sich, dass Michel gesagt hat, die Tür vom Gang in Mrs. Hubbards Abteil sei verschlossen gewesen, als er hinging, weil sie nach ihm geklingelt hatte.«
»So ist es, Monsieur«, sagte der Schaffner. »Darum dachte ich ja, die Dame müsse geträumt haben.«
»Aber jetzt ist es ganz einfach«, fuhr Monsieur Bouc fort. »Sicher hatte er die Verbindungstür ebenfalls wieder abschließen wollen, aber da hat er vielleicht vom Bett her eine Bewegung gehört, die ihn erschreckte.«
»Jetzt müssen wir nur noch den roten Kimono finden«, sagte Poirot.
»Richtig. Und die beiden letzten Abteile sind von Männern belegt.«
»Wir werden sie trotzdem durchsuchen.«
»O ja, gewiss! Außerdem weiß ich noch gut, was Sie gesagt haben.«
Hector MacQueen willigte ohne Umstände in die Durchsuchung ein.
»Es ist mir sogar sehr lieb«, meinte er mit zerknirschtem Lächeln. »Ich habe

das Gefühl, dass ich in diesem Zug der Hauptverdächtige bin. Sie brauchen nur noch ein Testament zu finden, in dem mir der Alte sein ganzes Geld vermacht, schon bin ich geliefert.«
Monsieur Bouc beäugte ihn argwöhnisch.
»War nur ein Scherz von mir«, versicherte MacQueen rasch. »Er hätte mir in Wirklichkeit nie einen roten Heller vermacht. Ich war ihm nur nützlich – wegen der Sprachen und so. Man ist einfach aufgeschmissen, wenn man nichts anderes als sein liebes Amerikanisch spricht. Ich bin ja auch kein Sprachgenie, aber ich beherrsche schon ein paar Brocken Französisch und Deutsch und Italienisch, um einkaufen oder ein Hotelzimmer bestellen zu können.«
Seine Stimme war etwas lauter als gewöhnlich. Es schien, als wäre ihm wegen der Durchsuchung, obwohl er ihr so bereitwillig zugestimmt hatte, doch ein wenig mulmig.
Poirot kam wieder aus dem Abteil. »Nichts«, sagte er. »Nicht einmal ein belastendes Testament.«
MacQueen seufzte.
»Da fällt mir aber ein Stein vom Herzen«, meinte er scherzhaft.
Sie gingen weiter ins letzte Abteil. Im Gepäck des beleibten Italieners und des Dieners fand sich nichts.
Die drei Männer standen am Ende des Wagens und sahen einander an.
»Was nun?«, fragte Monsieur Bouc.
»Wir gehen wieder in den Speisewagen«, sagte Poirot. »Wir wissen alles, was es zu wissen gibt. Wir haben die Zeugnisse der Fahrgäste, ihres Gepäcks und unseres eigenen Augenscheins. Weitere Hilfe können wir nicht erwarten. Jetzt müssen wir nur noch unser Gehirn benutzen.«
Er griff in die Tasche nach seinem Zigarettenetui. Es war leer.
»Ich komme gleich nach«, sagte er. »Meine Zigaretten werde ich brauchen. Das ist eine sehr verwickelte, sehr merkwürdige Geschichte. Wer trug diesen roten Kimono? Wo ist er jetzt? Wenn ich es nur wüsste! Irgendetwas an diesem Fall bekomme ich nicht zu fassen. Er ist deshalb so kompliziert, weil er kompliziert *gemacht* wurde. Aber wir reden darüber noch. Entschuldigen Sie mich einen Moment.«
Er eilte den Gang entlang zu seinem Abteil, denn in einem seiner Koffer hatte er, wie er wusste, noch einen Vorrat an Zigaretten.
Er nahm den Koffer herunter und öffnete ihn.
Dann setzte er sich in die Hocke und machte große Augen.

Obenauf lag, säuberlich zusammengefaltet, ein mit Drachen bestickter roter Kimono aus dünner Seide.

»Ach«, sagte er, »so ist das. Ein Fehdehandschuh. Bitte sehr, ich nehme ihn auf.«

Teil 3

Hercule Poirot lehnt sich zurück und denkt

Erstes Kapitel

Wer war's?

Monsieur Bouc und Dr. Constantine unterhielten sich, als Poirot in den Speisewagen zurückkam. Monsieur Bouc wirkte niedergeschlagen.

»*Le voilà*«, sagte er, als er Poirot sah.

Und als sein Freund sich hinsetzte, sprach er weiter:

»Wenn Sie diesen Fall lösen, *mon cher,* werde ich jedenfalls an Wunder glauben.«

»Bereitet er Ihnen Kopfzerbrechen, der Fall?«

»Natürlich bereitet er mir Kopfzerbrechen. Ich kann weder Hand noch Fuß daran erkennen.«

»So geht es mir auch«, meinte der Arzt.

Er sah Poirot interessiert an.

»Um ehrlich zu sein«, sagte er, »weiß ich jetzt nicht, wie Sie weiter vorgehen wollen.«

»Nein?«, meinte Poirot gedehnt.

Er nahm das Etui aus der Tasche und zündete sich eine seiner kleinen Zigaretten an. Sein Blick war verträumt.

»Das ist ja für mich das Interessante an dem Fall«, sagte er. »Alle normalen Vorgehensweisen sind uns verwehrt. Haben diese Leute, deren Aussagen wir gehört haben, die Wahrheit gesagt, oder haben sie uns belogen? Wir haben kein Mittel, es nachzuprüfen – es sei denn, wir denken uns solche Mittel selbst aus. Es ist eine Übung fürs Gehirn.«

»Schön und gut«, sagte Monsieur Bouc. »Aber woran wollen Sie sich halten?«

»Das habe ich Ihnen eben gesagt. Wir haben die Aussagen der Reisenden, und wir haben unseren Augenschein.«

»Schöne Aussagen sind das, was uns die Reisenden da erzählt haben! Sie haben uns keinen Schritt weitergebracht.«

Poirot schüttelte den Kopf.

»Dieser Meinung bin ich nicht, mein Freund. Die Aussagen der Fahrgäste haben uns einiges von Interesse geliefert.«
»Ach ja?«, meinte Monsieur Bouc skeptisch. »Davon habe ich nichts gemerkt.«
»Nur weil Sie nicht richtig zugehört haben.«
»Bitte – dann sagen Sie mir, was ich überhört habe.«
»Ich nenne nur ein Beispiel – die erste Aussage, die wir gehört haben – die des jungen MacQueen. Für meine Begriffe hat er etwas sehr Bezeichnendes gesagt.«
»Das mit den Briefen?«
»Nein, nicht das mit den Briefen. Wenn ich mich recht erinnere, lauteten seine Worte: ›Wir sind umhergereist. Mr. Ratchett wollte die Welt sehen. Dabei war ihm hinderlich, dass er keine Fremdsprachen beherrschte. Ich war für ihn mehr Reisemarschall als Sekretär‹.«
Er sah von dem Arzt zu Monsieur Bouc.
»Sie merken noch nichts? Nein? Das ist unentschuldbar, denn vorhin hat er Ihnen sogar noch eine zweite Chance gegeben, als er sagte: ›Man ist einfach aufgeschmissen, wenn man nichts anderes als sein liebes Amerikanisch spricht.‹«
»Sie meinen –« Monsieur Boucs Miene war immer noch ratlos.
»Ja, ich sehe schon, Sie möchten es in ganz einfachen Worten hören. Bitte sehr. *Mr. Ratchett sprach kein Französisch.* Als aber letzte Nacht der Schaffner zu ihm eilte, weil nach ihm geklingelt worden war, sagte jemand *auf Französisch* zu ihm, es sei ein Versehen gewesen, er werde nicht benötigt. Im Übrigen wurde da eine ausgesprochen umgangssprachliche Redewendung benutzt, die jemand, der nur ein paar Brocken Französisch spricht, nie benutzen würde: ›*Ce n'est rien. Je me suis trompé.*‹«
»Stimmt!«, rief Dr. Constantine aufgeregt. »Das hätte uns auffallen müssen. Ich erinnere mich jetzt, wie Sie den Schaffner noch gefragt haben, ob er das auf Französisch gesagt hat. Jetzt verstehe ich auch, warum Sie so gezögert haben, die beschädigte Uhr als Beweis anzuerkennen. Um dreiundzwanzig Minuten vor eins war Mr. Ratchett schon tot!«
»Und der da gesprochen hat, war sein Mörder!«, ergänzte Monsieur Bouc wichtigtuerisch.
Poirot hob abwehrend die Hand.
»Bitte nicht so voreilig. Und wir wollen nicht mehr als gegeben voraussetzen, als wir wirklich wissen. Ich finde, man kann mit einiger Gewissheit

sagen, dass um dreiundzwanzig vor eins *irgendjemand anders* in Mr. Ratchetts Abteil war und dass dieser Jemand entweder Franzose war oder fließend Französisch sprach.«

»Sie sind sehr vorsichtig, *mon vieux.*«

»Man sollte immer einen Schritt nach dem anderen tun. Wir haben keinen eigentlichen *Beweis* dafür, dass Ratchett um diese Zeit schon tot war.«

»Da ist noch der Schrei, der Sie geweckt hat.«

»Ja, das ist wahr.«

»In einer Hinsicht«, sagte Monsieur Bouc bedächtig, »hat diese Erkenntnis keine große Bedeutung. Sie haben gehört, wie jemand sich nebenan zu schaffen machte. Dieser Jemand war nicht Ratchett, sondern der andere. Zweifellos hat er sich das Blut von den Händen gewaschen, nach der Tat aufgeräumt und den belastenden Brief verbrannt. Dann hat er gewartet, bis alles still war, und als er glaubte, die Luft sei rein, hat er Ratchetts Tür von innen zugeschlossen und die Kette vorgelegt, dann die Verbindungstür zu Mrs. Hubbards Abteil aufgeschlossen und sich auf diesem Weg davongemacht. Eigentlich ist alles genauso, wie wir gedacht haben – nur mit dem einen Unterschied, dass Ratchett eine halbe Stunde früher getötet und die Uhr auf Viertel nach eins vorgestellt wurde, um ein Alibi zu schaffen.«

»Kein besonderes Alibi«, sagte Poirot. »Die Zeiger der Uhr standen auf ein Uhr fünfzehn – genau zu diesem Zeitpunkt hat der Eindringling den Ort des Verbrechens tatsächlich verlassen.«

»Richtig«, sagte Monsieur Bouc leicht verwirrt. »Aber was sagt Ihnen dann die Uhr?«

»Wenn die Zeiger verstellt wurden – ich sage *wenn* –, dann muss die Zeit, auf die sie gestellt wurden, etwas zu bedeuten haben. Es wäre nahe liegend, dahinter jemanden zu vermuten, der für die angezeigte Zeit – in diesem Fall ein Uhr fünfzehn – ein verlässliches Alibi hat.«

»Ja, ja«, bestätigte der Doktor. »Diese Überlegung ist logisch.«

»Wir müssen ein wenig Aufmerksamkeit aber auch dem Zeitpunkt widmen, zu dem der Eindringling das Abteil *betreten* hat. Wann hatte er dazu Gelegenheit? Wenn wir dem *echten* Schlafwagenschaffner keine Mittäterschaft unterstellen, kommt dafür nur eine Zeit in Frage – der Aufenthalt in Vincovci. Nachdem der Zug in Vincovci wieder abgefahren war, saß der Schaffner auf seinem Platz, mit dem Gesicht zum Gang, und während ein Fahrgast vielleicht nicht besonders auf einen Schlafwagenschaffner achtet, gibt es einen, dem ein falscher Schlafwagenschaffner sofort auffallen würde, nämlich dem *echten* Schlafwagenschaffner. Während des Aufenthalts in Vincovci war der Schaffner jedoch draußen auf dem Bahnsteig. Da war die Luft rein.«

»Und nach unseren bisherigen Überlegungen muss es sich um einen Fahrgast handeln«, sagte Monsieur Bouc. »Womit wir wieder bei unserer Ausgangsfrage wären: Welcher?«

Poirot lächelte.

»Ich habe hier eine kleine Liste zusammengestellt«, sagte er. »Falls Sie einen Blick darauf werfen möchten, wird es vielleicht Ihr Gedächtnis ein wenig auffrischen.«

Dr. Constantine und Monsieur Bouc beugten sich gemeinsam über die Liste. Methodisch waren darauf die Fahrgäste in der Reihenfolge aufgeführt, in der sie vernommen worden waren.

HECTOR MACQUEEN – Amerikanischer Staatsbürger.
2. Klasse, Bett Nr. 6
Motiv: Vielleicht im Verhältnis zu dem Ermordeten zu suchen?
Alibi: Mitternacht bis 2 Uhr früh. (Mitternacht bis 1.30 Uhr bezeugt durch Colonel Arbuthnot, von 1.15 Uhr bis 2 Uhr bezeugt durch Schlafwagenschaffner.)
Belastende Indizien: Keine
Verdächtige Umstände: Keine

SCHAFFNER PIERRE MICHEL – Französischer Staatsbürger.
Motiv: Keines
Alibi: Mitternacht bis 2 Uhr früh. (Gesehen von H.P. um 0.37 Uhr, als Stimme aus Ratchetts Abteil kam. Von 1 Uhr bis 1.16 Uhr bezeugt durch zwei Kollegen.)
Belastende Indizien: Keine
Verdächtige Umstände: Gefundene Schaffneruniform spricht zu seinen Gunsten, da sie anscheinend Verdacht auf ihn lenken sollte.

EDWARD MASTERMAN – Britischer Staatsbürger. 2. Klasse, Bett Nr. 4
Motiv: Vielleicht im Verhältnis zu dem Ermordeten zu suchen, dessen Diener er war.
Alibi: Mitternacht bis 2 Uhr früh. (Bezeugt durch Antonio Foscarelli.)
Belastende Indizien oder verdächtige Umstände: Keine, außer dass er der einzige Mann von der richtigen Größe ist, der die Schaffneruniform getragen haben könnte. Andererseits ist es wenig wahrscheinlich, dass er so gut Französisch spricht.

MRS. HUBBARD – Amerikanische Staatsbürgerin. 1. Klasse, Bett Nr. 3
Motiv: Keines
Alibi: Mitternacht bis 2 Uhr früh – keines.
Belastende Indizien oder *verdächtige Umstände:* Bericht über Mann in ihrem Abteil bestätigt durch Aussage Hardman und Zofe Schmidt.

GRETA OHLSSON – Schwedische Staatsbürgerin. 2. Klasse, Bett Nr. 10
Motiv: Keines
Alibi: Mitternacht bis 2 Uhr früh. (Bezeugt durch Mary Debenham. Anmerkung: Hat Ratchett als Letzte lebend gesehen.)

FÜRSTIN DRAGOMIROFF – Eingebürgerte Französin. 1. Klasse, Bett Nr. 14
Motiv: War eng befreundet mit Familie Armstrong und Sonia Armstrongs Patin.
Alibi: Mitternacht bis 2 Uhr früh. (Bezeugt durch Schaffner und Zofe.)
Belastende Indizien oder *verdächtige Umstände:* Keine

GRAF ANDRENYI – Ungarischer Staatsbürger. Diplomatenpass. 1. Klasse, Bett Nr. 13
Motiv: Keines
Alibi: Mitternacht bis 2 Uhr früh. (Bezeugt durch Schaffner – nicht aber für die Zeit von 1 Uhr bis 1.15 Uhr.)

GRÄFIN ANDRENYI – Wie oben. Bett Nr. 12
Motiv: Keines
Alibi: Mitternacht bis 2 Uhr früh. Nahm Trional und schlief. (Bezeugt durch Ehemann. Trionalfläschchen in ihrem Schrank.)

COLONEL ARBUTHNOT – Britischer Staatsbürger. 1. Klasse, Bett Nr. 15
Motiv: Keines
Alibi: Mitternacht bis 2 Uhr früh. Hat sich bis 1.30 Uhr mit MacQueen unterhalten. Ist dann in sein eigenes Abteil gegangen und hat es nicht mehr verlassen. (Bezeugt durch MacQueen und Schaffner.)
Belastende Indizien oder *verdächtige Umstände:* Pfeifenreiniger

CYRUS HARDMAN – Amerikanischer Staatsbürger. 2. Klasse, Bett Nr. 16
Motiv: Keines bekannt
Alibi: Mitternacht bis 2 Uhr früh. Hat Abteil nicht verlassen. (Bezeugt durch MacQueen und Schaffner.)
Belastende Indizien oder *verdächtige Umstände:* Keine

ANTONIO FOSCARELLI – Amerikanischer Staatsbürger (geb. in Italien). 2. Klasse, Bett Nr. 5
Motiv: Keines bekannt
Alibi: Mitternacht bis 2 Uhr früh. (Bezeugt durch Edward Masterman.)
Belastende Indizien oder *verdächtige Umstände:* Keine, außer dass Tatwaffe seiner Mentalität entsprechen könnte. (s. M. Bouc.)

MARY DEBENHAM – Britische Staatsbürgerin. 2. Klasse, Bett Nr. 11
Motiv: Keines
Alibi: Mitternacht bis 2 Uhr früh. (Bezeugt durch Greta Ohlsson.)
Belastende Indizien oder *verdächtige Umstände:* Von H.P. mitgehörtes Gespräch und ihre Weigerung, selbiges zu erklären.

HILDEGARD SCHMIDT – Deutsche Staatsbürgerin. 2. Klasse, Bett Nr. 8
Motiv: Keines
Alibi: Mitternacht bis 2 Uhr früh. (Bezeugt durch Schaffner und ihre Herrin.) War zu Bett gegangen, wurde ca. 0.38 Uhr von Schaffner geweckt und ging zu ihrer Herrin.

ANMERKUNG:
Die Aussagen der Zeugen werden bestätigt durch die Aussage des Schaffners, dass niemand zwischen Mitternacht und 1 Uhr (als er selbst in den nächsten Wagen ging) und zwischen 1.15 Uhr und 2 Uhr Mr. Ratchetts Abteil betreten oder verlassen hat.

»Wohlgemerkt«, sagte Poirot, »diese Aufstellung ist nichts weiter als eine Zusammenfassung der Aussagen, die wir gehört haben, und soll uns nur zur Orientierung dienen.«
Monsieur Bouc gab ihm die Liste mit missmutiger Miene zurück. »Nicht sehr erhellend«, meinte er.
»Dann ist das hier vielleicht mehr nach Ihrem Geschmack«, sagte Poirot mit einem feinen Lächeln und reichte ihm ein weiteres Blatt Papier.

Zweites Kapitel

Zehn Fragen

Auf dem Blatt stand:

Was der Erklärung bedarf

1. Wem gehört das Taschentuch mit dem aufgestickten H?
2. Hat Colonel Arbuthnot den Pfeifenreiniger verloren? Oder wer sonst?
3. Wer trug den roten Kimono?
4. Wer war der Mann oder die Frau in der Uniform eines Schlafwagenschaffners?
5. Warum stehen die Zeiger der Uhr auf 1.15 Uhr?
6. Wurde die Tat zu dieser Zeit begangen?
7. Geschah sie früher?
8. Geschah sie später?
9. Können wir sicher annehmen, dass Ratchett von mehr als einer Person erstochen wurde?
10. Wie könnten seine Wunden anders zu erklären sein?

»So, dann wollen wir mal sehen, was wir tun können«, sagte Monsieur Bouc, der sich für diese Herausforderung an seinen Grips zusehends erwärmte. »Zuerst das Taschentuch. Wir wollen ja unter allen Umständen methodisch vorgehen.«

»Gewiss«, versicherte Poirot mit zufriedenem Kopfnicken.

»Der Anfangsbuchstabe H«, fuhr Monsieur Bouc in lehrerhaftem Ton fort, »kommt bei drei Personen vor – Mrs. Hubbard, Miss Debenham, deren zweiter Vorname Hermione ist, und bei Hildegard Schmidt, der Zofe.«

»Aha. Und welche von den dreien darf es sein?«

…r ich *glaube*, ich stimme für Miss Debenham.
…a mit ihrem zweiten Vornamen gerufen statt
…t es bereits Verdachtsmomente gegen sie. Die-
…t haben, *mon cher,* war ja wirklich etwas eigen-
…re Weigerung, uns eine Erklärung dafür zu

… Amerikanerin«, sagte Dr. Constantine. »Es
…, und wie alle Welt weiß, ist es den Ameri-
…bezahlen.«
…ide aus?«
…n gehört dieses Taschentuch einer Dame aus

…Pfeifenreiniger. Hat Colonel Arbuthnot ihn

…e Engländer sind keine Messerstecher, da
…r Ansicht, dass jemand anders den Pfeifen-
… – und zwar mit der Absicht, den britischen

…r Poirot«, warf der Doktor ein, »zwei Hin-
…s Leichtsinns. Ich stimme Monsieur Bouc
…tes Versehen – darum wird sich niemand
…nnen. Der Pfeifenreiniger hingegen ist eine
… Für diese Theorie spricht, dass Colonel
…t an den Tag legt und freimütig zugibt, dass
…nreiniger benutzt.«

…en roten Kimono?«, fuhr Monsieur Bouc
…ass ich nicht die mindeste Ahnung habe.
…was sagen, Dr. Constantine?«

… Punkt geschlagen geben. Bei der nächs-
…ge Möglichkeiten auf. Wer war der als
…Mann oder die Frau? Hier lassen sich eini-
…amtheit *nicht* gewesen sein können. Hard-
…, Graf Andrenyi und Hector MacQueen
…Hildegard Schmidt und Greta Ohlsson
…Miss Debenham, Fürstin Dragomiroff

und Gräfin Andrenyi – und von ihnen kann es eigentlich niemand gewesen sein. Greta Ohlsson schwört, dass Miss Debenham nie ihr Abteil verlassen hat, Antonio Foscarelli beteuert dasselbe bei dem Diener; Hildegard Schmidt schwört, dass die Fürstin in ihrem Abteil war, und Graf Andrenyi hat uns versichert, dass seine Frau einen Schlaftrunk genommen hatte. Es erscheint mithin unmöglich, dass es *überhaupt* jemand war – und das ist einfach widersinnig!«
»Wie unser alter Freund Euklid schon sagte«, murmelte Poirot.
»Es muss jemand von diesen vieren gewesen sein«, sagte Dr. Constantine. »Es sei denn, es wäre doch jemand von draußen hereingekommen und hätte irgendwo ein Versteck gefunden – und das ist, wie wir uns schon geeinigt haben, unmöglich.«
Monsieur Bouc ging zur nächsten Frage auf der Liste über.
»Nummer fünf – warum stehen die Zeiger der kaputten Uhr auf ein Uhr fünfzehn? Ich sehe zwei mögliche Erklärungen. Entweder hat der Mörder sie so gestellt, um sich ein Alibi zu schaffen, konnte dann aber das Abteil nicht verlassen, als er es wollte, weil er draußen Leute hörte, oder – halt – mir kommt gerade ein Gedanke –«
Die beiden anderen warteten respektvoll, während Monsieur Bouc sich in geistigen Wehen wand.
»Ich hab's«, sagte er endlich. »Es war gar nicht der Schlafwagenmörder, der die Uhr verstellt hat! Es war die Person, die wir bisher ›Zweiter Mörder‹ genannt haben – die linkshändige – mit anderen Worten, die Frau im scharlachroten Kimono. Sie kommt später und stellt die Uhr zurück, um sich ein Alibi zu schaffen.«
»Bravo!«, rief Dr. Constantine. »Das ist gut überlegt.«
»Mit anderen Worten«, meinte Poirot, »sie hat Ratchett im Dunkeln erstochen, ohne zu ahnen, dass er schon tot war, hat sich aber irgendwie gedacht, dass er sicher eine Uhr in der Schlafanzugjacke habe; die hat sie herausgenommen, die Zeiger blind zurückgestellt und zuletzt die erforderliche Delle in die Uhr gemacht.«
Monsieur Bouc maß ihn mit einem kalten Blick.
»Haben Sie einen besseren Vorschlag?«, fragte er.
»Im Augenblick – nein«, gestand Poirot. »Aber egal«, fuhr er fort, »ich glaube nicht, dass einer von Ihnen das eigentlich Interessanteste an der Uhr schon richtig gewürdigt hat.«
»Hat es mit Frage Nummer sechs zu tun?«, erkundigte sich der Arzt. »Auf

diese Frage – ob der Mord um diese Zeit begangen wurde – um ein Uhr fünfzehn –, sage ich nämlich nein.«

»Ich auch«, erklärte Monsieur Bouc. »›War es früher?‹, lautet die nächste Frage. Ich sage ja. Sie auch, Doktor?«

Der Doktor nickte.

»Ja, aber die Frage: ›War es später?‹ kann ebenfalls mit ja beantwortet werden. Ich stimme Ihrer Theorie zu, Monsieur Bouc, und Monsieur Poirot tut das auch, glaube ich, obwohl er sich nicht festlegen möchte. Der Erste Mörder kam vor ein Uhr fünfzehn, der Zweite Mörder kam *nach* ein Uhr fünfzehn. Und zur Frage der Linkshändigkeit: Sollten wir nicht irgendwie festzustellen versuchen, wer von den Reisenden Linkshänder ist?«

»Ich habe diesen Punkt nicht ganz außer Acht gelassen«, sagte Poirot. »Vielleicht haben Sie bemerkt, dass ich jeden Passagier entweder eine Unterschrift leisten oder seine Adresse habe niederschreiben lassen. Das sagt noch nichts Endgültiges aus, denn manche Leute tun das eine mit der rechten und das andere mit der linken Hand. Manche schreiben zum Beispiel mit der Rechten, spielen aber Golf mit der Linken. Aber es ist immerhin etwas. Alle, die ich dazu aufforderte, haben den Federhalter in die rechte Hand genommen, mit Ausnahme der Fürstin Dragomiroff, die sich zu schreiben weigerte.«

»Fürstin Dragomiroff, unmöglich«, rief Monsieur Bouc.

»Ich bezweifle, dass sie die Kraft gehabt hätte, diesen einen linkshändigen Stich zu führen«, meinte Dr. Constantine skeptisch. »Dieser Stich wurde nämlich mit erheblicher Kraft geführt.«

»Mehr Kraft, als eine Frau aufbieten könnte?«

»Das würde ich nicht unbedingt sagen. Aber ich glaube, es war mehr Kraft dahinter, als eine alte Dame aufbieten könnte, und die Fürstin Dragomiroff ist von besonders schwächlicher Statur.«

»Es könnte eine Frage der Macht des Geistes über den Körper sein«, meinte Poirot. »Fürstin Dragomiroff ist eine starke Persönlichkeit von großer Willenskraft. Aber lassen wir das für den Augenblick beiseite.«

»Zu den Fragen neun und zehn. Können wir sicher annehmen, dass Ratchett von mehr als einer Person erstochen wurde, und wie könnten seine Wunden anders zu erklären sein? Aus medizinischer Sicht kann es für mich *keine* andere Erklärung für die Wunden geben. Die Annahme, ein und derselbe Mensch habe zuerst nur schwach und dann mit großer Kraft zugestochen, zuerst mit der Rechten, dann mit der Linken, und nach einer Pau-

se von vielleicht einer halben Stunde habe er dem Leichnam weitere Wunden zugefügt – also, das ergibt doch keinen Sinn.«
»Nein«, sagte Poirot, »das ergibt keinen Sinn. Und Sie meinen, *zwei* Mörder ergäben einen Sinn?«
»Wie Sie selbst gesagt haben: Welche andere Erklärung könnte es geben?«
Poirot blickte starr vor sich hin.
»Das frage ich mich ja auch«, sagte er. »Das frage ich mich unaufhörlich.«
Er lehnte sich zurück.
»Von nun an spielt sich alles hier drinnen ab.« Er tippte sich an die Stirn. »Wir haben das Letzte herausgeholt. Alle Tatsachen liegen wohl geordnet vor uns ausgebreitet. Die Fahrgäste haben einer nach dem anderen hier gesessen und ihre Zeugnisse abgelegt. Wir wissen alles, was es zu wissen gibt ... *äußerlich* ...«
Er lächelte Monsieur Bouc liebevoll an.
»Wir beide, *mon vieux*, haben schon oft darüber gescherzt, nicht wahr – über meine Behauptung, man könne sich einfach zurücklehnen und durch *Denken* zur Wahrheit gelangen. Nun, ich werde diese Theorie jetzt in die Praxis umsetzen – hier vor Ihren Augen. Sie müssen aber beide das Gleiche tun. Schließen wir alle drei unsere Augen und *denken* ... Einer oder mehrere von den Reisenden haben Ratchett getötet. *Wer war's?*«

Drittes Kapitel

Gewisse Punkte von Bedeutung

Es verging eine Viertelstunde, ehe einer von ihnen etwas sagte.
Monsieur Bouc und Dr. Constantine hatten Poirots Anweisung zunächst befolgt. Sie hatten sich bemüht, das Geflecht widersprüchlicher Einzelheiten zu durchschauen und die klare, eindeutige Lösung dahinter zu entdecken.

Monsieur Boucs Gedanken hatten etwa diesen Weg genommen:
»Ja, gewiss muss ich nachdenken. Aber das tue ich doch die ganze Zeit ... Poirot scheint zu glauben, dass diese junge Engländerin etwas damit zu tun hat. Ich kann aber nicht umhin, das für äußerst unwahrscheinlich zu halten ... Die Engländerinnen sind unglaublich kühl. Kommt wahrscheinlich daher, dass sie keine Figur haben ... aber das tut nichts zur Sache. Der Italiener kann es anscheinend nicht gewesen sein – schade. Der englische Diener lügt wohl nicht, wenn er sagt, der Italiener habe nie das Abteil verlassen. Warum sollte er? Einen Engländer zu bestechen, ist gar nicht so einfach – sie sind so unnahbar. Eine sehr bedauerliche Geschichte, das Ganze. Wann werden wir wohl aus diesem Schnee herauskommen? Es müssen doch schon *irgendwelche* Maßnahmen zu unserer Rettung im Gange sein. In diesen Ländern geht alles so langsam ... es dauert Stunden, bis einem einfällt, *irgendetwas* zu tun. Und die Polizei hier zu Lande – da kommen noch einige Scherereien auf uns zu. Wie die sich aufplustern und auf ihre Hoheit pochen werden! Eine Riesenaffäre werden sie daraus machen. So eine Chance wird ihnen ja nicht jeden Tag geboten. Es wird in allen Zeitungen stehen ...«
Und von da an folgten Monsieur Boucs Gedanken einem gut ausgetretenen Pfad, den sie schon hundert Male gegangen waren.
Dr. Constantines Gedanken folgten etwa dieser Bahn:
»Er ist schon ein ulkiger kleiner Kerl. Ein Genie? Oder ein Spinner? Wird er dieses Rätsel lösen? Unmöglich. Ich wüsste nicht wie. Es ist so verwirrend ... vielleicht lügen sie ja alle. Aber selbst wenn wir das wüssten, würde es uns nicht weiterhelfen. Wenn alle lügen, ist die Verwirrung ebenso groß, wie wenn alle die Wahrheit sagen. Komisch, das mit den Wunden. Ich begreife das nicht ... es wäre leichter zu verstehen, wenn sie ihn erschossen hätten – in Amerika schießen sie doch immer mit Revolvern um sich. Ein seltsames Land, dieses Amerika. Da möchte ich ja gern mal hin. So fortschrittlich. Wenn ich nach Hause komme, muss ich mich einmal mit Demetrius Zagone zusammensetzen – er war schon drüben, hat alle diese modernen Ideen mitgebracht ... Was Zia wohl zurzeit macht? Wenn meine Frau je dahinter kommt –«
Und schon waren seine Gedanken bei gänzlich privaten Dingen.
Hercule Poirot saß still wie eine Statue.
Man sollte glauben, er wäre eingeschlafen.
Und plötzlich, nach einer Viertelstunde völliger Reglosigkeit, begannen sei-

ne Augenbrauen langsam die Stirn hinaufzuwandern. Er gab einen leisen Seufzer von sich. Dann flüsterte er kaum hörbar vor sich hin:
»Aber warum eigentlich nicht? Und wenn – ja, wenn, dann würde das alles erklären.«
Er schlug die Augen auf. Sie waren so grün wie die einer Katze.
Leise sagte er:
»*Eh bien.* Ich habe nachgedacht. Und Sie?«
Beide Männer waren noch so in ihre Betrachtungen versunken, dass sie heftig zusammenschraken.
»Ja, auch ich habe nachgedacht«, behauptete Monsieur Bouc ein ganz klein wenig schuldbewusst. »Aber ich bin zu keinem Ergebnis gekommen. Verbrechen aufzuklären ist Ihr Metier, mein Freund, nicht meines.«
»Und auch ich habe sehr intensiv nachgedacht«, log der Doktor, ohne rot zu werden, während er seine Gedanken von gewissen schlüpfrigen Details losriss. »Ich bin auf einige mögliche Theorien gekommen, aber es ist keine dabei, die mich voll befriedigt.«
Poirot nickte liebenswürdig. Sein Nicken hieß: »So ist es recht. Das ist die angemessene Antwort. Sie haben mir das erhoffte Stichwort gegeben.«
Er setzte sich stocksteif aufrecht, streckte die Brust heraus, streichelte seinen Schnurrbart und hob wie ein versierter Redner vor großem Publikum an:
»Meine Freunde, ich habe im Geiste die vorliegenden Tatsachen Revue passieren lassen und auch noch einmal über die Aussagen aller Reisenden nachgedacht. Nun sehe ich – vorerst noch etwas nebelhaft – eine gewisse Erklärung, die alle uns bekannten Tatsachen abdecken würde. Es ist eine recht absonderliche Erklärung, und vorläufig kann ich noch nicht sicher sein, dass sie die richtige ist. Um das endgültig festzustellen, werde ich gewisse Experimente machen müssen.
Als Erstes möchte ich nun einige Punkte erwähnen, die mir von Bedeutung erscheinen. Beginnen wir mit einer Bemerkung, die Monsieur Bouc genau an diesem Ort aus Anlass unseres ersten gemeinsamen Mittagessens in diesem Zug machte. Er sagte, um uns herum säßen Menschen aller Schichten, jeden Alters, aller Nationalitäten. Solches ist um diese Jahreszeit doch eher ungewöhnlich. Zum Beispiel sind die Kurswagen Athen-Paris und Bukarest-Paris so gut wie leer. Denken Sie bitte auch an den einen Passagier, der nicht erschienen ist. Ich halte ihn für bedeutsam. Dann gibt es noch ein paar kleinere Punkte, die mir viel sagend erscheinen, als da wären: die Stelle, an der Mrs. Hubbards Waschzeugbeutel hing; der Name von Mrs.

Armstrongs Mutter; die detektivischen Methoden des Mr. Hardman; Mr. MacQueens Vermutung, Ratchett selbst habe den Brief verbrannt, dessen verkohlte Reste wir gefunden haben; Fürstin Dragomiroffs Vorname; und ein Fettfleck auf einem ungarischen Pass.«

Die beiden anderen sahen ihn mit großen Augen an.

»Sagen diese Punkte Ihnen auch etwas?«, fragte Poirot.

»Nicht das Mindeste«, gestand Monsieur Bouc freimütig.

»Und *Monsieur le Docteur?*«

»Ich habe keine Ahnung, wovon Sie reden.«

Derweil stürzte Monsieur Bouc sich auf den einzigen greifbaren Punkt, den sein Freund genannt hatte – er blätterte die Pässe durch. Grunzend klappte er den Pass des gräflichen Ehepaares Andrenyi auf.

»Meinen Sie das hier? Diesen Schmutzfleck?«

»Ja. Es ist ein ziemlich frischer Fettfleck. Sie sehen, an welcher Stelle er sich befindet?«

»Bei den Angaben zur Person der Ehefrau – genauer gesagt, auf ihrem Vornamen. Aber ich gestehe, dass ich noch immer nicht begreife, was es damit auf sich hat.«

»Dann will ich es von einer anderen Seite angehen. Denken wir an das Taschentuch, das am Tatort gefunden wurde. Wie wir erst vor kurzem festgestellt haben, kommt der Anfangsbuchstabe H bei drei Personen vor: Mrs. Hubbard, Miss Debenham und Hildegard Schmidt. Betrachten wir nun das Taschentuch aus einem anderen Blickwinkel. Es ist ein sündhaft teures Taschentuch, meine Freunde – *un objet de luxe,* handgefertigt, bestickt in Paris. Wer von den Reisenden – lassen wir das Monogramm einmal außer Betracht – würde ein solches Tüchlein besitzen? Nicht Mrs. Hubbard, eine achtbare Frau ohne jede Neigung zu modischen Extravaganzen. Nicht Miss Debenham; Engländerinnen dieser Klasse besitzen zierliche Leinentüchlein, keine teuren Batistfähnchen im Wert von vielleicht zweihundert Franc. Und schon gar nicht die Zofe. Aber es *befinden* sich zwei Damen im Zug, die ein solches Tüchlein ohne weiteres besitzen könnten. Wir wollen sehen, ob wir sie nicht irgendwie mit dem Buchstaben H in Verbindung bringen können. Die beiden Damen, von denen ich spreche, sind die Fürstin Dragomiroff –«

»Die mit Vornamen Natalia heißt«, warf Monsieur Bouc ironisch ein.

»Genau. Und ihr Vorname ist, wie ich eben sagte, ein Punkt von Bedeutung. Die andere Dame ist die Gräfin Andrenyi. Und sofort fällt uns auf –«

»Ihnen!«

»Gut, dann eben mir. Ihr Vorname im Pass ist durch einen Fettfleck entstellt. Reiner Zufall, könnte man sagen. Aber betrachten wir diesen Vornamen genauer. Elena. Nehmen wir an, er wäre *Helena* und nicht *Elena*. Man könnte aus dem großen H unter Einbeziehung des nebenstehenden kleinen E ein großes E machen – dann schnell noch ein Fettfleck darüber, um die Manipulation zu vertuschen ...«
»Helena!«, rief Monsieur Bouc. »Das ist natürlich eine Idee.«
»Eine Idee, gewiss! Ich sehe mich nach einer Bestätigung für diese Idee um, einer noch so winzigen – und finde sie. Einer der Aufkleber am Gepäck der Gräfin ist etwas feucht. Und rein zufällig überklebt er die erste Initiale auf dem Kofferdeckel. Dieser Aufkleber wurde eingefeuchtet und abgezogen und an anderer Stelle wieder aufgeklebt.«
»Sie fangen an, mich zu überzeugen«, sagte Monsieur Bouc. »Aber die Gräfin Andrenyi – ich bitte Sie –«
»Nun aber, *mon vieux*, müssen Sie eine Kehrtwendung machen und den Fall von einer völlig anderen Seite betrachten. Wie sollte dieser Mord für jedermann aussehen? Vergessen Sie nicht, dass der Schnee den ursprünglichen Plan des Mörders durchkreuzt hat. Stellen wir uns nur für eine Minute vor, es wäre kein Schnee gefallen, und der Zug hätte seine Fahrt planmäßig fortgesetzt. Wie wäre es weitergegangen?
Sagen wir, der Mord wäre nach aller Wahrscheinlichkeit heute früh an der italienischen Grenze entdeckt worden. Man hätte der italienischen Polizei so ziemlich dasselbe gesagt wie uns. Mr. MacQueen hätte die Drohbriefe vorgelegt, Mr. Hardman seine Geschichte erzählt, Mrs. Hubbard hätte nur zu gern berichtet, wie ein Mann durch ihr Abteil gegangen sei, und man hätte den Knopf gefunden. Nur zwei Dinge stelle ich mir anders vor: Der Mann wäre schon kurz vor ein Uhr durch Mrs. Hubbards Abteil gegangen, und die Schaffneruniform hätte man in einer der Toiletten gefunden.«
»Sie meinen?«
»Ich meine, dass der Mord so aussehen sollte, als hätte ihn jemand von außerhalb begangen. Man sollte glauben, der Mörder habe den Zug in Brod verlassen, wo er um 0.58 Uhr ankommen sollte. Wahrscheinlich wäre jemand auf dem Gang einem fremden Schlafwagenschaffner begegnet. Die Uniform wäre an einer auffälligen Stelle deponiert worden, damit man deutlich hätte sehen können, wie das Ganze sich abgespielt habe. Auf die Fahrgäste wäre keinerlei Verdacht gefallen. So und nicht anders, meine Freunde, hatte das Geschehen sich für die Außenwelt darstellen sollen.

Aber nun ist der Zug stecken geblieben, und das ändert alles. Zweifellos ist das der Grund, warum der Mann sich so lange im Abteil des Opfers aufhielt – er hat auf die Weiterfahrt des Zuges gewartet. Aber zu guter Letzt hat er begriffen, dass der Zug *nicht* weiterfahren würde. Also musste schnell ein neuer Plan gefasst werden. Man würde ja jetzt *wissen,* dass der Mörder noch im Zug war.«

»Ja, ja«, rief Monsieur Bouc ungeduldig dazwischen. »Das verstehe ich alles. Aber was hat das Taschentuch damit zu tun?«

»Ich werde auf einem kleinen Umweg darauf zurückkommen. Zunächst sollte Ihnen klar sein, dass diese Drohbriefe reines Blendwerk sind. Sie könnten wörtlich aus einem mittelmäßigen amerikanischen Kriminalroman abgeschrieben *sein.* Diese Briefe sind nicht echt. Sie waren überhaupt nur für die Polizei bestimmt. Nun müssen wir uns die folgende Frage stellen: ›Ist Ratchett darauf hereingefallen?‹ Die offenkundige Antwort lautet: ›Nein.‹ Seine Instruktionen an Hardman lassen auf einen ganz bestimmten *persönlichen* Feind schließen, dessen Identität er sehr wohl kannte. Dabei müssen wir allerdings Hardmans Geschichte als wahr unterstellen. Aber Ratchett hat mit Sicherheit mindestens noch *einen* ganz anders gearteten Brief erhalten, nämlich den, von dem wir ein Fragment in seinem Abteil gefunden haben – den mit dem Hinweis auf die kleine Daisy Armstrong. Dieser Brief sollte sicherstellen, dass Ratchett, falls er es noch nicht begriffen hatte, den Grund für die gegen ihn gerichteten Todesdrohungen verstand. Und wie ich von vornherein behauptet habe, sollte dieser Brief *nicht* gefunden werden. Also musste es die erste Sorge des Mörders sein, ihn zu vernichten. Und das war nun die zweite Panne in seinem Plan. Die erste war der Schnee, die zweite, dass es uns gelang, dieses Brieffragment zu rekonstruieren.

Dass der Brief so gewissenhaft vernichtet wurde, kann nur eines bedeuten: *Es befindet sich jemand in diesem Zug, der eine so enge Beziehung zur Familie Armstrong hat, dass er unverzüglich in Verdacht geraten wäre, wenn man den Brief gefunden hätte.*

Kommen wir nun zu den beiden anderen Hinweisen, die wir noch gefunden haben. Ich will den Pfeifenreiniger übergehen. Es wurde schon genug darüber gesagt. Wenden wir uns dem Taschentuch zu. Bei oberflächlicher Betrachtung belastet es eine Person, die ein H in ihren Initialen hat, und wurde von ebendieser Person unwissentlich am Tatort zurückgelassen.«

»Genau«, sagte Dr. Constantine. »Dann merkt sie, dass sie das Taschentuch verloren hat, und ergreift sofort Maßnahmen zur Verschleierung ihres Vornamens.«

»Wie voreilig Sie doch sind. Sie ziehen Ihre Schlüsse schneller, als ich es mir je gestatten würde.«

»Gibt es denn eine andere Möglichkeit?«

»O ja, gewiss! Nehmen wir zum Beispiel einmal an, Sie hätten ein Verbrechen begangen und wollten den Verdacht auf jemand anderen lenken. Nun befindet sich im Zug jemand, der eine enge Beziehung zur Familie Armstrong hat – eine Frau. Nehmen wir weiter an, Sie hinterlassen am Tatort ein Taschentuch, das dieser Frau gehört. Sie wird verhört, ihre Beziehung zur Familie Armstrong kommt ans Licht – *et voilà*. Ein Motiv – und ein belastendes Beweisstück.«

»Aber«, wandte der Doktor ein, »wenn die so belastete Person unschuldig wäre, würde sie ihre Identität doch nicht verschleiern wollen.«

»Ach nein? Glauben Sie das wirklich? So sehen es gewiss auch die Polizeigerichte. Ich aber kenne die menschliche Natur, mein Freund, und ich sage Ihnen, dass auch der Unschuldigste, der sich plötzlich in Gefahr sieht, wegen Mordes vor Gericht gestellt zu werden, den Kopf verliert und die aberwitzigsten Dinge tut. Nein, o nein, der Fettfleck und der Aufkleber sind keine Schuldbeweise – sie beweisen nur, dass die Gräfin Andrenyi aus irgendeinem Grund darauf bedacht ist, ihre Identität zu verbergen.«

»Was glauben Sie denn, welcher Art ihre Beziehung zur Familie Armstrong sein könnte? Sie sagt, dass sie nie in Amerika war.«

»Genau, und sie spricht gebrochenes Englisch und hat ein übertrieben fremdländisches Aussehen, das sie pflegt. Aber es dürfte unschwer zu erraten sein, wer sie ist. Ich habe vorhin den Namen von Mrs. Armstrongs Mutter erwähnt. Sie hieß Linda Arden und war eine gefeierte Schauspielerin – Shakespeare-Interpretin unter anderem. Denken Sie an *Wie es euch gefällt* – den Ardenner Wald und Rosalinde. Dort hat sie die Anregung für ihren Künstlernamen bekommen. Linda Arden, der Name, unter dem man sie auf der ganzen Welt kannte, war nicht ihr richtiger Name. Der könnte Goldenberg gewesen sein – sie hatte sehr wahrscheinlich osteuropäisches Blut in den Adern – eine Spur jüdisches vielleicht. Viele Nationalitäten zieht es nach Amerika. Ich sage Ihnen, meine Herren, dass diese jüngere Schwester von Mrs. Armstrong, ein Kind noch zur Zeit der Tragödie, Helena Goldenberg war, die jüngere Tochter von Linda Arden, und sie hat den Grafen Andrenyi geheiratet, als er Attaché in Washington war.«

»Aber die Fürstin Dragomiroff sagt doch, sie hätte einen Engländer geheiratet.«
»An dessen Namen sie sich nicht erinnert! Ich frage Sie, meine Freunde – ist das glaubhaft? Die Fürstin Dragomiroff hat Linda Arden geliebt, wie große Damen nun einmal große Künstlerinnen lieben. Sie war die Patin einer ihrer Töchter. Würde sie so schnell den Ehenamen der anderen Tochter vergessen? Das ist nicht anzunehmen. Nein, ich glaube, wir können getrost unterstellen, dass die Fürstin Dragomiroff uns angelogen hat. Sie weiß, dass Helena im Zug ist, sie hat sie gesehen. Als sie erfährt, wer Ratchett wirklich war, begreift sie sofort, dass der Verdacht auf Helena fallen wird. Und als wir sie nach der Schwester fragen, lügt sie prompt – weicht aus, kann sich nicht erinnern, glaubt aber, dass Helena ›einen Engländer geheiratet hat‹ – eine Behauptung, die möglichst weit von der Wahrheit entfernt ist.«
Einer der Speisewagenkellner kam zur Tür herein und näherte sich ihrem Tisch. Er wandte sich an Monsieur Bouc.
»Das Abendessen, Monsieur – soll ich servieren? Es ist schon seit einiger Zeit fertig.«
Monsieur Bouc sah Poirot an. Der nickte.
»Auf jeden Fall, lassen Sie das Abendessen servieren.«
Der Kellner verschwand wieder durch die Tür. Man hörte seine Glocke läuten und seine laute Stimme rufen:
»*Premier service. Le dîner est servi. Premier service. Le dîner ...*«

Viertes Kapitel

Der Fettfleck auf einem ungarischen Pass

Poirot nahm mit Monsieur Bouc und dem Arzt am selben Tisch Platz.
Es war eine sehr gedämpfte Gesellschaft, die sich da im Speisewagen einfand. Man unterhielt sich kaum. Sogar die redselige Mrs. Hubbard war unnatür-

lich still. Beim Hinsetzen sagte sie leise: »Ich weiß ja nicht, ob ich überhaupt etwas hinunter bekomme –«, um dann, ermuntert von der Schwedin, die sie als ihre Schutzbefohlene betrachtete, von allem zu nehmen, was gereicht wurde. Bevor das Essen aufgetragen wurde, hatte Poirot den Oberkellner am Ärmel gezupft und ihm etwas zugeraunt. Dr. Constantine konnte sich wohl denken, welcher Art seine Anweisungen gewesen waren, denn er beobachtete, wie Graf und Gräfin Andrenyi bei allen Gängen als Letzte bedient wurden, und nach dem Mahl ließ auch noch die Rechnung auf sich warten. So kam es, dass der Graf und die Gräfin als Letzte noch im Speisewagen saßen. Als sie endlich aufstanden und zur Tür gehen wollten, sprang Poirot auf und eilte ihnen nach.

»*Pardon*, Madame, Sie haben Ihr Taschentuch verloren.«

Damit hielt er ihr das bestickte Batisttüchlein hin.

Sie nahm es, warf einen Blick darauf und reichte es ihm zurück.

»Sie irren, Monsieur, das ist nicht mein Taschentuch.«

»Nicht Ihres? Sind Sie ganz sicher?«

»Vollkommen sicher, Monsieur.«

»Obwohl Ihr Monogramm darauf ist – ein H?«

Der Graf machte eine abrupte Bewegung, die Poirot geflissentlich übersah. Er blickte unverwandt der Gräfin ins Gesicht.

Sie sah ihm fest in die Augen und erwiderte:

»Ich verstehe Sie nicht, Monsieur. Meine Initialen sind E. A.«

»Das glaube ich Ihnen nicht. Ihr Name ist Helena, nicht Elena. Helena Goldenberg, Linda Ardens jüngere Tochter – Helena Goldenberg, Mrs. Armstrongs Schwester.«

Die Totenstille, die daraufhin eintrat, dauerte eine Weile an. Der Graf und die Gräfin waren leichenblass geworden. Poirot sagte in freundlicherem Ton:

»Leugnen hat keinen Sinn. Es ist doch die Wahrheit, oder?«

»Monsieur!«, fuhr der Graf ihn wütend an. »Ich verlange auf der Stelle zu erfahren, mit welchem Recht Sie –«

Seine Frau unterbrach ihn, indem sie ihm ihre kleine Hand vor den Mund hielt.

»Nicht, Rudolph. Lass mich reden. Es ist sinnlos, abzustreiten, was dieser Herr gesagt hat. Wir sollten uns lieber hinsetzen und über die Sache reden.«

Ihr Ton hatte sich verändert. Er hatte nach wie vor die südländische Klangfülle, war aber zugleich auch heller und schneidender geworden. Zum ersten Mal war es ein unverkennbar amerikanischer Tonfall.

Der Graf war verstummt. Er gehorchte dem Befehl ihrer Hand, und beide setzten sich Poirot gegenüber.
»Es ist wahr, was Sie gesagt haben, Monsieur«, sagte die Gräfin. »Ich bin Helena Goldenberg, Mrs. Armstrongs jüngere Schwester.«
»Heute Vormittag haben Sie mir das nicht anvertraut, *Madame la Comtesse.*«
»Nein.«
»Überhaupt haben Sie und Ihr Gatte mir da ein ganzes Lügengespinst aufgetischt.«
»Monsieur«, fuhr der Graf wütend auf.
»Du brauchst nicht zornig zu werden, Rudolph. Monsieur Poirot hat es etwas derb ausgedrückt, aber was er sagt, ist nicht zu bestreiten.«
»Es freut mich, dass Sie sich so freimütig dazu bekennen, Madame. Würden Sie mir jetzt auch noch sagen, *warum* Sie gelogen und *warum* Sie Ihren Vornamen auf dem Pass geändert haben?«
»Das war ausschließlich mein Tun«, sprach der Graf dazwischen.
Helena sagte ruhig: »Sie können sich meine Gründe – unsere Gründe – sicherlich denken, Monsieur Poirot. Der Getötete ist der Mann, der meine kleine Nichte ermordet, meine Schwester umgebracht und meinem Schwager das Herz gebrochen hat. Drei der Menschen, die ich am meisten liebte, die mein Zuhause waren, meine Welt.«
Ihre Stimme war voll Leidenschaft. Sie war eine wahre Tochter jener Mutter, die mit ihrer Schauspielkunst so manches große Publikum zu Tränen gerührt hatte.
»Von allen Leuten in diesem Zug«, fuhr sie jetzt ruhiger fort, »hatte wahrscheinlich ich das stärkste Motiv, ihn zu töten.«
»Aber Sie haben ihn nicht getötet, Madame?«
»Ich schwöre Ihnen, Monsieur Poirot – und mein Mann weiß es und wird es auch beschwören –, dass ich keine Hand gegen diesen Menschen gerührt habe, wäre mir auch noch so sehr danach gewesen.«
»Und ich, meine Herren«, sagte der Graf, »gebe Ihnen mein Ehrenwort, dass Helena in der letzten Nacht zu keinem Zeitpunkt ihr Abteil verlassen hat. Sie hat einen Schlaftrunk genommen, genau wie ich Ihnen schon sagte. Sie ist vollkommen unschuldig.«
Poirot sah beide abwechselnd an.
»Mein Ehrenwort«, wiederholte der Graf.
Poirot schüttelte langsam den Kopf.
»Und trotzdem sahen Sie sich veranlasst, den Namen im Pass zu ändern?«

»Monsieur Poirot«, sagte der Graf mit ernstem Nachdruck, »bedenken Sie meine Lage. Glauben Sie, ich hätte die bloße Vorstellung ertragen, meine Frau in so einen widerlichen Kriminalfall hineingezerrt zu sehen? Ich wusste, dass sie unschuldig war, aber es stimmt einfach, was sie sagt – auf Grund ihrer Verbindung mit der Familie Armstrong wäre sie sofort in Verdacht geraten. Man hätte sie verhört, vielleicht verhaftet. Da ein böser Zufall uns mit diesem Ratchett in denselben Zug gesetzt hat, gab es nach meiner Überzeugung nur eines zu tun. Ich gebe zu, Monsieur, dass ich Sie belogen habe – außer in einem Punkt. Meine Frau hat in der letzten Nacht nie ihr Abteil verlassen.«
Er sagte es mit solchem Ernst, dass man schwerlich widersprechen konnte.
»Es ist nicht so, dass ich Ihnen nicht glaube, Monsieur«, sagte Poirot langsam. »Sie entstammen, wie ich weiß, einem alten und stolzen Geschlecht. Es wäre wirklich bitter für Sie, Ihre Frau in so einen unerquicklichen Fall gezerrt zu sehen. Das kann ich Ihnen nachfühlen. Aber wie erklären Sie mir dann, dass wir das Taschentuch Ihrer Frau Gemahlin ausgerechnet im Abteil des Toten gefunden haben?«
»Dieses Taschentuch gehört mir nicht, Monsieur«, sagte die Gräfin.
»Trotz des H darauf?«
»Trotz des H. Ich besitze ähnliche Taschentücher, aber keines von genau der gleichen Art. Natürlich kann ich gar nicht erst hoffen, dass Sie mir glauben, aber ich versichere es Ihnen hoch und heilig: Dieses Taschentuch gehört mir nicht.«
»Könnte jemand es dort hinterlassen haben, um Sie in Verdacht zu bringen?«
Sie lächelte matt.
»Sie wollen mich zu dem Eingeständnis verlocken, es wäre doch meines? Nein, Monsieur Poirot, es gehört wirklich nicht mir.«
»Aber wenn es nicht Ihr Taschentuch ist, warum haben Sie dann Ihren Namen im Pass geändert?«
Der Graf antwortete an ihrer Stelle.
»Weil wir erfahren hatten, dass ein mit einem H besticktes Taschentuch gefunden worden war. Wir haben darüber gesprochen, bevor wir vernommen wurden. Ich habe Helena darauf hingewiesen, dass man sie sehr viel schärfer ins Verhör nehmen werde, wenn man sähe, dass ihr Vorname mit einem H beginnt. Und es war ja so einfach – aus Helena Elena zu machen war ein Kinderspiel.«

»Sie hätten das Zeug zu einem recht ordentlichen Kriminellen, *Monsieur le Comte*«, bemerkte Poirot trocken. »Sie besitzen einen großen angeborenen Einfallsreichtum und haben offenbar keinerlei Hemmungen, Justitia an der Nase herumzuführen.«

»Nein, nein, nein!« Die Gräfin beugte sich über den Tisch. »Er hat Ihnen doch erklärt, wie es war, Monsieur Poirot.« Sie verfiel jetzt vom Französischen ins Englische. »Ich hatte Angst, Todesängste, verstehen Sie? Es war so eine entsetzliche Zeit gewesen – damals – und das nun alles wieder aufrühren zu lassen! Verdächtigt zu werden, vielleicht ins Gefängnis geworfen! Ich war halb wahnsinnig vor Angst, Monsieur Poirot. Können Sie das denn gar nicht verstehen?«

Ihre Stimme war so schön – so tief und voll, so flehend – da sprach wahrhaft die Tochter der großen Schauspielerin Linda Arden.

Poirot sah sie ernst an.

»Wenn ich Ihnen glauben soll, Madame – und ich sage nicht, dass ich Ihnen *nicht* glauben will –, dann müssen Sie mir helfen.«

»Ihnen helfen?«

»Ja. Der Grund für diesen Mord liegt in der Vergangenheit – jener Tragödie, die Ihre Familie vernichtet und Ihre Jugend überschattet hat. Führen Sie mich bitte zurück in diese Vergangenheit, Madame, damit ich vielleicht das Bindeglied entdecke, das die ganze Sache erklärt.«

»Was kann ich Ihnen denn da noch sagen? Sie sind alle tot. Alle tot«, wiederholte sie voll Trauer. »Alle tot – Robert, Sonia, die liebe, liebe kleine Daisy. Sie war so süß – so fröhlich – sie hatte so bezaubernde Löckchen. Wir waren alle ganz vernarrt in sie.«

»Es gab noch ein Opfer, Madame. Ein indirektes sozusagen.«

»Die arme Susanne? Ach ja, die hatte ich ganz vergessen. Die Polizei hat sie verhört. Man war überzeugt, Susanne hätte etwas damit zu tun gehabt. Vielleicht hatte sie das sogar – allerdings nichts ahnend. Soviel ich weiß, hatte sie mit irgendjemandem geplaudert und dabei die Zeiten genannt, zu denen Daisy immer ausgeführt wurde. Die Ärmste war völlig verzweifelt – sie dachte, man wolle ihr die Sache zur Last legen.« Die Gräfin schauderte. »Sie hat sich aus dem Fenster gestürzt. Oh, war das schrecklich!«

Sie schlug die Hände vors Gesicht.

»Was war sie für eine Landsmännin, Madame?«

»Französin.«

»Wie hieß sie mit Nachnamen?«

»Es ist komisch, aber ich kann mich nicht erinnern – wir nannten sie alle nur Susanne. Ein hübsches Mädchen, und immer fröhlich. Sie hat Daisy vergöttert.«
»Sie war das Kindermädchen, nicht wahr?«
»Ja.«
»Und wer war die Kinderschwester?«
»Eine ausgebildete Pflegerin. Stengelberg hieß sie. Auch sie hat Daisy vergöttert – und meine Schwester.«
»Und nun bitte ich Sie, Madame, sehr genau nachzudenken, bevor Sie meine nächste Frage beantworten. Haben Sie, seit Sie in diesem Zug sind, jemanden gesehen, den Sie wieder erkannten?«
Sie sah ihn mit großen Augen an.
»Ich? Nein, niemanden.«
»Auch nicht die Fürstin Dragomiroff?«
»Ach so, die? Ja, natürlich kenne ich sie. Ich dachte, Sie meinten jemanden – aus der damaligen Zeit.«
»Das meinte ich auch. Denken Sie jetzt sehr genau nach. Es sind, wohlgemerkt, etliche Jahre vergangen. Die Person könnte ihr Aussehen verändert haben.«
Helena dachte angestrengt nach. Dann sagte sie:
»Nein – ich bin ganz sicher – da ist niemand.«
»Sie selbst – Sie waren damals ein junges Mädchen – hatten Sie niemanden, der Sie bei den Hausaufgaben beaufsichtigte und sich um Sie kümmerte?«
»O doch, das war ein Drache – meine Gouvernante, zugleich Sonias Sekretärin. Eine Engländerin, oder eigentlich Schottin – groß und rothaarig.«
»Wie hieß sie?«
»Miss Freebody.«
»Jung oder alt?«
»Mir kam sie furchtbar alt vor. Dabei glaube ich nicht, dass sie älter als vierzig war. Ansonsten war für mich natürlich Susanne zuständig.«
»Und es lebte sonst niemand mehr im Haus?«
»Nur Dienstboten.«
»Und Sie sind sicher – ganz sicher, Madame –, dass Sie in diesem Zug niemanden wieder erkannt haben?«
Sie antwortete ernst:
»Niemanden, Monsieur, wirklich niemanden.«

FÜNFTES KAPITEL

Der Vorname der Fürstin Dragomiroff

Nachdem der Graf und die Gräfin gegangen waren, blickte Poirot zu den beiden anderen hinüber.
»Sie sehen«, sagte er, »wir kommen voran.«
»Ausgezeichnete Arbeit«, ließ Monsieur Bouc sich herab. »Ich für meinen Teil wäre nie auf die Idee gekommen, Graf und Gräfin Andrenyi zu verdächtigen. Ich hatte sie, wie ich zugeben muss, für gänzlich *hors de combat* gehalten. Es besteht doch wohl kein Zweifel, dass sie die Tat begangen hat? Eigentlich traurig. Aber man wird sie wohl nicht gleich enthaupten. Es liegen ja mildernde Umstände vor. Ein paar Jahre Gefängnis – das dürfte alles sein.«
»Demnach sind Sie von ihrer Schuld schon restlos überzeugt?«
»Mein lieber Freund, daran besteht doch wohl kein Zweifel? Ich dachte, Sie wollten mit Ihrer beschwichtigenden Art nur die Wogen glätten, bis wir hier ausgegraben werden und die Polizei die Sache in die Hand nimmt.«
»Sie glauben der Beteuerung des Grafen nicht – seinem Ehrenwort –, dass seine Frau unschuldig ist?«
»*Mon cher* – was hätte er denn anderes sagen können? Er betet seine Frau an. Er will sie retten! Er lügt sehr überzeugend, ganz im Ton des Grandseigneurs, aber was kann es denn anderes sein als eine Lüge?«
»Ach, wissen Sie, mir ist schon der aberwitzige Gedanke gekommen, es könnte die Wahrheit sein.«
»Aber, aber! Denken Sie nur an das Taschentuch. Das Taschentuch löst das Rätsel.«
»Na, ich bin mir mit dem Taschentuch nicht ganz so sicher. Erinnern Sie sich, ich habe von Anfang an gesagt, dass es zwei Möglichkeiten gibt, wem es gehören könnte.«
»Trotzdem –«
Monsieur Bouc unterbrach sich. Die Tür am Ende des Speisewagens war

aufgegangen, und die Fürstin Dragomiroff trat ein. Sie kam geradewegs auf sie zu, und alle drei Männer erhoben sich.
Sie sprach zu Poirot, ohne die beiden anderen zu beachten.
»Ich glaube, Monsieur«, sagte sie, »Sie haben ein Taschentuch von mir.«
Poirot warf seinen Freunden einen triumphierenden Blick zu.
»Ist es dieses, Madame?«
Er holte das feine Batisttüchlein hervor.
»Ja, das ist es. In der einen Ecke ist mein Monogramm darauf.«
»Aber, *Madame la Princesse,* dort steht ein H«, sagte Monsieur Bouc. »Ihr Vorname – verzeihen Sie mir – ist jedoch Natalia.«
Sie bedachte ihn mit einem kalten Blick.
»Richtig, Monsieur. Meine Taschentücher werden immer mit russischen Buchstaben bestickt. Das N im russischen Alphabet sieht wie ein H aus.«
Monsieur Bouc war fassungslos. Die alte Dame hatte etwas Unbezwingbares an sich, das ihn verlegen und unsicher machte.
»Heute Morgen, bei Ihrer Vernehmung, haben Sie uns nicht gesagt, dass es Ihr Taschentuch ist.«
»Sie haben mich nicht gefragt«, antwortete die Fürstin trocken.
»Bitte, nehmen Sie doch Platz, Madame«, sagte Poirot.
Sie seufzte. »Das sollte ich wohl.« Sie setzte sich.
»Sie brauchen hier keine langen Geschichten zu machen, Messieurs. Ihre nächste Frage wird sein: Wie kommt mein Taschentuch neben einen Ermordeten zu liegen? Und ich antworte darauf, dass ich keine Ahnung habe.«
»Sie haben wirklich keine Ahnung?«
»Nicht die mindeste.«
»Sie werden verzeihen, Madame, aber wie sehr können wir uns auf die Wahrhaftigkeit Ihrer Antworten verlassen?«
Poirot hatte sehr sanft gesprochen. Fürstin Dragomiroff antwortete verächtlich:
»Ich nehme an, Sie fragen das, weil ich Ihnen nicht gesagt habe, dass Helena Andrenyi die Schwester von Mrs. Armstrong ist?«
»Sie haben uns diesbezüglich sogar bewusst angelogen.«
»Natürlich. Das würde ich auch wieder tun. Ihre Mutter war meine Freundin. Ich glaube an Loyalität, Messieurs – gegenüber seinen Freunden, seiner Familie, seiner Klasse.«
»Und Sie glauben nicht daran, dass man sein Äußerstes tun sollte, um der Gerechtigkeit zum Sieg zu verhelfen?«

»Im vorliegenden Fall bin ich der Meinung, dass Gerechtigkeit – wahre Gerechtigkeit – bereits geschehen ist.«
Poirot beugte sich zu ihr vor.
»Sie sehen, in welcher Zwickmühle ich bin, Madame. Schon in der Frage des Taschentuchs – soll ich Ihnen glauben? Oder stellen Sie sich nur wieder schützend vor die Tochter Ihrer Freundin?«
»Ach so, ich verstehe, was Sie meinen.« Ein grimmiges Lächeln erschien auf ihrem Gesicht. »Also, Messieurs, das mit dem Taschentuch ist leicht nachzuprüfen. Ich gebe Ihnen die Adresse in Paris, wo ich meine Taschentücher machen lasse. Sie brauchen den Leuten nur dieses Tuch zu zeigen, und man wird Ihnen sagen, dass es vor über einem Jahr auf meine Bestellung hin angefertigt wurde. Es ist wirklich mein Taschentuch, Messieurs.«
Sie erhob sich.
»Haben Sie noch weitere Fragen an mich?«
»Ihre Zofe, Madame, hat sie das Taschentuch erkannt, als wir es ihr heute Vormittag zeigten?«
»Das muss sie wohl. Sie hat es gesehen und nichts gesagt? Gut! Das zeigt, dass auch sie loyal sein kann.«
Und mit einem angedeuteten Kopfnicken verließ sie den Speisewagen.
»Das war es also«, murmelte Poirot vor sich hin. »Ich habe bei der Zofe nur die Spur eines Zögerns bemerkt, als ich sie fragte, ob sie wisse, wessen Taschentuch das sei. Sie wusste nicht recht, ob sie zugeben sollte, dass es ihrer Herrin gehört. Aber wie passt das nun in meine absonderliche Theorie? Doch, es könnte durchaus sein.«
»Puh!«, rief Monsieur Bouc mit einer viel sagenden Gebärde. »Ist das ein alter Drache!«
»Könnte sie Ratchett ermordet haben?«, wandte Poirot sich an Dr. Constantine.
Der schüttelte den Kopf.
»Diese Stiche – ich spreche von denen, die das Muskelgewebe mit großer Kraft durchdrungen haben – können nie und nimmer von einer so gebrechlichen Person stammen.«
»Die schwächeren aber doch?«
»Die schwächeren ja.«
»Ich denke an heute Vormittag«, sagte Poirot, »als ich zu ihr sagte, ihre Kraft liege mehr in ihrem Willen als in ihrem Arm. Damit wollte ich sie in eine Falle locken. Ich wollte sehen, ob sie auf ihren rechten oder ihren linken

Arm blickt. Sie hat auf beide geblickt. Aber ihre Antwort hat mir zu denken gegeben. Sie sagte: ›Nein, darin habe ich keine Kraft. Ich weiß nicht, ob ich darüber froh oder traurig bin.‹ Ein sonderbarer Satz. Er bestärkt mich in meiner Meinung über das Verbrechen.«

»Er klärt aber nicht die Frage nach der Linkshändigkeit.«

»Das nicht. Ist Ihnen übrigens aufgefallen, dass Graf Andrenyi sein Brusttüchlein rechts trägt?«

Monsieur Bouc schüttelte den Kopf. Er war mit den Gedanken bei den erstaunlichen Enthüllungen der letzten halben Stunde.

»Lügen«, sagte er leise, »Lügen über Lügen. Ich kann es nicht fassen, wie viele Lügen uns heute Vormittag aufgetischt wurden.«

»Es werden wohl noch einige mehr aufgedeckt werden«, meinte Poirot vergnügt.

»Glauben Sie?«

»Wenn nicht, wäre ich sehr enttäuscht.«

»Ich finde solche Verlogenheit fürchterlich«, erklärte Monsieur Bouc. »Aber«, fügte er vorwurfsvoll hinzu, »Sie scheinen Ihren Spaß daran zu haben.«

»Sie hat einen Vorteil«, erklärte Poirot. »Wenn man nämlich einem, der gelogen hat, die Wahrheit auf den Kopf zusagt, gibt er sie meist zu – oft genug aus schierer Verblüffung. Um diese Wirkung zu erzielen, muss man nur *richtig* raten.

Nur so kommt man in diesem Fall überhaupt voran. Ich sehe mir die Reisenden einzeln an, lasse mir ihre Aussagen durch den Kopf gehen und frage mich: ›Wenn dieser oder jener lügt, in welchem Punkt lügt er, und aus welchem Grund?‹ Und dann antworte ich mir: ›*Wenn* sie oder er lügt – wohlgemerkt, *wenn* –, dann kann es nur in diesem Punkt und aus jenem Grund sein.‹ Wir haben das schon einmal sehr erfolgreich bei der Gräfin Andrenyi so gemacht. Nun werden wir dieselbe Methode noch an einigen anderen Personen ausprobieren.«

»Aber was ist, mein Freund, wenn Sie dummerweise falsch raten?«

»Dann ist zumindest *eine* Person frei von jedem Verdacht.«

»Ah, die Ausschlussmethode!«

»Stimmt genau.«

»Und an wem probieren wir sie als nächstes aus?«

»Wir sollten uns noch einmal den *pukka sahib* vornehmen, Colonel Arbuthnot.«

Sechstes Kapitel

Colonel Arbuthnot zum Zweiten

Colonel Arbuthnot war sichtlich verstimmt, dass man ihn zu einem zweiten Gespräch in den Speisewagen bestellte. Mit überaus abweisender Miene nahm er Platz und sagte:

»Nun?«

»Ich bedaure zutiefst, dass ich Sie ein weiteres Mal belästigen muss«, sagte Poirot. »Aber ich glaube, es gibt immer noch einiges, was wir von Ihnen erfahren können.«

»So? Das glaube ich weniger.«

»Sehen Sie zunächst einmal diesen Pfeifenreiniger?«

»Ja.«

»Ist es einer von Ihnen?«

»Weiß ich doch nicht. Ich pflege sie nicht zu kennzeichnen.«

»Sind Sie sich darüber im Klaren, Colonel Arbuthnot, dass Sie der einzige Mann im Wagen Istanbul-Calais sind, der Pfeife raucht?«

»Wenn das so ist, wird es wohl einer von meinen sein.«

»Wissen Sie, wo wir ihn gefunden haben?«

»Keine Ahnung.«

»Bei dem Ermordeten.«

Colonel Arbuthnot zog die Augenbrauen hoch.

»Können Sie uns erklären, Colonel Arbuthnot, wie er da wohl hingekommen ist?«

»Wenn Sie annehmen, er wäre dort vielleicht mir selbst aus der Tasche gefallen, nein.«

»Waren Sie irgendwann einmal in Mr. Ratchetts Abteil?«

»Ich habe mit dem Mann nie ein Wort gewechselt.«

»Sie haben nie ein Wort mit ihm gewechselt, und Sie haben ihn nicht ermordet?«

Der Oberst zog wieder höhnisch die Augenbrauen hoch.

»Wenn doch, dann würde ich es Ihnen wohl kaum auf die Nase binden. Aber um es genau zu sagen, nein, ich habe den Kerl *nicht* ermordet.«
»Nun gut«, sagte Poirot leise. »Es ist ja nicht so wichtig.«
»Wie bitte?«
»Ich sagte, es ist nicht so wichtig.«
»Oh!« Colonel Arbuthnot schien enttäuscht zu sein. Er musterte Poirot argwöhnisch.
»Denn sehen Sie«, fuhr der kleine Detektiv fort, »der Pfeifenreiniger ist ohne Bedeutung. Ich wüsste für sein Vorhandensein noch elf andere ausgezeichnete Erklärungen.«
Colonel Arbuthnot stierte ihn an.
»Weswegen ich Sie eigentlich sprechen möchte, ist etwas völlig anderes«, sprach Poirot weiter. »Miss Debenham hat Ihnen vielleicht schon gesagt, dass ich auf dem Bahnhof Konya ein kurzes Gespräch zwischen Ihnen beiden mitgehört habe.«
Arbuthnot antwortete nicht.
»Sie sagte: ›*Nicht jetzt. Erst wenn alles vorbei ist. Wenn wir es hinter uns haben.*‹ Wissen Sie, worauf sich diese Worte bezogen?«
»Bedaure, Monsieur Poirot, aber ich muss es ablehnen, diese Frage zu beantworten.«
»*Pourquoi?*«
Der Oberst antwortete steif: »Ich schlage vor, Sie fragen Miss Debenham selbst, was diese Worte bedeuteten.«
»Das habe ich schon.«
»Und sie hat es Ihnen nicht gesagt?«
»So ist es.«
»Dann dürfte doch völlig klar sein – sogar Ihnen –, dass auch meine Lippen verschlossen bleiben.«
»Sie wollen uns das Geheimnis der Dame nicht verraten?«
»Wenn Sie es so ausdrücken wollen.«
»Miss Debenham sagte, die Worte hätten sich auf eine private Angelegenheit von ihr bezogen.«
»Und warum glauben Sie ihr das nicht?«
»Weil – verstehen Sie mich recht, Colonel Arbuthnot – weil man Miss Debenham als eine höchst verdächtige Gestalt bezeichnen könnte.«
»Unsinn«, erwiderte der Oberst mit Nachdruck.
»Es ist kein Unsinn.«

»Sie haben nicht das Mindeste gegen sie in der Hand.«
»Auch nicht, dass Miss Debenham zur Zeit der Entführung der kleinen Daisy die Stelle einer Gesellschafterin und Gouvernante im Hause Armstrong bekleidete?«
Eine ganze Minute lang war es totenstill.
Poirot nickte freundlich.
»Sie sehen«, sagte er, »dass wir mehr wissen, als Sie glauben. Wenn Miss Debenham unschuldig ist, warum hat sie mir diese Tatsache verschwiegen? Warum hat sie mir erzählt, sie wäre noch nie in Amerika gewesen?«
Der Oberst räusperte sich.
»Sind Sie nicht möglicherweise im Irrtum?«
»Ich bin nicht im Irrtum. Also, warum hat Miss Debenham mich angelogen?«
Colonel Arbuthnot zuckte mit den Schultern.
»Stellen Sie ihr diese Frage lieber selbst. Ich glaube weiter, dass Sie im Irrtum sind.«
Poirot rief laut nach einem der Speisewagenkellner, der vom anderen Ende des Wagens herbeigeeilt kam.
»Bitten Sie die englische Dame in Nummer elf, sie möchte doch so freundlich sein und hierher kommen.«
»Bien, Monsieur.«
Der Kellner ging. Die vier Männer saßen schweigend da. Colonel Arbuthnots Gesicht wirkte wie aus Holz geschnitzt, so starr und unbeteiligt war es.
Der Kellner kehrte zurück.
Wenig später trat Mary Debenham in den Speisewagen.

Siebtes Kapitel

Die wahre Mary Debenham

Sie hatte keinen Hut auf. Sie trug den Kopf hoch wie zum Trotz. Das aus der Stirn zurückgekämmte Haar und die geblähten Nasenflügel erinnerten an die Galionsfigur eines Schiffs, das tapfer die raue See durchpflügt. Sie war in diesem Augenblick richtig schön.

Ihr Blick ging kurz – nur ganz kurz – zu Arbuthnot.

Dann sagte sie zu Poirot: »Sie möchten mich sprechen?«

»Ich möchte Sie fragen, Mademoiselle, warum Sie uns heute Morgen angelogen haben.«

»Sie angelogen? Ich weiß nicht, was Sie meinen.«

»Sie haben uns verschwiegen, dass Sie zur Zeit der Kindesentführung im Hause Armstrong lebten. Sie haben mir erzählt, Sie wären noch nie in Amerika gewesen.«

Er sah sie kurz zusammenzucken, aber sie fing sich gleich wieder.

»Ja«, sagte sie. »Das ist wahr.«

»Nein, Mademoiselle, es ist unwahr.«

»Sie haben mich missverstanden. Ich meinte, es ist wahr, dass ich Sie belogen habe.«

»Das geben Sie also zu?«

Ihr Mund verzog sich zu einem Lächeln.

»Natürlich. Sie sind mir ja auf die Schliche gekommen.«

»Wenigstens sind Sie freiheraus, Mademoiselle.«

»Etwas anderes bleibt mir ja wohl nicht übrig.«

»Stimmt auch wieder. Und nun, Mademoiselle, darf ich Sie nach dem Grund für diese Ausflüchte fragen?«

»Ich dächte, der Grund springt einem förmlich ins Gesicht, Monsieur Poirot.«

»Mir springt er nicht ins Gesicht, Mademoiselle.«

Sie sagte in gelassenem Ton, in dem jedoch ein Anflug von Härte lag: »Ich muss für meinen Lebensunterhalt arbeiten.«

»Das heißt –?«
Sie hob den Blick und sah ihm voll ins Gesicht.
»Was wissen Sie davon, Monsieur Poirot, was es für ein Kampf ist, eine ordentliche Arbeitsstelle zu bekommen und zu behalten? Sie glauben doch nicht, dass eine Frau, die im Zusammenhang mit einem Mord festgenommen wurde, deren Name, vielleicht sogar mit Foto, durch die englischen Zeitungen gegangen ist – Sie glauben doch nicht wirklich, dass so eine Frau noch für die nette, normale englische Bürgerfamilie als Gouvernante für ihre Töchter in Frage kommt?«
»Warum nicht – wenn keine Schuld an ihr klebt?«
»Schuld, ach Gott – es geht nicht um Schuld, es geht nur um das Aufsehen. Bisher bin ich gut durchs Leben gekommen, Monsieur Poirot. Ich hatte gut bezahlte, angenehme Stellen. Und ich wollte die Stellung, die ich mir im Leben erworben habe, nicht aufs Spiel setzen, wenn damit keinem guten Zweck gedient war.«
»Ich wage zu behaupten, Mademoiselle, dass ich das besser hätte beurteilen können als Sie.«
Sie zuckte mit den Schultern.
»Sie hätten mir zum Beispiel bei den Identifizierungen helfen können.«
»Wie meinen Sie das?«
»Ist es denn denkbar, Mademoiselle, dass Sie in der Gräfin Andrenyi nicht Mrs. Armstrongs jüngere Schwester erkannt haben, die Sie in New York unterrichteten?«
»Gräfin Andrenyi? Nein.« Sie schüttelte den Kopf. »Es mag Ihnen unglaubhaft vorkommen, aber ich habe sie nicht erkannt. Sie war ja seinerzeit noch nicht erwachsen, verstehen Sie? Seitdem sind mehr als drei Jahre vergangen. Es ist richtig, dass die Gräfin mich an irgendjemanden erinnert hat – es hat mich nachdenklich gemacht. Aber sie sieht so fremdländisch aus – ich hätte sie nie mit diesem kleinen amerikanischen Schulmädchen in Verbindung gebracht. Es ist allerdings auch richtig, dass ich sie nur flüchtig angesehen habe, als ich in den Speisewagen kam. Dabei habe ich mehr auf ihre Kleidung als auf ihr Gesicht geachtet.« Ein kleines Lächeln spielte um ihre Lippen. »Frauen sind nun einmal so. Und außerdem – nun, ich war mit eigenen Problemen beschäftigt.«
»Sie wollen mir also Ihr Geheimnis nicht verraten, Mademoiselle?« Poirots Ton war sehr sanft, aber beschwörend.
»Ich kann nicht«, sagte sie mit leiser Stimme, »nein, ich kann nicht.«

Und ohne jede Vorwarnung brach sie plötzlich zusammen, ließ den Kopf auf die ausgestreckten Arme sinken und weinte, als müsse ihr das Herz brechen.
Der Oberst sprang auf und stellte sich verlegen an ihre Seite.
»Ich – hör doch mal –«
Er brach ab, dann fuhr er herum und funkelte Poirot böse an.
»Ich breche Ihnen sämtliche Knochen im Leib, Sie schmieriger kleiner Wichtigtuer«, sagte er.
»Monsieur!«, begehrte Monsieur Bouc auf.
Arbuthnot hatte sich der jungen Frau wieder zugewandt.
»Mary – um Himmels willen –«
Sie sprang auf.
»Es ist nichts. Schon gut. Sie brauchen mich wohl nicht mehr, Monsieur Poirot? Wenn doch, dann müssen Sie zu mir kommen. O Gott, nein, wie kann ich mich hier so zum Narren machen!«
Sie eilte davon. Bevor Colonel Arbuthnot ihr folgte, drehte er sich noch einmal zu Poirot um.
»Miss Debenham hat mit dieser Sache nichts zu tun – nichts, verstanden? Und wenn Sie ihr noch länger zusetzen, bekommen Sie es mit mir zu tun.«
Und er stolzierte hinaus.
»Ich sehe gern zornige Engländer«, sagte Poirot. »Sie sind köstlich. Je mehr sie mit dem Herzen dabei sind, desto weniger beherrschen sie ihre Zunge.«
Aber Monsieur Bouc interessierte sich im Augenblick weniger für das Gefühlsleben englischer Offiziere. Er zerfloss vor Bewunderung für seinen Freund.
»Mon cher, vous êtes épatant!«, rief er laut. »Schon wieder richtig geraten! Es ist ein Wunder. *Vous êtes formidable!«*
»Unglaublich, wie Sie auf so etwas kommen«, ließ auch Dr. Constantine sich bewundernd vernehmen.
»Oh, diesmal kann ich mir das nicht als Verdienst anrechnen. Ich habe gar nicht geraten. Gräfin Andrenyi hat es mir doch so gut wie gesagt.«
»Comment? Das kann ja nicht sein!«
»Erinnern Sie sich, wie ich sie nach ihrer Gouvernante oder Gesellschafterin gefragt habe? Für mich stand innerlich schon fest: Wenn Mary Debenham an der Sache beteiligt war, dann muss sie irgendeine Stellung im Hause Armstrong bekleidet haben.«

»Ja, aber die Gräfin Andrenyi hat uns doch eine völlig andere Person beschrieben.«
»Eben – groß, von mittlerem Alter und rothaarig – in jeder Hinsicht das genaue Gegenteil von Miss Debenham; so sehr ihr Gegenteil, dass es schon auffiel. Aber dann musste sie schnell einen Namen erfinden, und hier hat sie sich durch eine unbewusste Gedankenverbindung verraten. Sie sagte: ›Miss Freebody‹, erinnern Sie sich?«
»Ja, und?«
»*Eh bien*, Sie wissen es vielleicht nicht, aber in London gab es bis vor kurzem einen Laden, der Debenham & Freebody hieß. Weil ihr der Name Debenham im Kopf herumspukte, während sie verzweifelt nach einem anderen Namen suchte, ist ihr als erstes ›Freebody‹ eingefallen. Ich habe das natürlich sofort begriffen.«
»Also hat sie schon wieder gelogen. Warum nur?«
»Möglicherweise war es wieder Loyalität. Die macht es uns ein bisschen schwer.«
»*Ma foi*«, rief Monsieur Bouc empört. »Lügen denn alle in diesem Zug?«
»Genau das werden wir in Kürze herausfinden«, sagte Poirot.

Achtes Kapitel

Noch mehr erstaunliche Enthüllungen

»Jetzt würde mich nichts mehr überraschen«, sagte Monsieur Bouc. »Gar nichts! Und wenn sich herausstellt, dass alle in diesem Zug im Hause Armstrong gelebt haben, ich werde mich kein bisschen wundern.«
»Ein sehr bedeutungsvoller Satz«, sagte Poirot. »Möchten Sie hören, was Ihr Lieblingsverdächtiger, der Italiener, vorzubringen hat?«
»Wollen Sie wieder einmal Ihre berühmte Ratekunst unter Beweis stellen?«
»Genau.«

»Der Fall ist wirklich *höchst* ungewöhnlich«, fand Dr. Constantine.
»O nein, er ist ganz normal.«
Monsieur Bouc riss in gespielter Verzweiflung die Arme hoch. »Wenn Sie *das* normal finden, *mon ami* –«
Ihm fehlten die Worte.
Poirot hatte inzwischen den Kellner beauftragt, Antonio Foscarelli zu holen. Dem beleibten Italiener stand schon beim Eintreten der Argwohn im Gesicht. Er warf ängstliche Blicke um sich, wie ein Tier in der Falle.
»Was wollen Sie von mir?«, fragte er. »Ich habe Ihnen nichts mehr zu sagen – nichts, hören Sie? *Per Dio* –« Er schlug mit der flachen Hand auf den Tisch.
»O doch, Sie haben uns noch etwas zu sagen«, gab Poirot energisch zurück. »Nämlich die Wahrheit!«
»Die Wahrheit?« Er maß Poirot mit einem furchtsamen Blick. Alle Selbstsicherheit und Leutseligkeit war von ihm abgefallen.
»*Mais oui.* Möglicherweise kenne ich sie schon. Aber es wäre ein Pluspunkt für Sie, wenn ich sie von Ihnen zu hören bekäme.«
»Jetzt reden Sie wie die amerikanische Polizei. ›Die Karten auf den Tisch legen‹, nennen die das. ›Die Karten auf den Tisch.‹«
»Ach, Sie haben Erfahrung mit der New Yorker Polizei?«
»Nein, nein, überhaupt keine. Die haben mir nie etwas beweisen können – was nicht daran lag, dass sie sich nicht bemüht hätten.«
Poirot sagte ruhig: »Das war doch im Entführungsfall Armstrong, nicht wahr? Sie waren der Chauffeur.«
Er sah dem Italiener in die Augen. Den Dicken ließ alle Großspurigkeit im Stich. Er fiel in sich zusammen wie ein durchlöcherter Ballon.
»Wenn Sie es schon wissen – wieso fragen Sie mich?«
»Warum haben Sie heute Vormittag gelogen?«
»Aus geschäftlichen Gründen. Außerdem traue ich der jugoslawischen Polizei nicht. Die hassen die Italiener. Sie hätten mir nie Gerechtigkeit angedeihen lassen.«
»Vielleicht hätte man Ihnen *gerade* Gerechtigkeit angedeihen lassen.«
»Nein, nein, ich hatte mit der Sache von letzter Nacht nichts zu tun. Ich habe keine Sekunde mein Abteil verlassen. Der Engländer mit dem langen Gesicht, er kann es Ihnen sagen. Ich habe das Schwein nicht umgebracht, diesen Ratchett. Sie können mir gar nichts beweisen.«
Poirot schrieb etwas auf ein Blatt Papier. Dann blickte er auf und sagte ruhig: »Gut, Sie können gehen.«

Foscarelli blieb verlegen stehen.
»Sie wissen doch, dass ich es nicht war – dass ich unmöglich etwas damit zu tun haben kann?«
»Ich sagte, Sie können gehen.«
»Das ist ein Komplott! Sie wollen mir etwas anhängen! Und alles für so ein Schwein von einem Mann, der auf den Stuhl gehört hätte! Es war eine Schande, dass sie ihn nicht haben brutzeln lassen. Wenn ich das gewesen wäre – wenn sie mich verhaftet hätten –«
»Aber Sie waren es nicht. Sie hatten mit der Entführung des Kindes nichts zu tun.«
»Was sagen Sie da! Diese Kleine – sie war die Freude des ganzen Hauses. Tonio hat sie mich genannt. Und sich ins Auto gesetzt und Lenken gespielt. Alle waren ganz vernarrt in sie! Das hat sogar die Polizei begriffen. Oh, diese schöne *bambina*.«
Seine Stimme war ganz weich geworden, und Tränen stiegen ihm in die Augen. Dann machte er plötzlich auf dem Absatz kehrt und verließ den Speisewagen.
»Pietro«, rief Poirot.
Der Kellner kam angerannt.
»Nummer zehn – die Schwedin.«
»*Bien, Monsieur.*«
»*Noch* eine?«, rief Monsieur Bouc. »Aber nein – das ist nicht möglich. Ich sage Ihnen, das ist nicht möglich.«
»*Mon cher,* wir müssen Gewissheit haben. Selbst wenn sich am Ende herausstellt, dass alle im Zug ein Motiv hatten, Ratchett umzubringen, brauchen wir Gewissheit. Erst wenn wir Bescheid wissen, können wir endgültig entscheiden, bei wem die Schuld liegt.«
»Mir schwirrt der Kopf«, stöhnte Monsieur Bouc.
Greta Ohlsson wurde von dem teilnahmsvollen Kellner hereingeführt. Sie weinte bitterlich.
Sie ließ sich Poirot gegenüber auf einen Stuhl fallen und weinte in ihr großes Taschentuch.
»Nun quälen Sie sich nicht so, Mademoiselle. Quälen Sie sich nicht.« Poirot klopfte ihr begütigend auf die Schulter. »Nur ein paar Worte der Wahrheit, mehr wollen wir nicht. Sie waren die Krankenschwester, in deren Obhut die kleine Daisy Armstrong gegeben war?«
»Es ist wahr – es ist wahr«, heulte die Unglückliche. »Oh, sie war so ein

Engel – so ein süßer kleiner Engel, so vertrauensvoll. Sie kannte nichts als Freundlichkeit und Liebe – und wurde von diesem schlechten Menschen entführt – grausam misshandelt – ihre arme Mutter – und das andere Kleine, das nie gelebt hat. Sie können nicht verstehen – nicht wissen – wenn Sie dort gewesen wären wie ich – wenn Sie die ganze furchtbare Tragödie miterlebt hätten – ich hätte Ihnen heute Morgen schon die Wahrheit über mich sagen sollen. Aber ich hatte Angst – Angst. Ich war so froh, dass dieser schlechte Mensch tot war – dass er keine kleinen Kinder mehr quälen und ermorden konnte. Oh! Ich kann nicht weitersprechen – ich habe keine Worte mehr ...«

Und sie weinte noch bitterlicher als zuvor.

Poirot tätschelte ihr weiterhin beruhigend die Schulter.

»Aber, aber – ich verstehe Sie ja – ich verstehe alles – alles, glauben Sie mir. Ich werde Ihnen keine weiteren Fragen stellen. Es genügt, dass Sie die Wahrheit zugegeben haben, und ich weiß, dass es die Wahrheit ist. Ich verstehe Sie, wirklich.«

Greta Ohlsson, die inzwischen vor lauter Schluchzen kein Wort mehr herausbrachte, tastete sich tränenblind zur Tür. Dort stieß sie mit einem Mann zusammen, der gerade hereinkam.

Es war der Diener – Masterman.

Er kam geradewegs zu Poirot und sagte in seinem gewohnt ruhigen, teilnahmslosen Ton:

»Ich störe hoffentlich nicht, Sir. Ich fand es am besten, gleich herzukommen und Ihnen die Wahrheit zu sagen, Sir. Ich war im Krieg Colonel Armstrongs Bursche, Sir, und danach in New York sein Diener. Das habe ich Ihnen heute Morgen bedauerlicherweise verschwiegen. Es war sehr unrecht von mir, Sir, darum dachte ich, dass ich am besten gleich herkomme und reinen Tisch mache. Aber ich will nicht hoffen, Sir, dass Sie Tonio in irgendeiner Weise verdächtigen. Der gute Tonio könnte keiner Fliege etwas zu Leide tun, Sir. Und ich kann mit aller Bestimmtheit schwören, dass er letzte Nacht nicht ein einziges Mal unser Abteil verlassen hat. Sie sehen also, dass er es nicht gewesen sein kann, Sir. Tonio mag ein Ausländer sein, Sir, aber er ist ein sehr sanftmütiger Mensch – ganz anders als diese widerlichen italienischen Mordgesellen, von denen man immer wieder liest.«

Er hielt inne.

Poirot sah ihn unentwegt an.

»Ist das alles, was Sie zu sagen haben?«
»Das ist alles, Sir.«
Er schwieg, und als auch Poirot nichts sagte, verabschiedete er sich mit einer kleinen Verbeugung und verließ nach kurzem Zögern den Speisewagen auf die gleiche ruhige, unaufdringliche Weise, wie er gekommen war.
»Das ist ja unglaublicher als jeder *roman policier,* den ich je gelesen habe!«, rief Dr. Constantine.
»Das finde ich auch«, sagte Monsieur Bouc. »Neun von den zwölf Leuten in diesem Wagen hatten erwiesenermaßen eine Beziehung zum Fall Armstrong. Was kommt als Nächstes, frage ich Sie? Oder sollte ich fragen, *wer* kommt als Nächstes?«
»Ich kann Ihnen diese Frage schon fast beantworten«, sagte Poirot. »Da kommt unser amerikanischer Spürhund, Mr. Hardman.«
»Kommt er auch, um ein Geständnis abzulegen?«
Bevor Poirot antworten konnte, war der Amerikaner schon an ihrem Tisch. Er sah sie alle drei neugierig an, setzte sich und begann sogleich zu näseln:
»Können Sie mir sagen, was in diesem Zug los ist? Mir kommt das hier vor wie in einem Irrenhaus.«
Poirot zwinkerte ihm zu.
»Sind Sie völlig sicher, Mr. Hardman, dass Sie nicht der Gärtner der Armstrongs waren?«
»Die hatten keinen Garten«, erwiderte Mr. Hardman kurz und bündig.
»Oder der Butler?«
»Ich hätte nicht die feinen Manieren für so ein Haus. Nein, ich hatte nie etwas mit dem Haus Armstrong zu tun – aber so ganz allmählich glaube ich, dass ich der Einzige im ganzen Zug bin! Das ist ja nicht zu überbieten, sage ich, nicht zu überbieten!«
»Jedenfalls ist es recht erstaunlich«, erwiderte Poirot nachsichtig.
»*C'est rigolo!*«, brach es aus Monsieur Bouc heraus.
»Haben Sie sich selbst schon irgendeine Meinung über dieses Verbrechen gebildet, Mr. Hardman?«, fragte Poirot.
»Nein, Sir. Ich bin nur völlig baff. Ich wüsste nicht, wie ich da durchblicken sollte. Die können doch nicht alle drinstecken; aber wer von ihnen es nun war, das ist mir zu hoch. Wie haben Sie das nur alles herausgekriegt, das würde mich mal interessieren.«
»Ich habe nur geraten.«
»Dann sind Sie, glauben Sie mir, der größte Rätselrater aller Zeiten. Jawohl,

das werde ich der ganzen Welt verkünden: Sie sind der größte Rätselrater aller Zeiten.«
Mr. Hardman lehnte sich zurück und sah Poirot bewundernd an.
»Sie werden entschuldigen«, sagte er, »aber wenn man Sie so ansieht, sollte man das gar nicht denken. Ich ziehe den Hut vor Ihnen. Doch, ehrlich.«
»Zu freundlich von Ihnen, Mr. Hardman.«
»Keineswegs. Man muss es Ihnen wirklich lassen.«
»Trotzdem, Mr. Hardman«, sagte Poirot, »ist das Rätsel noch nicht ganz gelöst. Oder können wir schon mit Fug und Recht sagen, dass wir wissen, wer Mr. Ratchett getötet hat?«
»Fragen Sie nicht mich«, sagte Mr. Hardman. »Ich sage dazu gar nichts. Ich bewundere Sie nur aufrichtig. Was ist denn mit den letzten beiden, an denen Sie Ihre Ratekunst bisher noch nicht erprobt haben – der alten Amerikanerin und der Zofe? Bei denen können wir wohl annehmen, dass sie die einzigen Unschuldigen in diesem Zug sind?«
»Falls«, meinte Poirot lächelnd, »wir sie nicht doch noch irgendwie in unserer Sammlung unterbringen können – sagen wir als die Haushälterin und die Köchin der Armstrongs.«
»Also, mich würde jetzt nichts auf der Welt noch überraschen«, stellte Mr. Hardman ergeben fest. »Ein Irrenhaus, sage ich – ein Irrenhaus ist das hier.«
»Ah, *mon cher*«, meinte Monsieur Bouc, »das würde den Zufall nun doch ein wenig arg strapazieren. Sie *können* nicht alle drinstecken.«
Poirot sah ihn an.
»Sie verstehen nichts«, sagte er, »Sie verstehen gar nichts. Oder sagen Sie mir – wissen Sie schon, wer Ratchett getötet hat?«
»Sie vielleicht?«, fragte Monsieur Bouc zurück.
Poirot nickte.
»Ja«, sagte er. »Und ich weiß es schon einige Zeit. Es liegt so klar auf der Hand, dass ich mich nur wundern kann, wieso Sie es nicht auch sehen.« Er blickte Hardman an und fragte: »Und Sie?«
Der Detektiv schüttelte den Kopf. Er beäugte Poirot neugierig.
»Ich weiß es nicht«, sagte er, »ich weiß es ganz und gar nicht. Wer denn?«
Poirot schwieg eine Weile. Dann sagte er:
»Wenn Sie so freundlich wären, Mr. Hardman, dann rufen Sie doch mal alle hierher. Es gibt für diesen Fall zwei mögliche Lösungen. Und beide möchte ich Ihnen allen gemeinsam vorstellen.«

Neuntes Kapitel

Poirot stellt zwei Lösungen vor

Die Reisenden drängten sich in den Speisewagen und nahmen an den Tischen Platz. Alle hatten mehr oder weniger die gleichen Mienen aufgesetzt: eine Mischung aus Furcht und Erwartung. Die Schwedin weinte noch immer, und Mrs. Hubbard versuchte sie zu trösten.

»Sie müssen sich jetzt wieder fassen, meine Liebe. Es wird sicher alles gut. Sie dürfen sich nicht so gehen lassen. Wenn einer unter uns ein böser Mörder ist, wissen wir doch alle, dass Sie es nicht sind. Wer das auch nur dächte, müsste ja verrückt sein. So, nun setzen Sie sich hier mal schön hin, und ich bleibe bei Ihnen; und quälen Sie sich nicht so.«

Ihr Wortschwall verebbte, als Poirot sich erhob.

Der Schlafwagenschaffner stand in der Tür.

»Gestatten Sie, dass ich hier bleibe, Monsieur?«

»Gewiss, Michel.«

Poirot räusperte sich.

»*Mesdames et Messieurs,* ich werde mich von nun an der englischen Sprache bedienen, weil ich glaube, dass Sie alle von ihr ein wenig verstehen. Wir sind hier, um den Tod eines gewissen Samuel Edward Ratchett – alias Cassetti – zu untersuchen. Es gibt für diesen Mord zwei mögliche Lösungen. Ich werde Ihnen beide vorstellen, und dann mögen Monsieur Bouc und Dr. Constantine entscheiden, welche von ihnen die richtige ist.

Die Tatsachen sind Ihnen allen bekannt. Mr. Ratchett wurde heute Morgen erstochen aufgefunden. Soweit man weiß, war er nachts um null Uhr siebenunddreißig noch am Leben, denn da hat er durch die Tür etwas zum Schlafwagenschaffner gesagt. In seiner Schlafanzugtasche wurde eine stark beschädigte Uhr gefunden, deren Zeiger auf Viertel nach eins standen. Laut Dr. Constantine, der die Leiche nach ihrer Entdeckung untersuchte, ist der Tod zwischen Mitternacht und zwei Uhr morgens eingetreten. Eine halbe Stunde nach Mitternacht ist unser Zug, wie Sie alle wissen, in eine Schnee-

verwehung geraten. Von diesem Zeitpunkt an *war es niemandem mehr möglich, den Zug zu verlassen.*
Laut Mr. Hardman, dem Angestellten einer New Yorker Detektei« (mehrere Köpfe wandten sich nach Mr. Hardman um) »konnte niemand an seinem Abteil (Nummer sechzehn, am hinteren Ende des Wagens) vorbeigehen, ohne von ihm gesehen zu werden. Das zwingt uns zu der Schlussfolgerung, dass der Mörder unter den Fahrgästen *eines* Wagens zu suchen ist – im Kurswagen Istanbul-Calais.
Dies, will ich sagen, *war* unsere Theorie.«
»Comment?«, rief Monsieur Bouc aufs Höchste verwundert.
»Ich will Ihnen aber nun eine Alternative zu dieser Theorie unterbreiten. Sie ist sehr einfach. Mr. Ratchett hatte einen ganz bestimmten Feind, vor dem er sich fürchtete. Er hat diesen Feind Mr. Hardman beschrieben und ihm gesagt, der Mordanschlag werde, falls überhaupt, höchstwahrscheinlich in der zweiten Nacht nach Abfahrt des Zuges von Istanbul verübt werden.
Ich will Ihnen nun zu bedenken geben, meine Damen und Herren, dass Mr. Ratchett mehr wusste, als er gesagt hat. Sein Feind stieg, genau wie Ratchett erwartet hatte, *in Belgrad oder möglicherweise in Vincovci* in den Zug, und zwar durch die Tür, die Colonel Arbuthnot und Mr. MacQueen offen gelassen hatten, als sie einmal kurz ausstiegen. Er hatte die Uniform eines Schlafwagenschaffners über seine normale Kleidung gezogen und war im Besitz eines Hauptschlüssels, mit dessen Hilfe er in Mr. Ratchetts Abteil gelangte, obwohl die Tür verschlossen war. Mr. Ratchett stand unter der Einwirkung eines Schlafmittels. Der Mann stach in blinder Wut auf Mr. Ratchett ein und verließ danach das Abteil durch die Verbindungstür zu Mrs. Hubbards Abteil –«
»So ist es«, bestätigte Mrs. Hubbard kopfnickend.
»Im Vorbeigehen steckte er den Dolch, den er für die Tat benutzt hatte, in Mrs. Hubbards Waschzeugbeutel. Ohne es zu merken, verlor er dabei einen Knopf von seiner Uniform. Dann stahl er sich aus dem Abteil und über den Gang davon. Als er an einem Abteil vorbeikam, in dem sich gerade niemand befand, stopfte er die Uniform in aller Eile dort in einen Koffer. Wenige Minuten später stieg er in seiner normalen Kleidung aus dem Zug, kurz bevor dieser weiterfuhr. Und wieder durch dieselbe Tür – die beim Durchgang zum Speisewagen.«
Alle Anwesenden schnappten nach Luft.
»Und die Uhr?«, wandte Mr. Hardman ein.

»Da liegt die Erklärung für das Ganze. *Mr. Ratchett hatte es unterlassen, in Tzaribrod seine Uhr um eine Stunde zurückzustellen, wie er es hätte tun sollen.* Sie zeigte also noch immer osteuropäische Zeit an, die der mitteleuropäischen Zeit um eine Stunde vorläuft. Es war Viertel nach *zwölf*, als Mr. Ratchett erstochen wurde, nicht Viertel nach eins.«

»Aber diese Erklärung ist aberwitzig«, rief Monsieur Bouc. »Was ist mit der Stimme, die um dreiundzwanzig Minuten vor eins aus seinem Abteil zu hören war? Das muss Mr. Ratchett selbst gewesen sein – oder sein Mörder.«

»Nicht unbedingt. Es könnte – nun – auch eine dritte Person gewesen sein. Jemand, der zu Ratchett gegangen war, um mit ihm zu sprechen, und ihn tot vorfand. Er klingelte nach dem Schaffner, aber dann wurde ihm mulmig, wie Sie es ausdrücken würden – er fürchtete, man würde ihm die Tat zur Last legen, und tat so, als wäre er Mr. Ratchett.«

»C'est possible«, musste Monsieur Bouc zähneknirschend zugeben.

Poirot sah Mrs. Hubbard an.

»Ja, Madame, Sie wollten gerade sagen –?«

»Hm – ich weiß selbst nicht mehr, was ich sagen wollte. Meinen Sie denn, ich hätte auch vergessen, meine Uhr zurückzustellen?«

»Nein, Madame. Ich glaube Ihnen schon, dass Sie den Mann durch Ihr Abteil haben gehen hören – allerdings nur im Unterbewusstsein. Später hatten Sie dann einen Albtraum – von einem Mann in Ihrem Abteil. Da sind Sie aus dem Schlaf geschreckt und haben nach dem Schaffner geklingelt.«

»Ja, das könnte sein«, räumte Mrs. Hubbard ein.

Fürstin Dragomiroff sah Poirot mit festem Blick an.

»Und wie erklären Sie die Aussage meiner Zofe, Monsieur?«

»Ganz einfach, Madame. Ihre Zofe hat das Taschentuch, das ich ihr zeigte, als das Ihre erkannt. Sie hat – ein wenig ungeschickt – versucht, Sie zu schützen. Sie war diesem Mann tatsächlich begegnet, aber früher – während der Zug in Vincovci hielt. Dass sie behauptete, sie habe ihn zu einem späteren Zeitpunkt gesehen, geschah wohl in der etwas wirren Absicht, Ihnen ein wasserdichtes Alibi zu geben.«

Die Fürstin neigte den Kopf. »Sie haben alles bedacht, Monsieur. Ich – muss Sie bewundern.«

Es wurde still.

Dann fuhren alle plötzlich zusammen, als Dr. Constantine mit der Faust auf den Tisch hieb.

»Aber nein!«, rief er. »Nein, nein und abermals nein! Diese Erklärung stimmt hinten und vorn nicht. Sie lässt etliche kleinere Punkte völlig außer Acht. Das Verbrechen hat sich nicht so abgespielt – und Monsieur Poirot weiß das ganz genau.«
Poirot bedachte ihn mit einem sonderbaren Blick.
»Ich sehe«, sagte er, »dass ich Ihnen auch meine zweite Lösung vorstellen muss. Aber verwerfen Sie die erste nicht zu voreilig. Vielleicht möchten Sie ihr später doch noch zustimmen.«
Er wandte sich wieder den Übrigen zu.
»Es gibt also für den Fall noch eine zweite mögliche Lösung, auf die ich folgendermaßen gekommen bin:
Nachdem ich alle Aussagen gehört hatte, habe ich mich zurückgelehnt, die Augen geschlossen und *nachgedacht*. Einige Punkte erschienen mir dabei einer näheren Betrachtung wert. Ich habe sie meinen beiden Kollegen aufgezählt. Manche habe ich auch schon aufgeklärt – wie den Fettfleck auf einem Pass und so weiter. Ich will jetzt die verbliebenen Punkte durchgehen. Der erste und bedeutsamste war eine Bemerkung, die Monsieur Bouc am ersten Tag nach unserer Abfahrt von Istanbul mittags im Speisewagen mir gegenüber machte – des Inhalts, dass wir da eine sehr interessante Gesellschaft beisammen hätten, da sie sich so unterschiedlich zusammensetze – bestehend aus Menschen aller Schichten und Nationalitäten.
Ich teilte diese Meinung, aber als mir das später wieder in den Sinn kam, habe ich mir vorzustellen versucht, wie oder wo eine solch gemischte Gesellschaft auch unter anderen Bedingungen zusammenkommen könnte. Und ich gab mir zur Antwort: nur in Amerika. In Amerika könnte ein Haushalt sich aus so vielen verschiedenen Nationalitäten zusammensetzen – italienischer Chauffeur, englische Gouvernante, schwedische Kinderschwester, französische Zofe und so weiter. Das hat mich zum Raten verführt – das heißt, ich habe jeder Person eine Rolle in der ArmstrongTragödie zugewiesen, wie bei der Besetzung eines Theaterstücks. Und dabei bin ich zu einem hochinteressanten und sehr befriedigenden Ergebnis gekommen.
Ich hatte mir auch schon die Aussagen der verschiedenen Personen einzeln durch den Kopf gehen lassen und war dabei zu einigen merkwürdigen Resultaten gekommen. Nehmen wir zuerst Mr. MacQueens Aussage. Mein erstes Gespräch mit ihm verlief vollkommen normal und zufrieden stellend. Aber beim zweiten machte er eine recht sonderbare Bemerkung. Ich hatte ihm vom Fund eines Briefs berichtet, in dem der Fall Armstrong erwähnt wur-

de. Da sagte er: ›Aber der –‹, dann stockte er kurz und fuhr fort: ›Ich meine, war das nicht ein bisschen schludrig von dem Alten?‹
Ich konnte förmlich fühlen, dass er das ursprünglich gar nicht hatte sagen wollen. *Nehmen wir an, er hatte sagen wollen: ›Aber der wurde doch verbrannt!‹* In diesem Fall *hätte Mr. MacQueen von dem Brief und seiner Vernichtung gewusst* – mit anderen Worten, er war entweder der Mörder oder ein Komplize des Mörders. Sehr gut.
Dann der Diener. Er sagte, sein Herr pflege auf Reisen immer einen Schlaftrunk zu nehmen. Das mochte ja stimmen – *aber hätte Ratchett ihn auch letzte Nacht genommen?* Die Pistole unter seinem Kopfkissen strafte diese Aussage Lügen. Ratchett hatte letzte Nacht jederzeit wachsam sein wollen. Ein eventuelles Betäubungsmittel konnte ihm nur ohne sein Wissen verabreicht worden sein. Von wem? Offenbar doch nur von Mr. MacQueen oder dem Diener.
Kommen wir nun zu Mr. Hardmans Aussage. Was er mir über seine Person sagte, habe ich ihm alles geglaubt, aber bei der Art und Weise, wie er Mr. Ratchett zu beschützen gedachte, war seine Geschichte nichts mehr und nichts weniger als blanker Unsinn. Die einzige Möglichkeit, Ratchett wirksam zu schützen, wäre gewesen, die Nacht in seinem Abteil zu verbringen, zumindest aber an einer Stelle, von wo aus er die Tür im Auge behalten konnte. Aus seiner Aussage ging als Einziges klar hervor, *dass niemand aus einem anderen Teil des Zuges Ratchett ermordet haben konnte.* Sie kreiste somit eindeutig die Reisenden im Kurswagen Istanbul-Calais ein. Ich fand das eigenartig und wusste es mir nicht zu erklären, also habe ich es mir fürs Erste nur gemerkt, um später darüber nachzudenken.
Sie haben inzwischen wohl schon alle erfahren, dass ich einige Fetzen aus einem Gespräch zwischen Miss Debenham und Colonel Arbuthnot mitgehört hatte. Das Interessante war daran für mich, dass Colonel Arbuthnot sie *Mary* nannte, also offenbar auf sehr vertrautem Fuß mit ihr stand. Dabei hatte er sie doch angeblich erst wenige Tage zuvor kennen gelernt – und ich kenne Engländer seines Schlages. Selbst wenn er sich auf den ersten Blick in die junge Dame verliebt hätte, wäre er langsam und streng nach der Sitte vorgegangen – jedenfalls nicht so stürmisch. Ich schloss daraus, dass Colonel Arbuthnot und Miss Debenham sich in Wirklichkeit sehr gut kannten, aber aus irgendeinem Grund so taten, als wären sie einander fremd. Ein anderer kleiner Punkt war, dass Miss Debenham mir, als ich sie nach dem englischen Wort für ›Ferngespräch‹ fragte, nicht den englischen Ausdruck

– *trunk call* – nannte, sondern den amerikanischen – *long-distance call.* Wo sie mir doch erzählt hatte, sie sei nie in Amerika gewesen!
Gehen wir zu einer weiteren Zeugin über. Mrs. Hubbard hatte uns berichtet, sie habe vom Bett aus nicht sehen können, ob die Verbindungstür verriegelt war oder nicht, und deshalb habe sie Miss Ohlsson gebeten nachzusehen. Nun wäre ihre Behauptung durchaus zutreffend gewesen, wenn sie eines der Abteile Nummer zwei, vier oder zwölf – jedenfalls eine gerade Zahl – gehabt hätte, denn in diesen Abteilen befindet sich das Verriegelungsschloss tatsächlich unterhalb der Türklinke, während es sich in den ungeraden Abteilen – zum Beispiel Nummer drei – weit *oberhalb* der Türklinke befindet und deshalb kein bisschen von ihrem Waschzeugbeutel verdeckt gewesen sein konnte. Ich sah mich zu dem Schluss genötigt, dass Mrs. Hubbard da einen Vorfall erfand, der nie stattgefunden hatte.
Und nun lassen Sie mich noch ein paar Worte über Zeiten sagen. Das eigentlich Interessante an der beschädigten Uhr war für mich der Ort, an dem sie gefunden wurde – in Ratchetts Schlafanzugtasche, wo eine Uhr doch sehr störend wäre, weshalb niemand sie dort tragen würde, zumal am Kopfende des Bettes eigens ein Haken dafür angebracht ist. Daher war ich überzeugt, dass man die Uhr mit Bedacht in seine Tasche gesteckt und verstellt hatte. Also war die Tat *nicht* um Viertel nach eins begangen worden.
Wurde sie demnach früher begangen? Genauer gesagt, um dreiundzwanzig Minuten vor eins? Mein Freund Monsieur Bouc führt als Argument für diese Vermutung den lauten Schrei an, der mich aus dem Schlaf weckte. Wenn aber Ratchett unter der Einwirkung eines starken Betäubungsmittels stand, kann *nicht er* da geschrien haben. Hätte er noch schreien können, so wäre er auch zu irgendeiner Form der Gegenwehr im Stande gewesen, aber es gab keine Spuren eines solchen Kampfes.
Mir fiel nun ein, dass MacQueen nicht nur einmal, sondern gleich zweimal (und beim zweiten Mal sehr deutlich) meine Aufmerksamkeit auf Ratchetts mangelnde Französischkenntnisse gelenkt hatte. Ich kam zu dem Schluss, dass die ganze Sache um null Uhr siebenunddreißig eine eigens für mich inszenierte Komödie gewesen war. Das mit der Uhr konnte jeder leicht durchschauen – es kommt in allzu vielen Kriminalromanen vor. Es war *beabsichtigt,* dass ich sie durchschaute; dann würde ich mir nämlich etwas auf meine Schläue einbilden und weiterhin schließen, dass die Stimme, die ich um dreiundzwanzig Minuten vor eins gehört hatte, nicht Mr. Ratchetts Stimme gewesen sein konnte, da er ja kein Französisch sprach, und dass

Ratchett folglich da schon tot gewesen sein müsse. Ich bin aber überzeugt, dass Ratchett um dreiundzwanzig Minuten vor eins noch in seinem betäubten Schlaf lag.
Doch die Komödie klappte wie am Schnürchen! Ich habe meine Tür geöffnet und hinausgesehen. Ich habe auch den französischen Satz gehört. Und für den Fall, dass ich so unglaublich dumm wäre, die Bedeutung dieses Satzes nicht zu erkennen, musste man mich mit der Nase darauf stoßen. Notfalls hätte Mr. MacQueen das ganz offen tun können. Er hätte sagen können: ›Entschuldigung, Monsieur Poirot, aber *das kann nicht Mr. Ratchett gewesen sein, der da sprach.* Er konnte doch kein Französisch.‹
Also, wann hat der Mord nun wirklich stattgefunden? Und wer hat ihn begangen?
Nach meiner Meinung – und es ist wirklich nur eine Meinung – wurde Ratchett irgendwann ganz kurz vor zwei Uhr nachts getötet, am Ende des Zeitrahmens, den der Arzt uns genannt hat.
Zu der Frage, wer ihn getötet hat –?«
Er verstummte und blickte sich unter seinen Zuhörern um. Über Mangel an Aufmerksamkeit konnte er sich nicht beklagen. Alle hingen an seinen Lippen. Man hätte in der Stille eine Stecknadel fallen hören.
Er fuhr langsam fort:
»Mir fiel auf, wie außerordentlich schwierig es war, irgendjemandem in diesem Zug etwas nachzuweisen, und zwar auf Grund des merkwürdigen Umstandes, dass in jedem Fall das Alibi für den Betreffenden von einer – lassen Sie es mich so ausdrücken – ›unwahrscheinlichen‹ Person kam. So gaben Mr. MacQueen und Colonel Arbuthnot sich gegenseitig ein Alibi – zwei Menschen, bei denen es äußerst unwahrscheinlich war, dass sie einander von früher kannten. Gleiches ergab sich bei dem englischen Diener und dem Italiener, bei der Schwedin und der Engländerin. Ich sagte mir: ›*C'est extraordinaire* – sie können doch nicht alle in das Spiel verwickelt sein!‹
Und da, *Mesdames et Messieurs,* sah ich Licht. Sie *waren* alle verwickelt. Denn dass so viele Menschen, die alle eine Beziehung zu dem Fall Armstrong hatten, *zufällig* im selben Zug reisten, war nicht nur unwahrscheinlich, es war *unmöglich*. Es konnte kein Zufall sein, es war geplant. Und nun erinnerte ich mich, wie Colonel Arbuthnot etwas von einem Schwurgericht gesagt hatte. Eine Geschworenenbank besteht aus zwölf Personen – es waren zwölf Fahrgäste – und Ratchett wurde mit zwölf Messerstichen getötet. Und etwas, worüber ich mir schon die ganze Zeit den Kopf zerbrochen hatte –

dass zu einer Jahreszeit, in der sonst nicht viel los ist, der Kurswagen Istanbul-Calais so voll war –, fand plötzlich eine Erklärung.
Ratchett hatte sich in Amerika der gerechten Strafe entzogen. An seiner Schuld gab es keinen Zweifel. Ich sah im Geiste zwölf selbst ernannte Geschworene vor mir, die ihn zum Tode verurteilten und sich infolge der besonderen Lage der Dinge genötigt sahen, ihr Urteil auch selbst zu vollstrecken. Und unter dieser Annahme fügte der ganze Fall sich wunderbar zusammen.
Ich sah ein vollkommenes Mosaik vor mir – ein jeder spielte die ihm oder ihr zugewiesene Rolle. Das Ganze war so eingefädelt, dass jeder, auf den ein Verdacht fiel, durch die Aussagen eines oder mehrerer anderer sofort entlastet und der Fall noch weiter vernebelt wurde. Hardmans Aussage wurde für den Fall benötigt, dass ein Außenstehender in Verdacht geriet und kein Alibi vorweisen konnte. Für die Reisenden im Wagen Istanbul-Calais bestand keine Gefahr. Ihre Aussagen waren bis ins kleinste Detail vorher abgesprochen. Das Ganze war ein sehr schlau konstruiertes Puzzle, so ausgelegt, dass jedes neue Teilchen, das zum Vorschein kam, die Auflösung des Ganzen nur noch erschwerte. Wie mein Freund Monsieur Bouc bemerkte, erschien dieser Fall auf eine geradezu phantastische Weise unmöglich! Und das war genau der Eindruck, der entstehen sollte.
Erklärte diese Lösung alles? Ja. Die Art der Wunden – jede war ihm von einer anderen Person beigebracht worden. Die künstlichen Drohbriefe – künstlich schon deshalb, weil sie unwirklich waren, geschrieben zu dem einzigen Zweck, sie als Beweisstücke vorzulegen. (Es gab zweifellos auch echte Briefe, die Ratchett sein Schicksal ankündigten; MacQueen hat sie vernichtet und die anderen dafür untergeschoben.) Dann Hardmans Märchen, Ratchett habe sich an ihn gewandt – das war natürlich von vorn bis hinten erlogen; die Beschreibung des geheimnisvollen ›kleinen Mannes mit dunklem Teint und weibischer Stimme‹ – eine Personenbeschreibung, die den Vorzug hatte, keinen von den echten Schlafwagenschaffnern zu belasten und auf einen Mann ebenso wie auf eine Frau zu passen.
Die Idee, Ratchett zu erstechen, mag auf den ersten Blick sonderbar anmuten, aber bei näherem Hinsehen käme nichts anderes den gegebenen Umständen besser entgegen. Mit einem Dolch kann jeder umgehen, der Starke wie der Schwache, und er macht keinen Lärm. Ich stelle mir vor – wobei ich mich allerdings irren kann –, dass alle, einer nach dem anderen, durch Mrs. Hubbards Abteil in Ratchetts verdunkeltes Abteil gegangen

sind und – einmal zugestochen haben. Sie selbst werden nie wissen, welcher Stich ihn nun wirklich getötet hat.
Der letzte Brief, den Ratchett wahrscheinlich auf seinem Kopfkissen vorfand, wurde geflissentlich verbrannt. Solange nichts auf den Fall Armstrong hinwies, bestand nicht der kleinste Anlass, einen der Reisenden im Zug zu verdächtigen. Man würde einen Täter von außen vermuten, und der ›kleine Mann mit dem dunklen Teint und der weibischen Stimme‹ wäre tatsächlich von einem oder mehreren Fahrgästen beim Verlassen des Zuges in Brod gesehen worden.
Ich weiß nicht, was sich genau abgespielt hat, als die Verschwörer entdeckten, dass dieser Teil ihres Plans infolge des Missgeschicks, das den Zug ereilte, undurchführbar geworden war. Ich vermute, dass in aller Eile eine Beratung stattfand, in der man beschloss, die Sache durchzuziehen. Es war zwar klar, dass nun jeder einzelne Reisende in Verdacht geraten würde, aber für diese Möglichkeit war ja schon vorgesorgt. Zusätzlich erforderlich war nur noch eine weitere Vernebelung des Geschehens. Also wurden zwei so genannte ›Hinweise‹ im Abteil des Toten ausgelegt – einer, der Colonel Arbuthnot belastete (der das sicherste Alibi hatte und dessen Beziehung zur Familie Armstrong wohl am schwersten nachzuweisen war), und der zweite, das Taschentuch, das die Fürstin Dragomiroff belastete, die auf Grund ihrer gesellschaftlichen Stellung, ihrer besonders zarten Statur und des Alibis, das ihre Zofe und der Schlafwagenschaffner ihr gaben, praktisch unangreifbar war. Um für noch mehr Verwirrung zu sorgen, wird zusätzlich eine klassische falsche Fährte in Gestalt der geheimnisvollen Frau im roten Kimono gelegt. Wiederum soll ich selbst zum Zeugen für die Existenz dieser Frau gemacht werden. Ich höre einen kräftigen Schlag gegen meine Tür, und als ich sie öffne, sehe ich den roten Kimono in der Ferne verschwinden. Eine kluge Auswahl von Personen – der Schaffner, Miss Debenham und Mr. MacQueen – wird die Frau ebenfalls gesehen haben. Es muss jemand mit Humor gewesen sein, der auf die Idee kam, den roten Kimono ausgerechnet in meinen Koffer zu legen, während ich im Speisewagen beim Verhör saß. Woher das Kleidungsstück ursprünglich stammte, entzieht sich meiner Kenntnis. Ich nehme an, es gehört der Gräfin Andrenyi, denn in ihrem Gepäck befindet sich nur ein sehr schickes Negligé aus Chiffon, das mehr Nachmittagskleid als Morgenmantel ist.
Als Mr. MacQueen erfuhr, dass der Brief, den man so fürsorglich verbrannt hatte, teilweise der Vernichtung entgangen und ausgerechnet das Wort ›Arm-

strong‹ noch lesbar war, muss er das unverzüglich allen anderen mitgeteilt haben. In diesem Moment wurde es brenzlig für die Gräfin Andrenyi, worauf ihr Gatte sogleich an ihrem Pass manipulierte. Es war das zweite Pech.
Nun gab es noch einen weiteren Punkt zu bedenken. Vorausgesetzt, meine Theorie über das Verbrechen war richtig – und ich glaube, sie *ist* richtig –, dann musste offensichtlich auch der Schlafwagenschaffner in das Komplott eingeweiht sein. Wenn er das aber war, dann hatten wir es mit dreizehn Personen zu tun, nicht mit zwölf. Statt der üblichen Ausgangslage: ›Von soundso vielen Leuten ist einer schuldig‹, stand ich vor dem Problem, dass von dreizehn Personen eine, und nur eine, unschuldig sein musste. *Welche?*
Ich kam zu einem sehr kuriosen Schluss. Ich kam zu dem Schluss, dass die eine Person, die sich an der Tat nicht beteiligt hatte, ausgerechnet diejenige war, von der man eine Beteiligung am ehesten erwartet hätte. Ich spreche von der Gräfin Andrenyi. Der feierliche Ernst, mit dem ihr Gatte mir bei seiner Ehre schwor, dass seine Gemahlin in dieser Nacht zu keinem Zeitpunkt ihr Abteil verlassen habe, hat mich tief beeindruckt. So zog ich den Schluss, dass Graf Andrenyi gewissermaßen die Stelle seiner Frau eingenommen hatte.
Wenn das stimmte, dann musste Pierre Michel auf jeden Fall einer der zwölf sein. Aber wie war seine Mittäterschaft zu erklären? Er ist ein ehrenwerter Mann, seit vielen Jahren im Dienst der Schlafwagengesellschaft – ganz gewiss nicht der Mensch, der sich durch Bestechung zur Teilnahme an einem Verbrechen verleiten ließe. Also musste Pierre Michel in den Fall Armstrong einbezogen sein. Das erschien mir jedoch sehr unwahrscheinlich. Bis mir einfiel, dass es sich bei dem toten Kindermädchen um eine Französin gehandelt hatte. Angenommen, dieses unglückliche Mädchen war Pierre Michels Tochter? Das würde alles erklären – sogar den Ort, den man sich zur Begehung der Tat ausgesucht hatte. Gab es noch andere, deren Rolle in dem Drama nicht ganz geklärt war? Colonel Arbuthnot habe ich als Freund der Familie Armstrong eingeordnet. Wahrscheinlich waren sie zusammen im Krieg gewesen. Die Zofe, Hildegard Schmidt – ihre Stellung im Hause Armstrong konnte ich erraten. Ich lege vielleicht übermäßig großen Wert auf gutes Essen, jedenfalls rieche ich eine gute Köchin von weitem. Ich stellte ihr also eine Falle – und sie trat prompt hinein. Als ich sagte, sie sei doch bestimmt eine gute Köchin, antwortete sie: ›Ja, das haben bisher alle meine gnädigen Frauen gesagt.‹ Aber wie oft hat eine Herrschaft schon Gelegenheit, die Kochkünste einer *Zofe* zu beurteilen!

Dann hatten wir noch Mr. Hardman. Er schien nun ganz entschieden *nichts* mit dem Hause Armstrong zu tun zu haben. Ich konnte mir höchstens vorstellen, dass er vielleicht in die kleine Französin verliebt gewesen war. Also sprach ich ihn auf den Charme fremdländischer Frauen an – und wieder bekam ich die Reaktion zu sehen, die ich erwartet hatte. Er hatte plötzlich Tränen in den Augen – und tat prompt so, als hätte der Schnee ihn geblendet. Blieb also nur noch Mrs. Hubbard. Nun lassen Sie mich sagen, dass Mrs. Hubbard die wichtigste Rolle in dem ganzen Drama zu spielen hatte. Da sie das Abteil mit Verbindungstür zu Mr. Ratchetts Abteil innehatte, konnte sie eher als alle anderen in Verdacht geraten. Es lag in der Natur der Sache, dass sie kein Alibi vorweisen konnte. Um ihre Rolle zu spielen – das vollkommen natürliche, leicht komische amerikanische Mutterherz – bedurfte es einer Künstlerin. Aber im Umkreis der Familie Armstrong *gab* es ja eine Künstlerin – Mrs. Armstrongs Mutter – die Schauspielerin Linda Arden ...«

Er verstummte.

Da meldete sich mit klangvoller, leicht verträumter Stimme – einer ganz anderen als der, mit der sie während der ganzen Reise gesprochen hatte – Mrs. Hubbard zu Wort:

»Ich hatte mir schon immer mal eine komische Rolle gewünscht.«

Und im gleichen verträumten Ton fuhr sie fort:

»Das mit dem Waschzeugbeutel, das war ein dummer Patzer. Woran man sieht, dass nichts über eine ordentliche Probe geht. Wir hatten auf dem Hinweg alles durchgespielt – aber da hatte ich wohl ein Abteil mit gerader Nummer. Ich wäre nie auf die Idee gekommen, dass die Schlösser an verschiedenen Stellen sitzen.«

Jetzt drehte sie sich so, dass sie Poirot voll ins Gesicht sah.

»Sie wissen alles, Monsieur Poirot. Sie sind ein großartiger Mann. Aber selbst Sie können sich nicht richtig vorstellen, wie das war – an diesem entsetzlichen Tag in New York. Ich war vor Schmerz von Sinnen – die Dienerschaft ebenso – und Colonel Arbuthnot war auch da. Er war John Armstrongs bester Freund.«

»Er hat mir im Krieg mal das Leben gerettet«, sagte Arbuthnot.

»Da haben wir – vielleicht war es ja verrückt von uns – ich weiß es nicht – an Ort und Stelle beschlossen, das Todesurteil, dem Cassetti entronnen war, zu vollstrecken. Wir waren zwölf – oder eigentlich nur elf, denn Susannes Vater war ja in Frankreich. Zuerst wollten wir losen, wer von uns es tun sollte, aber dann haben wir uns am Ende für diesen Weg entschieden. Der Vorschlag kam von Antonio, dem Chauffeur. Später hat Mary zusammen mit Hector MacQueen alles ausgearbeitet. Hector hatte Sonia – meine Tochter – immer sehr verehrt, und er konnte uns auch genau erklären, wie Cassetti sich mit seinem Geld freigekauft hatte.

Es hat lange gedauert, bis unser Plan stand. Zuerst mussten wir Ratchett aufspüren. Das ist Hardman schließlich gelungen. Dann mussten wir versuchen, Masterman und MacQueen in seine Dienste zu bringen – oder wenigstens einen von ihnen. Jedenfalls haben wir auch das geschafft. Und dann haben wir uns mit Susannes Vater beraten. Colonel Arbuthnot legte großen Wert darauf, dass wir zwölf waren. Für sein Gefühl entsprach das wohl mehr der Ordnung. Die Idee, Ratchett zu erstechen, wollte ihm zuerst gar nicht gefallen, aber er sah ein, dass es die meisten unserer Probleme löste. Nun gut. Susannes Vater war bereit mitzumachen. Susanne war sein einziges Kind gewesen. Wie wir von Hector wussten, wollte Ratchett früher oder später mit dem Orientexpress aus dem Osten zurückkommen. Dass Pierre Michel auf dieser Strecke arbeitete, bot uns eine Chance, die viel zu gut war, um sie auszulassen. Außerdem konnten wir so vermeiden, dass womöglich ein Außenstehender in Schwierigkeiten kam.

Natürlich mussten wir den Mann meiner zweiten Tochter einweihen, und er ließ es sich nicht nehmen, mit ihr auf diese Reise zu gehen. Hector konnte es so deichseln, dass Ratchett den richtigen Tag für die Reise wählte, nämlich einen, an dem Michel im Zug war. Wir wollten den ganzen Wagen Istanbul-Calais belegen, aber eines der Abteile konnten wir dummerweise nicht bekommen. Es war schon lange im Voraus für einen Direktor der Gesellschaft reserviert worden. Mr. Harris war natürlich eine Erfindung. Es wäre ja ungeschickt gewesen, einen Fremden in Hectors Abteil zu haben. Und dann kamen in allerletzter Minute *Sie* …«

Sie machte eine kleine Pause.

»So«, sagte sie dann, »jetzt wissen Sie alles, Monsieur Poirot. Was werden Sie nun damit anfangen? Wenn schon alles herauskommen muss, könnten Sie die Schuld dann nicht mir, nur mir allein zuschieben? Mit Freuden hätte ich diesen Mann auch zwölfmal erstochen! Er hatte nicht nur den Tod meiner Tochter und ihres Kindes und des anderen Kindes auf dem Gewissen, das jetzt leben und glücklich sein könnte. Es war noch mehr. Vor Daisy waren schon andere Kinder ermordet worden – und es hätte in Zukunft weitere treffen können. Die Gesellschaft hatte ihn verurteilt; wir waren nur

die Vollstrecker dieses Urteils. Aber es ist nicht nötig, die anderen alle mit hineinzuziehen. Alle diese lieben, treuen Freunde – und den armen Michel – und Mary und Colonel Arbuthnot – sie lieben sich …«
Ihre wundervolle Stimme tönte durch den überfüllten Speisewagen – so tief, so gefühlvoll und ans Herz gehend, dass sie schon manches New Yorker Publikum verzaubert hatte.
Poirot sah seinen Freund an.
»Sie sind ein Direktor der Gesellschaft, Monsieur Bouc«, sagte er. »Was ist Ihre Meinung?«
Monsieur Bouc räusperte sich.
»Nach meiner Ansicht, Monsieur Poirot«, sagte er, »ist die erste Theorie, die Sie uns unterbreitet haben, die richtige – sie ist es ganz bestimmt. Ich schlage vor, wir bieten diese Lösung der jugoslawischen Polizei an, wenn sie eintrifft. Sind Sie damit einverstanden, Doktor?«
»Selbstverständlich bin ich damit einverstanden«, sagte Dr. Constantine. »Was die medizinischen Befunde angeht, da habe ich mich – äh – wohl zu der einen oder anderen irrigen Vermutung hinreißen lassen.«
»Gut so«, sagte Monsieur Poirot. »Nachdem ich Ihnen also meine Lösung unterbreitet habe, werde ich nunmehr die Ehre haben, mich von dem Fall zurückzuziehen …«